宅建士

おもしろいから
続けられる！
続けられるから
合格できる！

攻略問題集

精選333問

宅建ダイナマイト合格スクール 著

インプレス

本書の特典のご案内

● 電子書籍

本書の全文の電子版（PDF・印刷不可）を無料でダウンロードいただけます。

● スマホで解ける○×問題集

すきま時間でお手軽に頻出問題の学習ができます。

● 答案用紙と解答一覧

本書未掲載の答案用紙と解答一覧(PDF･印刷可）を無料でダウンロードいただけます。

上の特典は、以下の URL からダウンロードいただけます。
インプレス書籍サイト URL:https://book.impress.co.jp/books/1124101067
※特典の利用には、無料の読者会員システム「CLUBImpress」への登録が必要となります。
※本特典の利用は、書籍をご購入いただいた方に限ります。
※特典の提供期間は、本書発売より 1 年を予定しています。

● 音声講義「攻略問題集★ポイント解説♪」

本書の音声解説講義を無料で配信いたします（12 ページ参照）。

● オンラインセミナー

宅建ダイナマイト合格スクールで開催する無料のオンラインセミナー（不定期開催）にご参加いただけます。

● 本書のお問い合わせ

本書の記述に関する不明点や誤記などの指摘は、上記、インプレス書籍サイトの「お問い合わせ」よりお問い合わせください。

オンラインセミナーについては「宅建ダイナマイト合格スクール」をご確認ください。
宅建ダイナマイト合格スクール URL：https://t-dyna.com/

インプレスの書籍ホームページ

書籍の新刊や正誤表など最新情報を随時更新しております。

https://book.impress.co.jp/

Contents

2025年度（令和7年度）宅建試験★受験対策

普通の人が 宅建試験に合格する方法

この問題集は、「2025年版 合格しようぜ!宅建士 基本テキスト 動画&音声講義付き」（インプレス刊）に準拠した問題集です。単独でも利用できますが、より効率的に受験対策をすすめるならば、基本テキストもあわせてご利用ください。

こんにちは。

宅建ダイナマイト合格スクールのおーさわ校長（大澤茂雄）です。

本書を手にとってくださいましたみなさん。どうもありがとうございます。

これもなにかのご縁ですね。

なので、せっかくですから、今年、宅建試験に合格しちゃってくださいね。

ではさっそく、この問題集の冒頭特集「普通の人が宅建試験に合格する方法」として、以下の5つを「宅建合格心得」として掲げてみたいと思います。

- 心得1 → あくまでも「他人との戦い」である
- 心得2 → その上で「戦略」と「戦術」を考える
- 心得3 → 「合格パターン」から得点戦略を考える
- 心得4 → 過去問を制する者が宅建試験を制す
- 心得5 → 結局は「量」が「質」を生む

心得 1 あくまでも「他人との戦い」である

宅建試験の合格状況（概要）を確認しておきましょう。例年、受験申込者は25 万人程度で、実際の受験者は 20 万人くらいです。そして合格率は 15%前後。つまり「受験集団のなかでの得点ランキング争い」となりまして、上位 15%程度の人が合格となります。宅建試験に限らず、おおよそ「試験」というものは「他人との戦い」です。受験対策をしっかりとって、「自分が上位 15%に入る」ということを目標としましょう。どれくらい得点すれば上位 15%になるかどうかは、その年の試験の難易度によります。おおむね35 点前後と考えておけばよいでしょう。

年度	申込者	受験者	合格者	合格率	合格点
R05	289,096	233,276	40,025	17.2%	36
R04	283,856	226,022	38,525	17.0%	36
R03(12月)	39,814	24,965	3,892	15.6%	34
R03(10月)	256,704	209,749	37,579	17.9%	34
R02(12月)	55,121	35,258	4,609	13.1%	36
R02(10月)	204,163	168,989	29,758	17.6%	38
R01	276,019	220,797	37,481	17.0%	35
H30	265,444	213,993	33,360	15.6%	37
H29	258,511	209,345	32,644	15.6%	35
H28	247,761	198,375	30,589	15.4%	35
H27	243,199	194,859	30,028	15.4%	31
H26	238,343	192,029	33,670	17.5%	32
H25	234,586	186,304	28,470	15.3%	33

（50点満点）

心得2 その上で「戦略」と「戦術」を考える

そもそも「試験」自体が他人との戦いということであるため、合格するには他人より1点でも多く得点しなければなりません。そのためには、やはりそれなりの「戦略」と「戦術」が必要となると思われます。

ではまず「戦略」から考えてみましょう。戦略とは「将軍の知恵」とも言われます。いかにして効果的な勝ち方をなしとげるか。宅建試験で置き換えれば「ふつうの人がいかにして効率的に宅建試験に合格するか」ですね。ではまず、そもそも宅建試験ってどんな試験なのか。出題項目を確認してみましょう。「彼を知り己を知れば百戦殆うからず」です。

宅建士試験の出題内容

分野の表現	具体的な法令	問題番号	出題数
権利関係	民法・借地借家法・不動産登記法・建物の区分所有等に関する法律	問1～問14	14問
法令上の制限	都市計画法・建築基準法・宅地造成及び特定盛土等規制法・国土利用計画法・土地区画整理法・農地法など	問15～問22	8問
税	所得税・登録免許税・印紙税・不動産取得税・固定資産税など	問23～問24	2問
地価公示法・不動産鑑定評価	地価公示法か不動産鑑定評価	問25	1問
宅建業法	宅地建物取引業法 住宅瑕疵担保履行法	問26～問45	20問
免除科目	住宅金融支援機構・景品表示法・住宅着工統計など（免除科目）	問46～問50	5問
	宅地・建物の形質など（免除科目）		

注）宅地建物取引業に従事している方で、所定の講習課程（登録講習）を修了し、講習修了者証の交付を受けた方は、問46～問50の5問が免除され、全45問での試験実施となります。試験時間は13：10～15：00（1時間50分）です。

心得3 「合格パターン」から得点戦略を考える

宅建試験は「50問（登録講習修了者は45問）」の出題です。この50問（45問）を相手に、どうやって合格点まで得点を積み上げていくか。いわゆる「合格パターン」については、一定のパターンがあるようです。合格ラインが高めだった年度での、合格点に届いた人たちと惜敗組の得点状況はこんな感じでした（宅建ダイナマイト合格スクール調べ）。

● 37点で合格だった年度

項目		A（合格）	B（合格）	C（合格）	D（惜敗）	E（惜敗）
権利関係（前半）	問1～問10	7	5	5	6	6
権利関係（後半）	問11～問14	2	4	1	4	0
法令上の制限	問15～問22	7	8	7	6	5
税	問23、問24	1	1	1	1	0
地価公示法・不動産鑑定評価	問25	0	0	0	1	1
宅建業法	問26～問45	**17**	**16**	**18**	**14**	**15**
免除科目	問46～問50	4	（+5）	（+5）	2	（+5）
	得点	**38**	**39**	**37**	**34**	**32**

ほかの年度での「合格パターン」もほぼおなじです。

彼らの得点状況を見てみればおわかりのとおり、まず確実にいえることは「宅建業法を得点源にする」ということです。問26～問45の宅建業法は全20問。ここが16点以下だと、厳しい展開になることが予想されます。

受験業界の関係者は、どの人も「宅建業法（20問）はやればやっただけ得点が伸びる」といっています。おおざっぱにいえば、過去問をちゃんと解き倒していれば本試験で得点できるようになるという意味です。

さらに得点状況を見てみると、普通の人が宅建試験に合格する、すなわち上位15%に入るための得点戦略は、こんな感じになるのではないでしょうか。

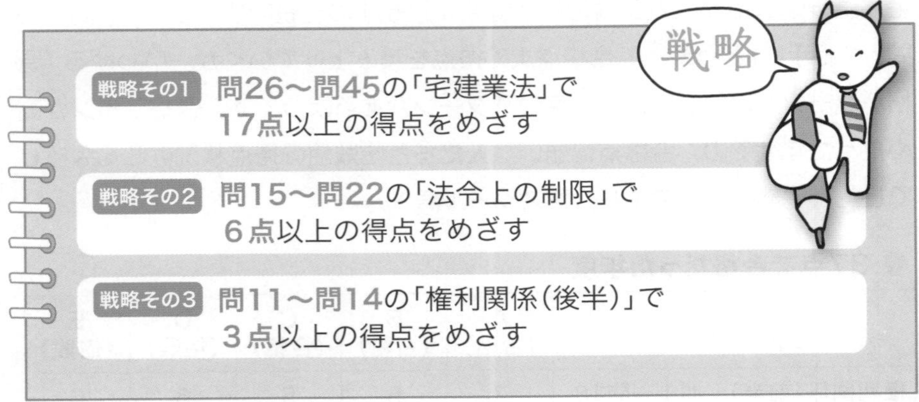

心得4 過去問を制する者が宅建試験を制す

宅建試験は、過去に出題された内容が、表現を変えて繰り返し出題される傾向にあります。この傾向は、宅建業法（20問）のほか、法令上の制限（8問）、権利関係後半の借地借家法（2問）や区分所有法（1問）で顕著です。
つまり、これらを合計した30問くらいは、要は過去問を解き倒しておけば得点できる項目であり、合格者はここを思いっきり得点しています。

過去問と同趣旨での繰り返し出題は逃さない。

これが究極の戦略になると思われます。まずここでしっかり得点を積み上げておけば、残りの権利関係（前半・民法）、税、地価公示あたりは正解率50%くらいでいいということになります。とはいえ、油断は禁物ですが。

心得5 → 結局は「量」が「質」を生む

最後に宅建試験に合格するための「戦術」、つまりは勉強方法を考えていきましょう。受験勉強において大事なのは、「質」よりも「量」です。とにかく、いかにして日々の生活のなかで勉強時間を生み出すかが勝負となります。
合格するために必要な時間は、ネットで検索してみれば200時間～300時間という数値が出てきます。その数値は数値として、具体的になにをやればいいのかというと、「基本テキストは3回読み直す。過去問を5回は解き倒す」ということになるでしょう。

実力は、$y=ax^2+b$という法則で伸びていきます。「y」を実力、つまり知識量とします。「a」はその人が持っている受験勉強に対するセンス、たとえば読解力などです。そして「x」は勉強時間、「b」は社会経験としてみます。

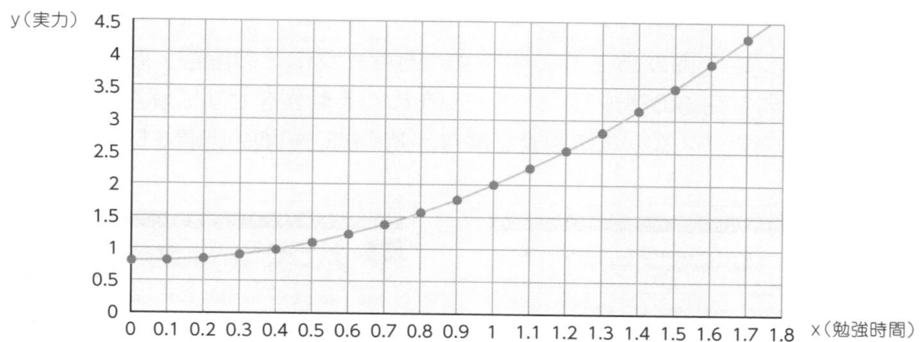

aを1.2、bを0.8としてグラフにしてみましょう。勉強時間「x」を増やしていくと、yの値が急激に右肩上がりに伸びます。
合格者のみなさんが異口同音に「あるとき、いきなりドカンとわかるようになった」と言いますね。ドカンとわかる時期がくるまで、我慢ができるか。
宅建ダイナマイト合格スクールは、みなさんの健闘を全力で応援します。

本書の特長

受験勉強を楽しく進めるために、本書には宅建ダイナマイト合格スクールならではの工夫が詰まっています。8 つの特長を紹介します。

❶ 分野別の重要問題を重要な順に勉強する

宅建業法、法令上の制限、権利関係、その他の 4 分野別に、よく出る重要問題を厳選して掲載しているので、合格直結の知識を効率的に学習できます。また、試験の出題順では権利関係の民法からですが、本書は宅建業法から解説するのが特長です。宅建試験 50 問中 20 問は宅建業法であり、いちばんの得点源だからです。ちゃんと勉強すれば着実に得点できます。

❷ 見開き完結型で読みやすい

左ページに 1 問から 2 問の問題文、右ページにその解答・解説を配置した見開き完結の構成です。ページをめくる動作をせずに解答と解説が読めるので、スムーズに問題を解き、効率的に知識の定着を図れます。

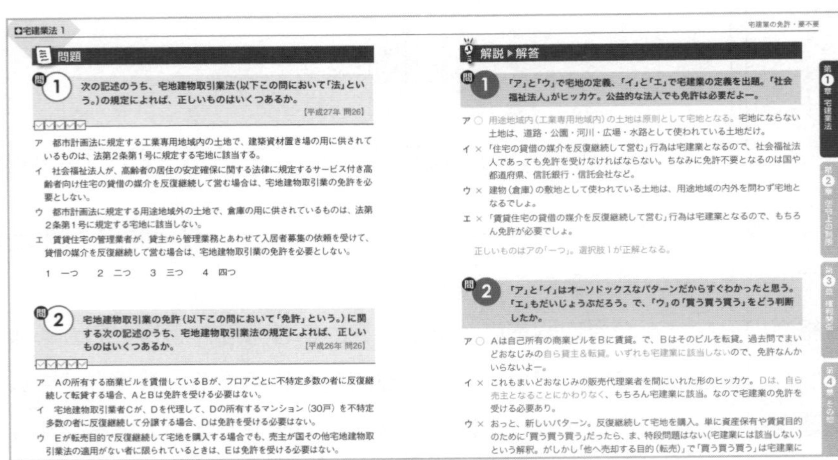

宅建業法 1

宅建業の免許・要不要

問題

問 1 次の記述のうち、宅地建物取引業法（以下この問において「法」という。）の規定によれば、正しいものはいくつあるか。【平成27年 問26】

ア　都市計画法に規定する工業専用地域内の土地で、建築資材置き場の用に供されているものは、法第2条第1号に規定する宅地に該当する。
イ　社会福祉法人が、高齢者の居住の安定確保に関する法律に規定するサービス付き高齢者向け住宅の貸借の媒介を反復継続して営む場合は、宅地建物取引業の免許を必要としない。
ウ　都市計画法に規定する用途地域外の土地で、倉庫の用に供されているものは、法第2条第1号に規定する宅地に該当しない。
エ　賃貸住宅の管理業者が、貸主から管理業務とあわせて入居者募集の依頼を受けて、貸借の媒介を反復継続して営む場合は、宅地建物取引業の免許を必要としない。

1　一つ　　2　二つ　　3　三つ　　4　四つ

問 2 宅地建物取引業の免許（以下この問において「免許」という。）に関する次の記述のうち、宅地建物取引業法の規定によれば、正しいものはいくつあるか。【平成26年 問26】

ア　Aの所有する商業ビルを賃借しているBが、フロアごとに不特定多数の者に反復継続して転貸する場合、AとBは免許を受ける必要はない。
イ　宅地建物取引業者Cが、Dを代理して、Dの所有するマンション（30戸）を不特定多数の者に反復継続して分譲する場合、Dは免許を受ける必要はない。
ウ　Eが転売目的で反復継続して宅地を購入する場合でも、売主が国その他宅地建物取引業法の適用がない者に限られているときは、Eは免許を受ける必要はない。

解説▶解答

問 1 「ア」と「ウ」で宅地の定義、「イ」と「エ」で宅建業の定義を出題。「社会福祉法人」がヒッカケ。公益的な法人でも免許は必要だよー。

ア ○ 用途地域内（工業専用地域内）の土地は原則として宅地となる。宅地にならない土地は、道路・公園・河川・広場・水路として使われている土地だけ。
イ × 「住宅の貸借の媒介を反復継続して営む」行為は宅建業となるので、社会福祉法人であっても免許を受けなければならない。ちなみに免許不要となるのは国や都道府県、信託銀行・信託会社など。
ウ × 建物（倉庫）の敷地として使われている土地は、用途地域の内外を問わず宅地となるでしょ。
エ × 「賃貸住宅の貸借の媒介を反復継続して営む」行為は宅建業となるので、もちろん免許が必要でしょ。

正しいものはアの「一つ」。選択肢１が正解となる。

問 2 「ア」と「イ」はオーソドックスなパターンだからすぐわかったと思う。「エ」もだいじょうぶだろう。で、「ウ」の「買う買う買う」をどう判断したか。

ア ○ Aは自己所有の商業ビルをBに賃貸。で、Bはそのビルを転貸。過去問でまいどおなじみの自ら貸主＆転貸。いずれも宅建業に該当しないので、免許なんかいらないよー。
イ × これもまいどおなじみの販売代理業者を間にいれた形のヒッカケ。Dは、自ら売主となることにかわりなく、もちろん宅建業に該当。なので宅建業の免許を受ける必要あり。
ウ × おっと、新しいパターン。反復継続して宅地を購入。単に資産保有や賃貸目的のために「買う買う買う」だったら、ま、特段問題はない（宅建業には該当しない）という解釈。がしかし「他へ売却する目的（転売）」で「買う買う買う」は宅建業に

第1章 宅建業法

❸ 音声解説で楽しくポイント学習

おーさわ校長こと大澤茂雄先生の楽しい音声解説が聴けます。ラジオ番組のような軽快なトークで、要点を解説。家事をやっているときや車の運転中、通勤途中の電車内でも聴けます。

❹ スマホで学べる全文電子版 &Web アプリ

時間のない受験生のために、スマホでいつでもどこでも学習できる特典をご用意しました。全文電子版は、本書をスマホにダウンロードして持ち歩けます。またスマホで利用できる Web アプリで、300 問分の○×チェック問題集もご用意しました。隙間時間に効率よく勉強ができます。

おーさわ校長（大澤茂雄）のプロフィール

大手専門学校の宅建講座を立ち上げ人気講師として活躍してから独立。宅建講師歴 35 年以上。大学不動産学部での講義歴もある。人生までも前向きにしてくれる楽しい音声講義が人気で、卒業してもファンが多い。

宅建ダイナマイトの受験生サポート一覧

■【無料特典音声講義】 攻略問題集★ポイント解説	
■【登録無料】 宅建ダイナマイト合格スクール公式 LINE 各種最新情報をお届けします。	
■【宅建ダイナマイト関連商店】 もっと学びたいあなたに、おーさわ校長が作った良問テーマ別問題、模擬試験などの教材を購入できます。	
■【オンラインリアル講義】 「おーさわ校長の実際の講義を受けたい！」「おーさわ校長と直接話したい！」そんなあなたのためのオンラインリアル講義もご用意しています。	
■【大人女子宅建】 おーさわ校長の集大成。条文ベースで効率良く、書き込みながら学びます。合格するまでサポート。（受講料には宅建ダイナマイト関連商店の商品やオンラインリアル講義の料金も含まれます。）	
■【RE/MAX Dynamite】 宅建ダイナマイト合格スクール卒業生で始めた不動産会社。 強く、自分の力で輝きたい、やる気のあるエージェント募集中。	
■【宅建ダイナマイト仕事相談】 宅建ダイナマイト合格スクールの在校生、卒業生専用の仕事相談を受け付けています。まずはお気軽にご相談ください。 協力会社：リクサス株式会社	

合格をめざして !!

1　過去問を制する者が宅建試験を制す !!

- 過去に出題された内容が、表現を変えて繰り返し、出題されている
- 過去によく出題されている内容の問題は、ぜったいに落とさないこと
- 姉妹書『合格しようぜ！宅建士 過去 15 年問題集』の星三つ（☆☆☆）の問題を完全理解

2　35 点～ 37 点勝負だ !!

- なにも満点（50 点満点）を取る必要はない
- 比較的得点しやすい分野でがっちり得点すること
- 「宅建業法編」と「法令上の制限編」が勝負となる

3　結局は忘却との戦いだ !!

- とどのつまりは量が質を生む
- せっかく覚えても「どんどん忘れていく」ということを前提にせよ
- 定期的に問題を解き直したり、テキストを読み直す必要がある

結　論

合格に王道はなし

- 基本書（テキスト）は３回読み直す
- 問題集は５回解き直す

合格のための心得・格言集

★ラクな道はないのだと心得よ。
★自分との戦いに勝利せよ。逃げるな。
★継続はチカラなり。毎日やれ。
★「仕事」を言い訳にする者から脱落する。
★年齢を言い訳にする者は見苦しい。
★へらへら笑ってごまかすな。
★合格した者だけがチヤホヤされる。
★惜敗するな。落ちたら価値なし。

宅建業の免許・要不要

2025年版
合格しようぜ！
宅建士 基本テキスト

➡ Part1 宅建業法
➡ 宅建業法-1
➡ Section1　宅建業法の目的。消費者の保護
➡ P026〜P037

このSectionでのメインテーマである〈宅地建物取引業を営むには「免許」を受けなければならない〉からの出題。ほぼ毎年の出題。出題パターンは単純で、選択肢で記述する「取引」が「宅建業」に該当するかどうかを聞いてくる。該当するのであれば免許必要。該当しなければ免許不要。宅建業に該当しない取引として〈自ら貸主〉と〈自ら転貸借〉。いくら手広くやっていてもそもそも宅建業に該当しない。一方、自己所有地を区画割りして宅地として分譲するために宅建業者に媒介・代理依頼という場合、売主は免許必要。

だからこう解く!! 厳選要点☆ここを押さえろ

宅地とは

- **建物**の**敷地**にするための土地（予定地含む）
- 用途地域内の土地（**道路**・**公園**など**以外**）

宅地建物取引業（取引）

- 自ら**売主**、売買・貸借の**代理**・**媒介**で、業（不特定多数の者を相手に反復継続して取引）として行うもの

宅地建物取引業にならないもの（免許不要）

- **自ら貸主**
- **転貸借**（自ら転貸人）
- マンション管理
- 宅地の造成
- **一括**して売却

自ら売主のヒッカケパターン

- 自己所有地を区画割りして宅地として分譲
- 分譲するために宅建業者に媒介・代理依頼

*間に業者を入れても自ら売主になることに変わりない

宅地建物取引業の**免許不要**の場合

- 国や地方公共団体、地方住宅供給公社など
- 信託銀行・信託会社（免許不要だがあらかじめ**国土交通大臣**に**届出**が必要）

問題

次の記述のうち、宅地建物取引業法(以下この問において「法」という。)の規定によれば、正しいものはいくつあるか。

【平成27年 問26】

ア　都市計画法に規定する工業専用地域内の土地で、建築資材置き場の用に供されているものは、法第2条第1号に規定する宅地に該当する。

イ　社会福祉法人が、高齢者の居住の安定確保に関する法律に規定するサービス付き高齢者向け住宅の貸借の媒介を反復継続して営む場合は、宅地建物取引業の免許を必要としない。

ウ　都市計画法に規定する用途地域外の土地で、倉庫の用に供されているものは、法第2条第1号に規定する宅地に該当しない。

エ　賃貸住宅の管理業者が、貸主から管理業務とあわせて入居者募集の依頼を受けて、貸借の媒介を反復継続して営む場合は、宅地建物取引業の免許を必要としない。

1　一つ　　2　二つ　　3　三つ　　4　四つ

宅地建物取引業の免許(以下この問において「免許」という。)に関する次の記述のうち、宅地建物取引業法の規定によれば、正しいものはいくつあるか。

【平成26年 問26】

ア　Aの所有する商業ビルを賃借しているBが、フロアごとに不特定多数の者に反復継続して転貸する場合、AとBは免許を受ける必要はない。

イ　宅地建物取引業者Cが、Dを代理して、Dの所有するマンション(30戸)を不特定多数の者に反復継続して分譲する場合、Dは免許を受ける必要はない。

ウ　Eが転売目的で反復継続して宅地を購入する場合でも、売主が国その他宅地建物取引業法の適用がない者に限られているときは、Eは免許を受ける必要はない。

エ　Fが借金の返済に充てるため、自己所有の宅地を10区画に区画割りして、不特定多数の者に反復継続して売却する場合、Fは免許を受ける必要はない。

1　一つ　　2　二つ　　3　三つ　　4　なし

解説▶解答

問1

「ア」と「ウ」で宅地の定義、「イ」と「エ」で宅建業の定義を出題。「社会福祉法人」がヒッカケ。公益的な法人でも免許は必要だよー。

ア ○ 用途地域内（工業専用地域内）の土地は原則として宅地となる。宅地にならない土地は、道路・公園・河川・広場・水路として使われている土地だけ。

イ × 「住宅の貸借の媒介を反復継続して営む」行為は宅建業となるので、社会福祉法人であっても免許を受けなければならない。ちなみに免許不要となるのは国や都道府県、信託銀行・信託会社など。

ウ × 建物（倉庫）の敷地として使われている土地は、用途地域の内外を問わず宅地となるでしょ。

エ × 「賃貸住宅の貸借の媒介を反復継続して営む」行為は宅建業となるので、もちろん免許が必要でしょ。

正しいものはアの「一つ」。選択肢１が正解となる。

問2

「ア」と「イ」はオーソドックスなパターンだからすぐわかったと思う。「エ」もだいじょうぶだろう。で、「ウ」の「買う買う買う」をどう判断したか。

ア ○ Ａは自己所有の商業ビルをＢに賃貸。で、Ｂはそのビルを転貸。過去問でまいどおなじみの自ら貸主＆転貸。いずれも宅建業に該当しないので、免許なんかいらないよー。

イ × これもまいどおなじみの販売代理業者を間にいれた形のヒッカケ。Ｄは、自ら売主となることにかわりなく、もちろん宅建業に該当。なので宅建業の免許を受ける必要あり。

ウ × おっと、新しいパターン。反復継続して宅地を購入。単に資産保有や賃貸目的のために「買う買う買う」だったら、ま、特段問題はない(宅建業には該当しない)という解釈。がしかし「他へ売却する目的（転売）」で「買う買う買う」は宅建業に該当するとのことです。ちなみに、売主（宅地の仕入れ先）が誰であるかは関係なし。Ｅ自身が宅建業を営む以上、宅建業の免許を受ける必要あり。

エ × 自己所有の宅地を不特定多数の者に反復継続して売却するＦの行為はもちろん宅建業に該当。売却の目的はカンケーなし。宅建業の免許を受ける必要あり。

正しいものはアの「一つ」。選択肢１が正解となる。

正解			
問１	１	問２	１

問題

問3 宅地建物取引業の免許（以下この問において「免許」という。）に関する次の記述のうち、正しいものはどれか。

【平成22年 問26】

1　農地所有者が、その所有する農地を宅地に転用して売却しようとするときに、その販売代理の依頼を受ける農業協同組合は、これを業として営む場合であっても、免許を必要としない。

2　他人の所有する複数の建物を借り上げ、その建物を自ら貸主として不特定多数の者に反復継続して転貸する場合は、免許が必要となるが、自ら所有する建物を貸借する場合は、免許を必要としない。

3　破産管財人が、破産財団の換価のために自ら売主となり、宅地又は建物の売却を反復継続して行う場合において、その媒介を業として営む者は、免許を必要としない。

4　信託業法第3条の免許を受けた信託会社が宅地建物取引業を営もうとする場合、免許を取得する必要はないが、その旨を国土交通大臣に届け出ることが必要である。

問4 宅地建物取引業の免許（以下この問において「免許」という。）に関する次の記述のうち、正しいものはどれか。

【平成19年 問32】

1　Aが、競売により取得した宅地を10区画に分割し、宅地建物取引業者に販売代理を依頼して、不特定多数の者に分譲する場合、Aは免許を受ける必要はない。

2　Bが、自己所有の宅地に自ら貸主となる賃貸マンションを建設し、借主の募集及び契約をCに、当該マンションの管理業務をDに委託する場合、Cは免許を受ける必要があるが、BとDは免許を受ける必要はない。

3　破産管財人が、破産財団の換価のために自ら売主となって、宅地又は建物の売却を反復継続して行い、その媒介をEに依頼する場合、Eは免許を受ける必要はない。

4　不特定多数の者に対し、建設業者Fが、建物の建設工事を請け負うことを前提に、当該建物の敷地に供せられる土地の売買を反復継続してあっせんする場合、Fは免許を受ける必要はない。

解説▶解答

問3 宅建業の免許・要不要の問題。選択肢3は、よぉーく読んでみよう!!

1 × 宅地の売買の代理を業として行う場合、農業協同組合といえども、宅建業の免許が必要です。

2 × まいどおなじみの自ら貸主。そして転貸借ヒッカケ。いずれも宅建業の免許は不要です。

3 × よぉーく読むと、破産管財人が行う宅地建物の「売却の媒介」をするということなのね。そりゃあなた、宅地建物の売買の媒介を業として行うということであれば、宅建業の免許が必要です。

4 ○ おっと信託会社。免許を取得する必要はありませんが、その旨を国土交通大臣に届け出なければなりません。

問4 宅建業の免許・要不要の問題。まいどおなじみ。

1 × えーと、競売だろうがなんだろうが、取得した宅地を区画割りして販売しようっていうんだから、そりゃ免許が必要でしょ。「販売代理を依頼」したとしても、売主として宅地を分譲していることにほかならない。

2 ○ Cは賃貸の媒介を行うわけだから免許を受ける必要があるけど、「賃貸マンションを自ら賃貸する行為」と「当該マンションの管理業務」については、そりゃあんた、宅建業には該当しないんだから、BとDは免許もいらないでしょうよ。

3 × 結局のところ、Eはなにをやっているかというと宅地建物の売買の媒介。なので、依頼者が破産管財人だろうが誰であれ、免許が必要でしょ。

4 × これも結局のところ、Fはなにをやっているかというと宅地の売買の媒介。建築条件付（Fが建物の建設工事を請け負うことを前提）の宅地だのなんだのといってますけど、免許が必要でしょ。

正解			
問3	4	問4	2

第1章 宅建業法
第2章 法令上の制限
第3章 権利関係
第4章 その他

問題

問5 宅地建物取引業法に関する次の記述のうち、正しいものはいくつあるか。

【令和２年12月 問44】

ア　宅地には、現に建物の敷地に供されている土地に限らず、将来的に建物の敷地に供する目的で取引の対象とされる土地も含まれる。

イ　農地は、都市計画法に規定する用途地域内に存するものであっても、宅地には該当しない。

ウ　建物の敷地に供せられる土地であれば、都市計画法に規定する用途地域外に存するものであっても、宅地に該当する。

エ　道路、公園、河川等の公共施設の用に供せられている土地は、都市計画法に規定する用途地域内に存するものであれば宅地に該当する。

1　一つ　　2　二つ　　3　三つ　　4　四つ

問6 宅地建物取引業法第２条第１号に規定する宅地に関する次の記述のうち、誤っているものはどれか。

【令和元年 問42】

1　建物の敷地に供せられる土地は、都市計画法に規定する用途地域の内外を問わず宅地であるが、道路、公園、河川等の公共施設の用に供せられている土地は、用途地域内であれば宅地とされる。

2　宅地とは、現に建物の敷地に供せられている土地に限らず、広く建物の敷地に供する目的で取引の対象とされた土地をいうものであり、その地目、現況の如何を問わない。

3　都市計画法に規定する市街化調整区域内において、建物の敷地に供せられる土地は宅地である。

4　都市計画法に規定する準工業地域内において、建築資材置場の用に供せられている土地は宅地である。

解説▶解答

問5 土地のうち、宅建業法上の「宅地」になるのは、どんな土地でしたっけ。そうです。「将来的に建物の敷地に供する目的で取引の対象とされる土地」も宅地として取り扱おうじゃないか。

ア ○ そうだよね。「将来的に建物の敷地に供する目的で取引の対象とされる土地」も、宅建業法上の宅地となるよね。

イ × 都市計画法に規定する用途地域内にある土地は、道路・公園・河川・広場・水路(覚え方：どこがこうずい？)に供されている土地以外は、すべて宅地となる。なので農地だとしても宅地だよ。

ウ ○ そりゃそうでしょ。どこにある土地だったとしても「建物の敷地に供せられる土地」であれば宅地でしょ。

エ × 用途地域内に存する土地は、原則として宅地に該当するけど、「道路、公園、河川等の公共施設の用に供せられている土地」は、例外的に宅地に該当しない。

正しいものはア・ウの「二つ」。選択肢２が正解となる。

問6 用途地域内では道路・公園・河川・広場・水路の用に供されている土地は宅地とはならない。で、用途地域内外を問わず、「建物の敷地に供せられる土地」だったら宅地になる。

1 × 「建物の敷地に供せられる土地」は、都市計画法に規定する用途地域の内外を問わず「宅地」になる。で、「用途地域」については、建物の敷地に供せられるかどうかを問わず、原則として「宅地」にしちゃう。だがしかし、「道路、公園、河川等の公共施設の用に供せられている土地」は宅地としない。「どこがこうずい」という語呂(覚え方)あり!!

2 ○ そのとおり。「建物の敷地に供する目的で取引の対象とされた土地」も宅地です。その地目(登記上の土地の種類)や現況の如何を問わない。

3 ○ 市街化調整区域に所在する土地についての販売広告には「宅地の造成や建物の建築はできません」という文言を入れなければならないけど、それはそれとして、市街化調整区域であっても「建物の敷地に供せられる土地」は宅地として扱う。

4 ○ 準工業地域というのは用途地域のひとつ。用途地域内であるから建築資材置場の用に供せられている土地は宅地となる。道路・公園・河川・広場・水路の用に供せられているわけじゃないからね。

正解			
問5	2	問6	1

免許制度・各種届出

2025年版
合格しようぜ！
宅建士 基本テキスト

➡ Part1 宅建業法
➡ 宅建業法-1
➡ Section2　宅建業の免許制度
➡ P038〜P048

「免許の申請」や「免許後の各種届出」からの出題。手続き的な話が多い。さほどむずかしい内容ではないものの、問題の読み間違いに注意してほしい。主な出題項目は「免許の承継とみなし業者」「変更の届出」「廃業等の届出」である。「変更の届出」「廃業等の届出」については、「どんな場合に誰が届け出るのか」が出題の中心。

だからこう解く!! 厳選要点★ここを押さえろ

免許の種類

・大臣免許→**2以上**の都道府県に**事務所**を設置

・知事免許→**1つ**の都道府県に**事務所**を設置

※どちらも有効期間は**5年**

みなし宅建業者

・免許は**承継されない**

・「契約に基づく取引を**結了**する目的の範囲内」であればみなし業者

免許申請

・免許の有効期間の更新は「期間満了の日の**90日前~30日前**」

・処分(処理)が間に合わなければ**旧免許**でOK

・業務停止期間中でも更新可能

免許換え

・事務所の**設置範囲**に変更があれば**免許換え**→新規扱いで期間は**5年**

宅建業者名簿の登載事項(一般の閲覧に供される)

・**役員**、政令で定める使用人、**専任の宅建士**の**氏名**

・商号や事務所の名称、所在地

(これらに変更があれば**30日**以内に変更の届出)

廃業等の届出(30日以内)

・個人業者が死亡→相続人:**死亡を知った日**から(死亡の時に失効)

・法人業者が合併消滅→**消滅**法人の代表**役員**だった者(合併により消滅の時に失効)

・業者が破産→破産管財人

・法人業者が解散→**清算人**

問題

問7

次の記述のうち、宅地建物取引業法の規定によれば、正しいものはどれか。なお、この問において「免許」とは、宅地建物取引業の免許をいう。
【平成29年 問36】

☑☑☑☑☑

1　宅地建物取引業者Aは、免許の更新を申請したが、免許権者である甲県知事の申請に対する処分がなされないまま、免許の有効期間が満了した。この場合、Aは、当該処分がなされるまで、宅地建物取引業を営むことができない。

2　Bは、新たに宅地建物取引業を営むため免許の申請を行った。この場合、Bは、免許の申請から免許を受けるまでの間に、宅地建物取引業を営む旨の広告を行い、取引する物件及び顧客を募ることができる。

3　宅地建物取引業者Cは、宅地又は建物の売買に関連し、兼業として、新たに不動産管理業を営むこととした。この場合、Cは兼業で不動産管理業を営む旨を、免許権者である国土交通大臣又は都道府県知事に届け出なければならない。

4　宅地建物取引業者である法人Dが、宅地建物取引業者でない法人Eに吸収合併されたことにより消滅した場合、一般承継人であるEは、Dが締結した宅地又は建物の契約に基づく取引を結了する目的の範囲内において宅地建物取引業者とみなされる。

問8

宅地建物取引業の免許（以下この問において「免許」という。）に関する次の記述のうち、宅地建物取引業法の規定によれば、正しいものはどれか。
【平成29年 問44】

☑☑☑☑☑

1　宅地建物取引業者A社が免許を受けていないB社との合併により消滅する場合、存続会社であるB社はA社の免許を承継することができる。

2　個人である宅地建物取引業者Cがその事業を法人化するため、新たに株式会社Dを設立しその代表取締役に就任する場合、D社はCの免許を承継することができる。

3　個人である宅地建物取引業者E（甲県知事免許）が死亡した場合、その相続人は、Eの死亡を知った日から30日以内に、その旨を甲県知事に届け出なければならず、免許はその届出があった日に失効する。

4　宅地建物取引業者F社（乙県知事免許）が株主総会の決議により解散することとなった場合、その清算人は、当該解散の日から30日以内に、その旨を乙県知事に届け出なければならない。

解説▶解答

問7 選択肢４がいつもの「みなし宅建業者」。選択肢３の兼業。変更の届出は不要だよね。

1 × 免許の更新申請期間内(90日前から30日前)までにちゃんと申請したのにもかかわらず、有効期間満了日までに新しい免許がこなかった(処分がなかった)ときは、旧免許にて宅建業を営んでOK。

2 × これはダメでしょ。免許の申請中（つまり無免許の状態）で「宅地建物取引業を営む旨の広告を行い、取引する物件及び顧客を募る」ことなんてできませーん。

3 × 宅建業以外の事業を行うことになっても、その旨の届出は不要です。宅建業以外に行っている事業の種類は宅地建物取引業者名簿の登載事項だけど、変更があったとしても変更の届出は不要。

4 ○ 宅建業者Ｄを引き継いだＥは、Ｄが締結した宅地又は建物の契約に基づく取引を結了する目的の範囲内において宅建業者とみなされまぁーす。

問8 選択肢１と２。免許は承継しないんだってば。しつこくて、好き。

1 × 合併したとしても、宅建業の免許は承継できないでしょ。合併後のＢ社が宅建業を営むのであれば、Ｂ社として宅建業の免許を受けなければならない。

2 × 個人業者Ｃと株式会社Ｄ社は別人格でしょ。株式会社Ｄ社が宅建業を営むのであれば、Ｄ社として宅建業の免許を受けなければならない。個人業者Ｃが代表取締役に就任すれば、その個人業者Ｃの免許でよい(承継する)なんてことにはならない。

3 × 「その相続人は、Ｅの死亡を知った日から30日以内に、その旨を甲県知事に届け出なければならず」まではオッケーなんだけど、個人業者Ｅが死亡したときに免許は失効。そうじゃないと、死んだ業者の免許だけ生きていることになり怖い。

4 ○ 解散の場合は清算人。解散の日から30日以内に、その旨を乙県知事に届け出なければなりませ〜ん。

正解			
問7	4	問8	4

問題

宅地建物取引業の免許（以下この問において「免許」という。）に関する次の記述のうち、宅地建物取引業法の規定によれば、正しいものはどれか。 【平成28年 問35】

1　個人である宅地建物取引業者A（甲県知事免許）が、免許の更新の申請を怠り、その有効期間が満了した場合、Aは、遅滞なく、甲県知事に免許証を返納しなければならない。

2　法人である宅地建物取引業者B（乙県知事免許）が、乙県知事から業務の停止を命じられた場合、Bは、免許の更新の申請を行っても、その業務の停止の期間中は免許の更新を受けることができない。

3　法人である宅地建物取引業者C（国土交通大臣免許）について破産手続開始の決定があった場合、その日から30日以内に、Cを代表する役員Dは、その旨を主たる事務所の所在地を管轄する都道府県知事を経由して国土交通大臣に届け出なければならない。

4　個人である宅地建物取引業者E（丙県知事免許）が死亡した場合、Eの一般承継人Fがその旨を丙県知事に届け出た後であっても、Fは、Eが生前締結した売買契約に基づく取引を結了する目的の範囲内においては、なお宅地建物取引業者とみなされる。

次の記述のうち、宅地建物取引業法の規定によれば、誤っているものはどれか。 【令和3年12月 問29】

1　宅地建物取引業の免許の有効期間は５年であり、免許の更新の申請は、有効期間満了の日の90日前から30日前までの間に行わなければならない。

2　宅地建物取引業者から免許の更新の申請があった場合において、有効期間の満了の日までにその申請について処分がなされないときは、従前の免許は、有効期間の満了後もその処分がなされるまでの間は、なお効力を有する。

3　個人である宅地建物取引業者A（甲県知事免許）が死亡した場合、Aの相続人は、Aの死亡の日から30日以内に、その旨を甲県知事に届け出なければならない。

4　法人である宅地建物取引業者B（乙県知事免許）が合併により消滅した場合、Bを代表する役員であった者は、その日から30日以内に、その旨を乙県知事に届け出なければならない。

解説▶解答

問 9　選択肢１がマニアック。こんなの出さないでよぉ〜。

1 × おっと、有効期間が満了した場合は、免許証を返納しなくてもいいのよ。免許証を返納しなければならないのは、①免許換えにより免許が効力を失ったとき、②免許の取消処分を受けたとき、③亡失した免許証を発見したとき、④廃業等の届出をするとき。

2 × 業務停止期間中でも免許の更新を受けることができる。業務停止期間が満了すれば宅建業を営むことができるしね。再開に備えての免許の更新。できるでしょ。

3 × 宅建業者Cについて破産手続開始の決定があった場合には、「Cを代表する役員D」じゃなくて「破産管財人」が、30日以内に届け出なければなりませーん。なお、届出の段取りは正しいです。

4 ○ 宅建業者Eが死亡した場合、Eの相続人（一般承継人）Fは、その事実を知った日から30日以内に、その旨を届け出なければならない。で、相続人Fは、取引を結了する目的の範囲内において、宅建業者とみなされる。

問 10　いつもの定番を並べた一品。選択肢３の「死亡をした日から」というのが笑えます。出題してくれてありがとうございます。さらにこれが正解肢。ナイス出題者さん。

1 ○ だから5年間の有効期間ギリギリになって焦って更新申請してもアウト。有効期間満了の日の90日前から30日前までの間に行わなければならぬ。

2 ○ ちゃんと免許の更新申請をしたのに、免許の有効期間が過ぎちゃった。でも新しい免許がこないんですけど、みたいな状況。そしたらしょうがないので「従前の免許は、有効期間の満了後もその処分がなされるまでの間は、なお効力を有する」ということで一件落着。

3 × 出た〜「死亡の日から30日」。久しぶりの出題です。「死亡の日から」じゃなくて「死亡を知った日」から30日だよねー。

4 ○ 合併により消滅したのは法人Bだよね。だからBを代表する役員であった者は、免許権者である乙県知事に対して、「法人Bは合併により消滅しました」と届け出なくてはならぬ。

正解			
問９	4	問10	3

免許の基準

2025年版
合格しようぜ！
宅建士 基本テキスト

➡ Part1 宅建業法
➡ 宅建業法-2
➡ Section1 「免許不可」となる人たち
➡ P052〜P065

ここはこう出る!!

ほぼ毎年1問の出題。解き方のポイントがわかってしまえば、どうということはない項目。法人の場合、役員や政令で定める使用人が免許不可となる基準に該当しているかどうか。免許後に免許不可となる基準に該当すると免許取消。5年未経過の「破産ヒッカケ」「執行猶予ヒッカケ」が多い。「業務の停止処分に該当し情状が特に重いため免許の取消し」と、単なる「業務停止処分ヒッカケ」もたまにある。

だからこう解く!!

悪質3種で免許取消後5年未経過だと免許不可

- 不正の手段で免許取得で免許取消し
- 業務の停止処分に該当する行為だが情状が特に重いため免許取消し
- 業務停止処分に違反して免許取消し

＊法人役員も免許不可（免許取消の聴聞公示前60日以内に役員だった者）

＊上記以外での取消しの場合、免許不可とはならない

5年未経過ヒッカケ

- 破産ヒッカケ（復権後は即免許オッケー）
- 執行猶予ヒッカケ（期間満了後は即免許オッケー）

＊破産（復権を得ない）、執行猶予中は免許不可

禁錮以上の刑（懲役刑）

- 法律問わず**5年間**免許**不可**

罰金刑で免許不可

- **宅建業法**違反
- 刑法：傷害罪、現場助勢罪、暴行罪、凶器準備集合・結集罪、脅迫罪、背任罪

暴力団員

- 指定暴力団の構成員（離脱後5年未経過）は免許不可

過去の過ち、将来の不安

たとえ刑に処せられていなくてもダメ。

新規申請の時

役員と**政令で定める使用人**がチェックされる。

問題

問11 宅地建物取引業法（以下この問において「法」という。）の規定に関する次の記述のうち、正しいものはいくつあるか。

【平成28年 問37】

ア　宅地建物取引業者Ａ（甲県知事免許）が乙県内に新たに支店を設置して宅地建物取引業を営んでいる場合において、免許換えの申請を怠っていることが判明したときは、Ａは、甲県知事から業務停止の処分を受けることがある。

イ　宅地建物取引業者Ｂが自ら売主として宅地の売買契約を成立させた後、当該宅地の引渡しの前に免許の有効期間が満了したときは、Ｂは、当該契約に基づく取引を結了する目的の範囲内においては、宅地建物取引業者として当該取引に係る業務を行うことができる。

ウ　Ｃが免許の申請前５年以内に宅地建物取引業に関し不正又は著しく不当な行為をした場合には、その行為について刑に処せられていなかったとしても、Ｃは免許を受けることができない。

エ　宅地建物取引業者Ｄ（甲県知事免許）が乙県内に新たに支店を設置して宅地建物取引業を営むため、国土交通大臣に免許換えの申請を行っているときは、Ｄは、甲県知事免許業者として、取引の相手方等に対し、法第35条に規定する重要事項を記載した書面及び法第37条の規定により交付すべき書面を交付することができない。

1　一つ　　2　二つ　　3　三つ　　4　四つ

解説▶解答

問11 「ア」と「ウ」の場面設定がちょっとめんどくさいですねー。むずかしかったかも。

ア × 宅建業者Aはさ、乙県内に新たに支店を設置するというのだから、国土交通大臣免許への免許換えが必要じゃん。で、免許換えの申請を怠っていることが判明したわけだから、免許の取消処分となる。業務停止処分では済みません。

イ ○ 免許の有効期間が満了かぁ〜。でもね、宅建業者であった者は、宅建業者が締結した契約に基づく取引を結了する目的の範囲内においては、なお宅建業者とみなされる。なので、宅建業者として取引に係る業務を行うことができるよ。

ウ ○ 「免許の申請前5年以内に宅建業に関し不正又は著しく不当な行為をした者」は、それだけで免許不可となりまーす。刑に処せられたかどうかはカンケーありません。

エ × 免許換えの申請を行っていたとしても、新しい免許を受けるまでは、Dはまだ甲県知事免許業者だよ。なので甲県知事免許業者として業務を行ってください。

正しいものはイ・ウの「二つ」。選択肢2が正解となる。

正　解	
問11	2

問題

問12

宅地建物取引業の免許（以下この問において「免許」という。）に関する次の記述のうち、宅地建物取引業法の規定によれば、誤っているものはどれか。

【平成27年 問27】

1　A社は、不正の手段により免許を取得したことによる免許の取消処分に係る聴聞の期日及び場所が公示された日から当該処分がなされるまでの間に、合併により消滅したが、合併に相当の理由がなかった。この場合においては、当該公示の日の50日前にA社の取締役を退任したBは、当該消滅の日から５年を経過しなければ、免許を受けることができない。

2　C社の政令で定める使用人Dは、刑法第234条（威力業務妨害）の罪により、懲役１年、執行猶予２年の刑に処せられた後、C社を退任し、新たにE社の政令で定める使用人に就任した。この場合においてE社が免許を申請しても、Dの執行猶予期間が満了していなければ、E社は免許を受けることができない。

3　営業に関し成年者と同一の行為能力を有しない未成年者であるFの法定代理人であるGが、刑法第247条（背任）の罪により罰金の刑に処せられていた場合、その刑の執行が終わった日から５年を経過していなければ、Fは免許を受けることができない。

4　H社の取締役Iが、暴力団員による不当な行為の防止等に関する法律に規定する暴力団員に該当することが判明し、宅地建物取引業法第66条第１項第３号の規定に該当することにより、H社の免許は取り消された。その後、Iは退任したが、当該取消しの日から５年を経過しなければ、H社は免許を受けることができない。

解説▶解答

問12 選択肢4の免許取消は、悪質3種での免許取消しではないことに注意。選択肢1～3はまいどおなじみの定番。

1 ○ 不正手段で免許を取得したことによる免許取消処分についての聴聞公示の日前60日以内に法人の役員だった者は、法人の消滅から5年を経過しなければ、免許を受けることができない。

2 ○ 「懲役1年、執行猶予2年」で執行猶予中の場合、免許は受けられない。そんなDを政令で定める使用人とするE社は免許を受けることができない。

3 ○ 「営業に関し成年者と同一の行為能力を有しない未成年者」の場合、法定代理人(親権者など)が免許不可となる基準に該当していると免許を受けることができない。「背任罪で罰金の刑」は立派な免許不可。

4 × 「不正の手段により免許を受けた」「業務停止処分に該当する行為をし情状が特に重い」「業務停止処分に違反」という3つの理由(悪質3種)のいずれかで免許を取り消された場合だと「5年」を経過しなければ免許不可。それ以外の取消しの場合は「5年を経過」ルールはありません。

正解	
問12	4

問題

問13 宅地建物取引業法に関する次の記述のうち、正しいものはどれか。

【平成25年 問43】

1　甲県に事務所を設置する宅地建物取引業者（甲県知事免許）が、乙県所在の物件を取引する場合、国土交通大臣へ免許換えの申請をしなければならない。

2　宅地建物取引業者（甲県知事免許）は、乙県知事から指示処分を受けたときは、その旨を甲県知事に届け出なければならない。

3　免許を受けようとする法人の政令で定める使用人が、覚せい剤取締法違反により懲役刑に処せられ、その刑の執行を終わった日から５年を経過していない場合、当該使用人が取締役に就任していなければ当該法人は免許を受けることができる。

4　宅地建物取引業に関し不正又は不誠実な行為をするおそれが明らかな者は、宅地建物取引業法の規定に違反し罰金の刑に処せられていなくても、免許を受けることができない。

問14 宅地建物取引業の免許（以下この問において「免許」という。）に関する次の記述のうち、正しいものはどれか。

【平成24年 問26】

1　免許を受けようとするＡ社に、刑法第204条（傷害）の罪により懲役１年（執行猶予２年）の刑に処せられ、その刑の執行猶予期間を満了した者が役員として在籍している場合、その満了の日から５年を経過していなくても、Ａ社は免許を受けることができる。

2　免許を受けようとするＢ社に、刑法第206条（現場助勢）の罪により罰金の刑に処せられた者が非常勤役員として在籍している場合、その刑の執行が終わってから５年を経過していなくとも、Ｂ社は免許を受けることができる。

3　免許を受けようとするＣ社に、刑法第208条（暴行）の罪により拘留の刑に処せられた者が役員として在籍している場合、その刑の執行が終わってから５年を経過していなければ、Ｃ社は免許を受けることができない。

4　免許を受けようとするＤ社に、刑法第209条（過失傷害）の罪により科料の刑に処せられた者が非常勤役員として在籍している場合、その刑の執行が終わってから５年を経過していなければ、Ｄ社は免許を受けることができない。

解説▶解答

問13 「免許換え」や「免許の基準」を取り込んだ複合問題。選択肢２は解説をご参照ください。

1 × えーとですね、単に「乙県内の物件を取引する」だけで乙県内に事務所を設置しないのであれば、免許換えの必要はないでしょ。免許換えが必要になるのは、宅建業者が事務所を新設・移転・廃止して事務所の設置範囲に変更があった場合に限られる。

2 × この場合、指示処分を行った乙県知事が、免許権者である甲県知事に通知しなければならない。宅建業者が免許権者に届け出るわけではありませーん。

3 × 法人が宅建業の免許を受けようとする場合、役員のほか政令で定める使用人が免許不可となる基準に該当していると免許不可。政令で定める使用人が、懲役刑（禁錮以上の刑）に処せられ、刑の執行を終わった日から５年を経過していないっていうんだから、バリバリの免許不可。ということで、この法人は免許を受けることができない。

4 ○ 「宅地建物取引業に関し不正又は不誠実な行為をするおそれが明らかな者」は、はいそれだけで、免許不可。宅建業に違反して罰金刑に処せられていないとしても、免許を受けることはできない。

問14 執行猶予満了の選択肢１が『○』。楽勝だったかな？　拘留と科料は、そもそも免許不可とはなりませーん。

1 ○ 執行猶予期間が満了しているので、その者が役員だったとしてもＡ社は免許を受けることができる。

2 × 現場助勢の罪で罰金の刑に処せられてから５年を経過していない者は免許不可。その者を役員とするＢ社は免許は受けられない。

3 × 罪状を問わず、拘留の刑であれば免許不可とはならない。

4 × 罪状を問わず、科料の刑であれば免許不可とはならない。

正解	
問13　4	問14　1

問題

問15 宅地建物取引業の免許に関する次の記述のうち、宅地建物取引業法の規定によれば、正しいものはどれか。【令和２年12月 問31】

1　宅地建物取引業者が、免許を受けてから１年以内に事業を開始せず免許が取り消され、その後５年を経過していない場合は、免許を受けることができない。

2　免許を受けようとしている法人の政令で定める使用人が、破産手続開始の決定を受け、復権を得てから５年を経過していない場合、当該法人は免許を受けることができない。

3　免許権者は、免許に条件を付することができ、免許の更新に当たっても条件を付することができる。

4　宅地建物取引業者の役員の住所に変更があったときは、30日以内に免許権者に変更を届け出なければならない。

問16 宅地建物取引業の免許（以下この問において「免許」という。）に関する次の記述のうち、宅地建物取引業法の規定によれば、正しいものはどれか。【令和5年 問29】

1　宅地建物取引業者Ａ社の使用人であって、Ａ社の宅地建物取引業を行う支店の代表者であるものが、道路交通法の規定に違反したことにより懲役の刑に処せられたとしても、Ａ社の免許は取り消されることはない。

2　宅地建物取引業者Ｂ社の取締役が、所得税法の規定に違反したことにより罰金の刑に処せられたとしても、Ｂ社の免許は取り消されることはない。

3　宅地建物取引業者である個人Ｃが、宅地建物取引業法の規定に違反したことにより罰金の刑に処せられたとしても、Ｃの免許は取り消されることはない。

4　宅地建物取引業者Ｄ社の非常勤の取締役が、刑法第222条（脅迫）の罪を犯したことにより罰金の刑に処せられたとしても、Ｄ社の免許は取り消されることはない。

解説▶解答

問15

免許が取り消されてから「５年間・免許不可」となるのは①不正の手段で免許を受けた、②業務停止処分に該当する行為をし情状が特に重い、③業務停止処分に違反のときだよね。

1 × 免許を取り消された理由が「免許を受けてから１年以内に事業を開始せず」だもんね。いわゆる「悪質３種」で免許を取り消されたわけじゃないので、５年を待つことなく免許オッケーだよね。

2 × まいどおなじみの破産。免許を受けようとする法人の「政令で定める使用人」が免許不可となる事由（破産手続開始の決定を受けて復権を得ない者）に該当していれば、当該法人は免許を受けることはできないけど、復権を得ているんだもんね。免許を受けることができる。５年を待つ必要なし。

3 ○ 国土交通大臣又は都道府県知事（免許権者）は、免許に条件（例：取引状況を事業年度終了後に報告すること）を付したり変更したりすることができるもんね。更新の場合もおんなじ。

4 × 出たヒッカケ。宅建業者の役員の住所は、そもそも宅地建物取引業者名簿の登載事項ではないよね。なので、住所に変更があったとしてもそれがどうした。変更の届出は不要でしょ。

問16

「道路交通法違反で懲役の刑」というんだから、「酒気帯び運転」とかあおり運転（交通の危険のおそれがある妨害運転）か。いずれも「５年以下の懲役」というのがある。ちなみにワタクシは酒も飲まないしクルマの運転もしない。ある意味、役に立たない。

1 × 法令を問わず「懲役の刑に処せられた」場合は免許の取消し（免許不可）。Ａ社と書いてあるから法人業者だよね。法人の役員か政令で定める使用人（支店の代表者）がそういうことになっちゃったら免許アウト。

2 ○ 「所得税法の規定に違反したことにより罰金の刑」だと免許取消し（免許不可）にはならない。所得税がらみだから、法人（Ｂ社）の取締役（役員）だとしても私的な事件（業務に関連しない）ということなのであろう。

3 × 「宅地建物取引業法の規定に違反したことにより罰金の刑」だもんね。これはもうバリバリの免許取消し（免許不可）。ところで個人業者Ｃはなにをやらかしたのであろうか。

4 × Ｄ社（法人だね）の「非常勤の取締役」といっても役員は役員。そんな役員の彼または彼女が脅迫罪で罰金の刑。もちろん免許の取消し（免許不可）。役員が脅迫罪でパクられた会社（Ｄ社）。怖いもの見たさで就職してみよう。宅建士として活躍してくれたまえ。

正解	
問15 ３	問16 ２

第１章 宅建業法

第２章 法令上の制限

第３章 権利関係

第４章 その他

宅地建物取引士

2025年版
合格しようぜ！
宅建士 基本テキスト

➡ Part1 宅建業法
➡ 宅建業法-2
➡ Section2　めざせ！宅地建物の取引プロフェッショナル
➡ P066～P080

「変更の登録」と「登録の移転」、「宅地建物取引士証」からの出題が多い。とくに「登録の移転」での「しなければならないヒッカケ」に注意。「宅地建物取引士証」については「提示」をよく出してくる。重要事項説明の際は請求がなくても提示だ。「提出」と「返納」もよく聞いてくる。また、死亡等の届出は30日以内。死亡の場合は相続人が「知った日」から30日以内。破産の場合、破産管財人ではなくて本人が届け出る。廃業等の届出との違いに注意。

だからこう解く!! 厳選要点★ここを押さえろ

合格→登録→宅建士証の交付で宅建士!!

- 2年以上の実務経験か国土交通大臣の指定する登録実務講習の修了が必要
- 試験**合格地**の都道府県**知事**に登録の申請→**知事**が指定する法定講習で交付前**6ヶ月**以内に行われるものを受講（試験後1年以内に交付を受ける場合は免除）
- 成年者と同一の行為能力を有しない未成年者は登録できない

宅地建物取引士資格登録簿

氏名、**住所**、本籍、勤務先業者に変更があった場合、変更の登録（**遅滞なく**）

※一般の閲覧に供されていない

宅地建物取引士証

- 有効期間は**5年**
- 氏名、生年月日、住所が記載。変更があれば、変更の登録と合わせて書換え交付の申請
- **取引関係者**から請求があれば**提示**、重要事項説明の際は請求がなくても提示
- **事務の禁止**処分→**交付**を受けた知事に**提出**
- 登録消除処分→返納

登録の移転

- 登録先以外の都道府県の事務所で**勤務**する場合に移転**できる**（義務ではなく**任意**であり「しなければならない」だと「×」）
- 単なる住所地（引越し先）には移転できない
- 移転したら今までの宅建士証と引き換え交付（有効期間は**残存**期間）

死亡等の届出（30日以内）

- 死亡→相続人（死亡を**知った日**から）
- 心身の故障→本人・**法定代理人**・同居の親族
- 登録不可となる基準に該当→本人

問題

問 17　次の記述のうち、宅地建物取引業法（以下この問において「法」という。）の規定によれば、正しいものはどれか。　【平成29年 問37】

1　宅地建物取引士は、取引の関係者から請求があったときは、物件の買受けの申込みの前であっても宅地建物取引士証を提示しなければならないが、このときに提示した場合、後日、法第35条に規定する重要事項の説明をする際は、宅地建物取引士証を提示しなくてもよい。

2　甲県知事の登録を受けている宅地建物取引士Aは、乙県に主たる事務所を置く宅地建物取引業者Bの専任の宅地建物取引士となる場合、乙県知事に登録を移転しなければならない。

3　宅地建物取引士の登録を受けるには、宅地建物取引士資格試験に合格した者で、2年以上の実務の経験を有するもの又は国土交通大臣がその実務の経験を有するものと同等以上の能力を有すると認めたものであり、法で定める事由に該当しないことが必要である。

4　宅地建物取引士は、取引の関係者から請求があったときは、従業者証明書を提示しなければならないが、法第35条に規定する重要事項の説明をする際は、宅地建物取引士証の提示が義務付けられているため、宅地建物取引士証の提示をもって、従業者証明書の提示に代えることができる。

解説▶解答

問17 **選択肢3の「国土交通大臣がその実務の経験を有するものと同等以上の能力を有すると認めたもの」とは、たとえば「登録実務講習の修了」など。**

1 × 重要事項を説明する際、あらためて宅地建物取引士証を提示しなきゃダメです。

2 × 文末の「登録の移転をしなければならない」だけを見て「×」。乙県知事に登録の移転をすることができるけど、義務じゃないもんね。

3 ○ 登録を受けるには2年以上の実務経験があるか、登録実務講習を修了(国土交通大臣がその実務の経験を有するものと同等以上の能力を有すると認めたもの)するか。そして登録不可となる基準(事由)に該当していないこと。

4 × 従業者証明書は従業者証明書。宅地建物取引士証は宅地建物取引士証。重要事項説明の際だとしても、取引の関係者から請求があったんだったら、従業者証明書を提示してね。代替はできないよー。

正解	
問17	3

問題

問18

宅地建物取引士資格登録（以下この問において「登録」という。）又は宅地建物取引士に関する次の記述のうち、宅地建物取引業法の規定によれば、正しいものはいくつあるか。（法改正により記述ウを修正し記述エを削除している）

【平成28年 問38】

ア　宅地建物取引士（甲県知事登録）が、乙県で宅地建物取引業に従事することとなったため乙県知事に登録の移転の申請をしたときは、移転後新たに５年を有効期間とする宅地建物取引士証の交付を受けることができる。

イ　宅地建物取引士は、取引の関係者から宅地建物取引士証の提示を求められたときは、宅地建物取引士証を提示しなければならないが、従業者証明書の提示を求められたときは、宅地建物取引業者の代表取締役である宅地建物取引士は、当該証明書がないので提示をしなくてよい。

ウ　宅地建物取引士が心身の故障により宅地建物取引業を営むことができない者になったときは、その同居の親族は、３か月以内に、その旨を登録をしている都道府県知事に届け出なければならない。

1　一つ　　2　二つ　　3　三つ　　4　なし

解説▶解答

問18 登録の移転に伴う場合の、宅地建物取引士証の有効期間は残存期間だよねー。

ア × 「5年」じゃないです。移転後の都道府県知事は、従前の宅地建物取引士証の有効期間が経過するまでの期間を有効期間とする宅地建物取引士証を交付しなければならない。

イ × 代表取締役も従業者証明書を携帯しなければならない。役員であろうと、宅地建物取引士であろうとおなじ。で、宅地建物取引士証も従業者証明書も、取引の関係者の請求があったときは提示せねばならぬ。

ウ × 宅地建物取引士が心身の故障により宅地建物取引業を営むことができない者になった場合、本人、法定代理人、同居の親族が届け出なければならないんだけど、3か月以内じゃなくて30日以内だよね。

正しいものは「なし」。選択肢4が正解となる。

正解	
問18	4

問題

問19 **宅地建物取引業法に規定する宅地建物取引士資格登録（以下この問において「登録」という。）、宅地建物取引士及び宅地建物取引士証に関する次の記述のうち、正しいものはいくつあるか。（法改正により記述ア、ウを修正している）**【平成25年 問44】

ア　登録を受けている者は、登録事項に変更があった場合は変更の登録申請を、また、破産手続開始の決定を受けて復権を得ない者になった場合はその旨の届出を、遅滞なく、登録している都道府県知事に行わなければならない。

イ　宅地建物取引士証の交付を受けようとする者（宅地建物取引士資格試験合格日から１年以内の者又は登録の移転に伴う者を除く。）は、都道府県知事が指定した講習を、交付の申請の90日前から30日前までに受講しなければならない。

ウ　宅地建物取引業法第35条に規定する事項を記載した書面への記名及び同法第37条の規定により交付すべき書面への記名については、専任の宅地建物取引士でなければ行ってはならない。

エ　宅地建物取引士は、事務禁止処分を受けた場合、宅地建物取引士証をその交付を受けた都道府県知事に速やかに提出しなければならないが、提出しなかったときは10万円以下の過料に処せられることがある。

1　一つ　　2　二つ　　3　三つ　　4　なし

解説▶解答

問19 「ア」の「変更の登録」と「死亡等の届出」。「遅滞なく」ヒッカケがニクいねー。

ア × 「変更の登録」については「遅滞なく」でいいんだけど、破産手続開始の決定を受けて復権を得ない者になった場合の「死亡等の届出」は「遅滞なく」じゃなくて「30日以内」。

イ × 宅地建物取引士証の交付を受けようとする者は、登録をしている都道府県知事が指定する講習で交付の申請前6ケ月以内に行われるものを受講しなければならない。「90日前から30日前まで」っていうのは免許の有効期間の更新のときの話だな。

ウ × 35条書面にも、37条書面にも、宅地建物取引士の記名が必要だけど、専任の宅地建物取引士じゃなくてもよい。宅地建物取引士だったらオッケー。

エ ○ そのとおり。宅地建物取引士証を提出しなかったときは10万円以下の過料に処せられることがある。

正しいものはエの「一つ」。選択肢１が正解となる。

正　解	
問19	1

問題

問20

宅地建物取引業法（以下この問において「法」という。）に規定する宅地建物取引士及び宅地建物取引士証（以下この問において「宅地建物取引士証」という。）に関する次の記述のうち、正しいものはどれか。

【平成23年 問28】

1　宅地建物取引業者は、20戸以上の一団の分譲建物の売買契約の申込みのみを受ける案内所を設置し、売買契約の締結は事務所で行う場合、当該案内所には専任の宅地建物取引士を置く必要はない。

2　未成年者は、成年者と同一の行為能力を有していたとしても、成年に達するまでは宅地建物取引士の登録を受けることができない。

3　宅地建物取引士は、法第35条の規定による重要事項説明を行うにあたり、相手方から請求があった場合にのみ、宅地建物取引士証を提示すればよい。

4　宅地建物取引士資格試験に合格した日から1年以内に宅地建物取引士証の交付を受けようとする者は、登録をしている都道府県知事の指定する講習を受講する必要はない。

問21

宅地建物取引士に関する次の記述のうち、宅地建物取引業法の規定によれば、正しいものはどれか。なお、この問において「登録」とは、宅地建物取引士の登録をいうものとする。（法改正により選択肢2を修正している）

【令和3年12月 問37】

1　甲県知事の登録を受けている宅地建物取引士は、乙県に主たる事務所を置く宅地建物取引業者の専任の宅地建物取引士となる場合、乙県知事に登録の移転を申請しなければならない。

2　宅地建物取引士の氏名等が登載されている宅地建物取引士資格登録簿は一般の閲覧に供されることとはされていない。

3　宅地建物取引士が、刑法第204条（傷害）の罪により罰金の刑に処せられ、登録が消除された場合、当該登録が消除された日から５年を経過するまでは、新たな登録を受けることができない。

4　未成年者は、宅地建物取引業に係る営業に関し成年者と同一の行為能力を有していたとしても、成年に達するまでは登録を受けることができない。

解説▶解答

問20 試験に合格して、1年以内に宅地建物取引士証の交付を受けるんだったら、法定講習は免除。そう、みなさん自身の将来です。

1 × 売買契約は事務所で行うとしても、案内所で申込みを受けるんだったら、その案内所には専任の宅地建物取引士を1人以上置かなければいけません。

2 × 成年者と同一の行為能力を有している未成年者であれば、宅建業の営業に関しては大人扱いだよー。なので、成年に達していなくても、その時点で宅地建物取引士の登録を受けることができるよー。

3 × 重要事項説明を行うときは、相手方からの請求がなくても、宅地建物取引士証を提示しなければいけません。

4 ○ そのとおり。試験合格日から1年以内に宅地建物取引士証の交付を受けようとする者（合格したばかりの人）は、最新の法律知識があるため、知事指定の講習（法定講習）を受講することなく宅地建物取引士証の交付を受けることができます。

問21 選択肢1。まいどおなじみの登録の移転で「×」パターン。選択肢3がヒッカケ。「消除された日から5年」だとさ。ナイス出題者。

1 × そもそも論として登録の移転は任意。「登録の移転を申請しなければならない」だと誤りっすね。

2 ○ 宅地建物取引士資格登録簿には宅建士の氏名や住所などが登載。個人情報満載。閲覧させません。

3 × 出たぁー「登録が消除された日から」ヒッカケ。傷害の罪により罰金の刑に処せられたら登録の消除処分。で、刑の執行を終わった日から5年経過しないと登録できない。「登録が消除された日」から5年は誤だ。

4 × 「宅地建物取引業に係る営業に関し成年者と同一の行為能力を有していた」っていうんだから登録できるでしょ。成年者と同一の行為能力を「有しない」未成年者は登録をすることができないけどね。

正解			
問20	4	問21	2

問題

問22

宅地建物取引業法に規定する宅地建物取引士及びその登録（以下この問において「登録」という。）に関する次の記述のうち、正しいものはどれか。　【令和２年12月 問43】

1　登録を受けている者が精神の機能の障害により宅地建物取引士の事務を適正に行うに当たって必要な認知、判断及び意思疎通を適切に行うことができない者となった場合、本人がその旨を登録をしている都道府県知事に届け出ることはできない。

2　甲県知事の登録を受けている宅地建物取引士が乙県知事に登録の移転の申請を行うとともに宅地建物取引士証の交付の申請を行う場合、交付の申請前６月以内に行われる乙県知事が指定した講習を受講しなければならない。

3　宅地建物取引士が、事務禁止処分を受け、宅地建物取引士証をその交付を受けた都道府県知事に速やかに提出しなかったときは、50万円以下の罰金に処せられることがある。

4　宅地建物取引士が、刑法第222条（脅迫）の罪により、罰金の刑に処せられ、登録が消除された場合、刑の執行を終わり又は執行を受けることがなくなった日から５年を経過するまでは、新たな登録を受けることができない。

解説▶解答

問22 宅地建物取引士の登録関連からの出題。選択肢1は「死亡等の届出」、選択肢2は「登録の移転」、選択肢3は「宅地建物取引士証がらみの過料ヒッカケ」、選択肢4は「登録不可となる基準」と、まさにオールスター選抜。

1 × 「精神の機能の障害により…できない者」となった場合、①本人、②その法定代理人、③同居の親族が「その旨を当該登録をしている都道府県知事に届け出なければならない」とされています。なので、当のご本人でも、届け出ることはできますけどね。

2 × 登録の移転を申請する場合だよね。この場合は「交付の申請前6月以内に行われる乙県知事が指定した講習」は受講する必要はないよね。

3 × わ、50万円の罰金。えー、前科がついちゃう、そんなに重罪だっけ。いえ、10万円以下の過料ですみます(笑)。

4 ○ 脅迫の罪で罰金の刑に処せられた場合、そりゃもちろん登録は消除となり、さらに「刑の執行を終わり又は執行を受けることがなくなった日から5年を経過するまで」は、新たな登録を受けることができない。

正　解	
問22	4

従業者名簿・帳簿

2025年版
合格しようぜ！
宅建士 基本テキスト

➡ Part1 宅建業法
➡ 宅建業法-3
➡ Section1　宅建業法での業務規制
➡ P090～P097

宅建業者は、事務所ごとに「従業者名簿」「帳簿」を備えなければならず、また、「報酬額の掲示」もしなければならない。「事務所ごとに」というのがポイントで、たとえば従業者名簿や帳簿は「主たる事務所に一括して備え付ける」などは誤り。また、宅建業者は従業者に「従業者証明書」を携帯させなければならず、従業者名簿にはその「従業者証明書」の番号の記載がなければならない。この「従業者証明書」がらみもよく出題される。いずれにせよ難解な問題は少なく、得点源とすべき項目である。

従業者名簿

- **事務所ごと**に備え付ける（データファイルOK）
- 記載事項：従業者の氏名、主たる職務内容、宅地建物取引士であるか否か、従業者証明書の番号、従業者になった年月日、従業者でなくなったときの年月日など
- 取引の関係者から請求があったときは**閲覧**（ディスプレイでもOK）
- **最終**の**記載**をしたときから**10年**間保存

＊従業者名簿には従業者の住所は記載されない

＊一時的な事務補助者についても記載

帳簿

- **事務所ごと**に備え付ける（データファイルOK）
- **取引のあったつど**記載（まとめて記載はNG）
- 記載事項：取引の年月日、宅地建物の所在や面積、取引態様の別、取引の相手方の氏名・住所、取引に関与した他の宅建業者、報酬の額など
- **事業年度末日**で閉鎖し、閉鎖後**5年**間保存
- 新築住宅の売買についての帳簿は、閉鎖後10年間保存

＊従業者名簿と異なり閲覧できない（**閲覧義務なし**）

従業者証明書

- 宅建業者は従業者に従業者証明書を携帯させなければならない

＊**役員**や**代表者**、**一時的**な事務補助者なども携帯義務あり

- **取引の関係者**から**請求**があったときは、従業者証明書を**提示**しなければならない

問題

問23 次の記述のうち、宅地建物取引業法（以下この問において「法」という。）の規定によれば、正しいものはどれか。

【平成29年 問35】

☑☑☑☑☑

1　宅地建物取引業者は、自ら貸主として締結した建物の賃貸借契約について、法第49条に規定されている業務に関する帳簿に、法及び国土交通省令で定められた事項を記載しなければならない。

2　宅地建物取引業者は、その業務に関する帳簿を、一括して主たる事務所に備えれば、従たる事務所に備えておく必要はない。

3　宅地建物取引業者は、その業務に関する帳簿に報酬の額を記載することが義務付けられており、違反した場合は指示処分の対象となる。

4　宅地建物取引業者は、その業務に従事する者であっても、一時的に事務の補助のために雇用した者については、従業者名簿に記載する必要がない。

問24 次の記述のうち、宅地建物取引業法の規定によれば、正しいものはどれか。

【平成20年 問42】

☑☑☑☑☑

1　宅地建物取引業者は、販売予定の戸建住宅の展示会を実施する際、会場で売買契約の締結や売買契約の申込みの受付を行わない場合であっても、当該会場内の公衆の見やすい場所に国土交通省令で定める標識を掲示しなければならない。

2　宅地建物取引業者は、その事務所ごとに、その業務に関する帳簿を備え、取引の関係者から請求があったときは、閲覧に供しなければならない。

3　宅地建物取引業者は、主たる事務所には、設置しているすべての事務所の従業者名簿を、従たる事務所には、その事務所の従業者名簿を備えなければならない。

4　宅地建物取引業者は、その業務に従事させる者に、従業者証明書を携帯させなければならないが、その者が非常勤の役員や単に一時的に事務の補助をする者である場合には携帯をさせなくてもよい。

解説▶解答

問23 「帳簿の記載事項に報酬の額ってあったっけ？」と一瞬悩むかもしれないけど、そのほかの選択肢がカンタンだもんな。

1 × なるほどそうきたか。「自ら貸主として締結した建物の賃貸借契約」は宅建業じゃないもんな。なので宅建業法上の帳簿うんぬんはカンケーなし。

2 × だから「一括して主たる事務所」はＮＧなんだってば。帳簿は事務所ごとに備えておかなければなりませーん。

3 ○ 報酬の額も帳簿へ記載せねばならぬ。違反した場合は指示処分の対象です。

4 × 「一時的に事務の補助のために雇用した者」も従業者名簿に記載しておかなければならぬ。

問24 これもまいどおなじみの選択肢を並べた一品。

1 ○ そうなんですよね。「売買契約の締結や売買契約の申込みの受付を行わない」場所であっても、そこに標識を掲げておかなければなりません。

2 × おっと、出ましたねヒッカケ。たしかに「業務に関する帳簿」を事務所ごとに備えなければならないんだけど、閲覧に供する義務はない。

3 × あのですね、「従業者名簿は事務所ごとに備えなければならない」となっておりまして。なので、主たる事務所には、その事務所の従業者名簿を設置しておけばよく、「設置しているすべての事務所の従業者名簿」までを備えておく必要はありません。

4 × えーと、従業者証明書なんだけど、ここでいう「従業者」には、「非常勤の役員や単に一時的に事務の補助をする者」も含まれます。

正解	
問23 3	問24 1

標識・案内所等

2025年版
合格しようぜ！
宅建士 基本テキスト

➡ Part1 宅建業法
➡ 宅建業法-3
➡ Section1　宅建業法での業務規制
➡ P084～P097

ここはこう出る!!

宅建業者が業務を行う場所には、法定の「標識」を掲げなければならない。事務所等（事務所と案内所等）のほか、事務所等以外の場所（例：マンションの分譲地）にも標識の掲示義務があることに注意。また、宅建業者が契約の申込みや契約締結を予定する案内所等（専任の宅建士の設置義務がある案内所等）を出す場合には「法第50条第2項に規定する届出（案内所等の届出）」が必要だ。届出先は免許権者（大臣・知事）と案内所等の所在地（現地）の知事。業務を開始する日の10日前までに届け出る。

だからこう解く!! 厳選要点★ここを押さえろ

標識の掲示場所

- 事務所
- 案内所等（契約締結や申込みを受け付ける）
- 案内所等（契約締結などを予定していない）
- 物件の所在地など

案内所等の届出

- 「**契約締結**や**申込み**を受け付ける案内所等」について届出義務あり
- 実際に案内所等を出す宅建業者に届出義務あり
- 業務開始の**10日前**までに届け出る
- 届出先は**免許権者**（大臣・知事）と**案内所等の所在地**（現地）の**知事**双方

*契約締結などを予定していない案内所等については、届出義務なし

専任の宅地建物取引士の設置

- 事務所：**5人**に**1人**以上
- 案内所等（契約締結や申込みを受け付ける）：**1人**以上

*契約締結などを予定していない案内所等については、設置義務なし

問題

宅地建物取引業者Ａの業務に関する次の記述のうち、宅地建物取引業法（以下この問において「法」という。）の規定に違反するものの組合せはどれか。　【平成28年 問29】

ア　Ａは、マンションを分譲するに際して案内所を設置したが、売買契約の締結をせず、かつ、契約の申込みの受付も行わない案内所であったので、当該案内所に法第50条第１項に規定する標識を掲示しなかった。

イ　Ａは、建物の売買の媒介に際し、買主に対して手付の貸付けを行う旨を告げて契約の締結を勧誘したが、売買は成立しなかった。

ウ　Ａは、法第49条の規定によりその事務所ごとに備えるべきこととされている業務に関する帳簿について、取引関係者から閲覧の請求を受けたが、閲覧に供さなかった。

エ　Ａは、自ら売主となるマンションの割賦販売の契約について、宅地建物取引業者でない買主から賦払金が支払期日までに支払われなかったので、直ちに賦払金の支払の遅延を理由として契約を解除した。

１　ア、イ　　２　ア、ウ　　３　ア、イ、エ　　４　イ、ウ、エ

宅地建物取引業者Ａ（甲県知事免許）が乙県内に所在するマンション（100戸）を分譲する場合における次の記述のうち、宅地建物取引業法（以下この問において「法」という。）の規定によれば、正しいものはどれか。　【平成27年 問44】

１　Ａが宅地建物取引業者Ｂに販売の代理を依頼し、Ｂが乙県内に案内所を設置する場合、Ａは、その案内所に、法第50条第１項の規定に基づく標識を掲げなければならない。

２　Ａが案内所を設置して分譲を行う場合において、契約の締結又は契約の申込みの受付を行うか否かにかかわらず、その案内所に法第50条第１項の規定に基づく標識を掲げなければならない。

３　Ａが宅地建物取引業者Ｃに販売の代理を依頼し、Ｃが乙県内に案内所を設置して契約の締結業務を行う場合、Ａ又はＣが専任の宅地建物取引士を置けばよいが、法第50条第２項の規定に基づく届出はＣがしなければならない。

４　Ａが甲県内に案内所を設置して分譲を行う場合において、Ａは甲県知事及び乙県知事に、業務を開始する日の10日前までに法第50条第２項の規定に基づく届出をしなければならない。

解説▶解答

問25 広告・宣伝・案内だけをする「案内所」でも標識は掲示しないとね。宅建士の設置や届出は不要だけどね。

ア 違反する　契約の締結や申込みの受付を行わないとしても、その案内所には、標識を掲示しなければなりませーん。

イ 違反する　売買が成立しなかったからいいじゃん、というワケにいかぬ。手付の貸付けをすることにより契約の締結を勧誘する行為は禁止。ドンピシャの違反。

ウ 違反しない　そうそう。帳簿は事務所ごとに備え付けておかなければならないけど、取引の関係者に閲覧させる必要はありませーん。ここが従業者名簿と異なりまーす。

エ 違反する　宅建業者が自ら売主となる割賦販売契約で、宅建業者ではない買主が賦払金の支払の義務を履行しない場合、「直ちに解除」だと違反でーす。「30日以上の相当の期間を定めてその支払を書面で催告し、その期間内にその義務が履行されないとき」じゃないと解除できないよ。

違反するものの組合せは「ア、イ、エ」。選択肢3が正解となる。

問26 契約の締結などしない案内所だとしても、標識は掲示しなきゃね。

1 × Bが乙県内に案内所を設置するんだから、その案内所への標識の掲示はBがやるでしょ。Aはやらないでしょ。

2 ○ 契約の締結又は契約の申込みの受付を行うか否かにかかわらず、その案内所には標識を掲示しなきゃならないでしょ。

3 × Cが乙県内に案内所を設置するんだから、Cが専任の宅地建物取引士を設置せねばならぬ。届出もCがしなければならない。

4 × 甲県知事の免許を受けているAが甲県内に案内所を出すっていうんだから、案内所等の届出は甲県知事にだけすればよい。物件は乙県内にあるとしても、乙県知事はカンケーなし。

正解			
問25	3	問26	2

第1章 宅建業法　第2章 法令上の制限　第3章 権利関係　第4章 その他

問題

次の記述のうち、宅地建物取引業法（以下この問において「法」という。）の規定によれば、正しいものはどれか。 【平成26年 問41】

1　宅地建物取引業者が、他の宅地建物取引業者が行う一団の宅地建物の分譲の代理又は媒介を、案内所を設置して行う場合で、その案内所が専任の宅地建物取引士を置くべき場所に該当しない場合は、当該案内所には、クーリング・オフ制度の適用がある旨を表示した標識を掲げなければならない。

2　宅地建物取引業者が、その従業者をして宅地の売買の勧誘を行わせたが、相手方が明確に買う意思がない旨を表明した場合、別の従業者をして、再度同じ相手方に勧誘を行わせることは法に違反しない。

3　宅地建物取引業者が、自ら売主となる宅地建物売買契約成立後、媒介を依頼した他の宅地建物取引業者へ報酬を支払うことを拒む行為は、不当な履行遅延（法第44条）に該当する。

4　宅地建物取引業者は、その事務所ごとに従業者名簿を備えなければならないが、退職した従業者に関する事項は従業者名簿への記載の対象ではない。

次の記述のうち、宅地建物取引業法の規定によれば、誤っているものはどれか。 【令和元年 問40】

1　宅地建物取引業者の従業者は、取引の関係者の請求があったときは、従業者証明書を提示しなければならないが、宅地建物取引士は、重要事項の説明をするときは、請求がなくても説明の相手方に対し、宅地建物取引士証を提示しなければならない。

2　宅地建物取引業者は、その業務に関する帳簿を、各取引の終了後５年間、当該宅地建物取引業者が自ら売主となる新築住宅に係るものにあっては10年間、保存しなければならない。

3　宅地建物取引業者が、一団の宅地建物の分譲を案内所を設置して行う場合、その案内所が一時的かつ移動が容易な施設であるときは、当該案内所には、クーリング・オフ制度の適用がある旨等所定の事項を表示した標識を掲げなければならない。

4　宅地建物取引業者が、一団の宅地建物の分譲を案内所を設置して行う場合、その案内所が契約を締結し、又は契約の申込みを受ける場所であるときは、当該案内所には、専任の宅地建物取引士を置かなければならない。

解説▶解答

問27 選択肢３の「不当な履行遅延」に該当するのは「宅地建物の登記」「引渡し」「取引に係る対価の支払い」の３つ。うわっ、やられたぁー。

1 ○ 広告宣伝や案内のみを行うなど、専任の宅地建物取引士の設置義務がない案内所であっても標識を掲示しなければならず、その標識には「この場所においてした契約等については、宅地建物取引業法第37条の２の規定によるクーリング・オフ制度の適用があります」という表示がなければならない。

2 × ダメでしょ（笑）。「明確に買う意思がない旨を表明」したのにもかかわらず、勧誘を継続することは禁止される。別の従業者にさせるとしても違反です。まさに嫌がらせの波状攻撃だぁ〜!!

3 × おっとヒッカケ。「不当な履行遅延」として禁止されているのは「宅地建物の登記」「引渡し」「取引に係る対価の支払い」の３つ。主に取引相手となる消費者を保護しようという観点です。宅建業者への報酬支払いは含まれてません。

4 × 従業者名簿には「従業者となった年月日」「従業者でなくなった年月日」も記載される。というわけだから「退職した従業者に関する事項」も従業者名簿への記載対象となる。

問28 ざっと読んで「あれ全部「○」？」。あれあれ？？。なんだ「選択肢２か」となればハッピーエンド。集中力を欠き、オマケに妙な囁きが聞こえたため、選択肢３とか選択肢４を選んだりしていると、かなりさびしい結果になる。

1 ○ 従業者証明書。取引の関係者の請求があったときは従業者証明書を提示してくださいね。宅地建物取引士証。宅地建物取引士が重要事項の説明をするときは、請求がなくても説明の相手方に対し提示してくださいね。

2 × 「各取引の終了後５年間」だってさ。うわ、読み飛ばし狙いかっ。帳簿の保存期間は各事業年度末日で閉鎖し「閉鎖後５年間」だよね。自ら売主となる新築住宅に係るものにあっては「10年間」。

3 ○ 「案内所が一時的かつ移動が容易な施設」とあるのでテント張りの類の案内所。なのでこの案内所の標識には「クーリング・オフ制度の適用がある旨」などの所定の事項の表示が必要です。

4 ○ 一団の宅地建物の分譲をするために設置する案内所で「契約を締結し、又は契約の申込みを受ける」ということであれば、その案内所には専任の宅地建物取引士を置かなければならない。

正解	
問27 1	問28 2

広告・契約締結

2025年版
合格しようぜ！
宅建士 基本テキスト

➡ Part1 宅建業法
➡ 宅建業法-3
➡ Section1　宅建業法での業務規制
➡ P097～P100

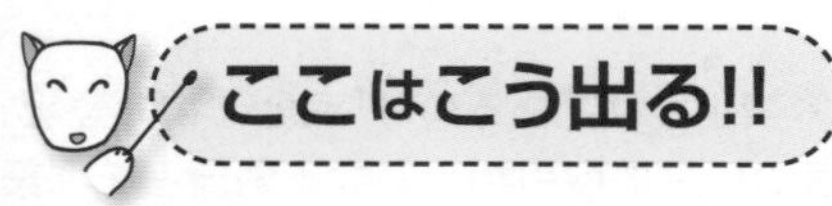

宅地や建物が未完成（工事完了前）であっても、宅建業者は販売広告などをすることができるが、「開発許可」や「建築確認」などを受けた後でなければならない。あわせて未完成物件についての契約（賃貸の媒介や代理を除く）についても、「開発許可」や「建築確認」などを受けてからの締結となる。また、宅建業者が広告をするときや注文を受けたときは、その業者が「売主」なのか「代理」や「媒介」なのか（取引態様の別）を明示しなければならない。

だからこう解く!!

未完成（工事完了前）物件について

- 広告開始時期の制限（申請中もダメ!!）
  - ・宅地の造成工事に必要な「**開発許可**」
  - ・建物の建築に必要な「**建築確認**」

  を受けてからでなければ広告できない
- 契約締結時期の制限
  - ・宅地の造成工事に必要な「**開発許可**」、建物の建築に必要な「**建築確認**」を受けてからでなければ契約締結できない

＊「賃貸の媒介」については制限されないのでしてもよいが、広告はダメ。

誇大広告の禁止

- 著しく事実に相違する表示、実際のものよりも著しく優良・有利であると人を誤認させるような表示をしてはならない

＊「実在しない物件」や「取引できない物件」を表示することも違反

＊誇大広告による注文がなかった・**損害**が実際に発生しなかったとしても違反

取引態様の明示

- 広告には、その宅建業者が「売主」なのか「代理」や「媒介」なのか（**取引態様の別**）を明示しなければならない
- 注文を受けたときも、**取引態様**を**明示**しなければならない

問題

問29　宅地建物取引業者が行う広告に関する次の記述のうち、宅地建物取引業法の規定によれば、正しいものはいくつあるか。

【平成29年 問42】

ア　宅地の販売広告において、宅地の将来の環境について、著しく事実に相違する表示をしてはならない。

イ　宅地又は建物に係る広告の表示項目の中に、取引物件に係る現在又は将来の利用の制限があるが、この制限には、都市計画法に基づく利用制限等の公法上の制限だけではなく、借地権の有無等の私法上の制限も含まれる。

ウ　顧客を集めるために売る意思のない条件の良い物件を広告することにより他の物件を販売しようとした場合、取引の相手方が実際に誤認したか否か、あるいは損害を受けたか否かにかかわらず、監督処分の対象となる。

エ　建物の売却について代理を依頼されて広告を行う場合、取引態様として、代理であることを明示しなければならないが、その後、当該物件の購入の注文を受けたとき、広告を行った時点と取引態様に変更がない場合でも、遅滞なく、その注文者に対し取引態様を明らかにしなければならない。

1　一つ　　2　二つ　　3　三つ　　4　四つ

解説▶解答

問29 記述「イ」。借地権が設定されているんだったらその旨を表示しないとね。借地権が設定されている宅地を買っても使えないもんな。

ア ◯ 現在の環境もそうだけど「将来の環境について、著しく事実に相違する表示」もしちゃいかんでしょ。

イ ◯ 借地権が設定されてますよ的な表示が必要。現在又は将来の利用の制限には、都市計画法などによる制限のほか、借地権の有無等の私法上の制限も含まれる。

ウ ◯ 宅建業者のみなさん、違反ですよ〜。取引の相手方が実際に誤認したか否か、あるいは損害を受けたか否かにかかわらず、違反は違反。監督処分の対象となる。

エ ◯ 広告を行った時点と取引態様に変更がない場合でも、取引態様を明らかにせねばならぬ。

正しいものはア・イ・ウ・エの「四つ」。選択肢４が正解となる。

正　解	
問29	4

問題

問30 宅地建物取引業者Ａ（甲県知事免許）がその業務に関して広告を行った場合における次の記述のうち、宅地建物取引業法の規定に違反しないものはどれか。

【平成28年 問32】

1　Ａは、宅地の造成に当たり、工事に必要とされる許可等の処分があった宅地について、当該処分があったことを明示して、工事完了前に、当該宅地の販売に関する広告を行った。

2　Ａは、自ら売主として新築マンションを分譲するに当たり、建築基準法第６条第１項の確認の申請中であったため、「建築確認申請済」と明示して、当該建物の販売に関する広告を行い、建築確認を受けた後に売買契約を締結した。

3　Ａは、中古の建物の売買において、当該建物の所有者Ｂから媒介の依頼を受け、取引態様の別を明示せずに自社ホームページに広告を掲載したが、広告を見た者からの問い合わせはなく、契約成立には至らなかった。

4　Ａは、甲県知事から業務の全部の停止を命じられ、その停止の期間中に未完成の土地付建物の販売に関する広告を行ったが、当該土地付建物の売買の契約は当該期間の経過後に締結した。

問31 次の記述のうち、宅地建物取引業法の規定によれば、正しいものはどれか。なお、この問において「建築確認」とは、建築基準法第６条第１項の確認をいうものとする。

【平成27年 問37】

1　宅地建物取引業者は、建築確認が必要とされる建物の建築に関する工事の完了前においては、建築確認を受けた後でなければ、当該建物の貸借の媒介をしてはならない。

2　宅地建物取引業者は、建築確認が必要とされる建物の建築に関する工事の完了前において、建築確認の申請中である場合は、その旨を表示すれば、自ら売主として当該建物を販売する旨の広告をすることができる。

3　宅地建物取引業者は、建築確認が必要とされる建物の建築に関する工事の完了前においては、建築確認を受けた後でなければ、当該建物の貸借の代理を行う旨の広告をしてはならない。

4　宅地建物取引業者は、建築確認が必要とされる建物の建築に関する工事の完了前において、建築確認の申請中である場合は、建築確認を受けることを停止条件とする特約を付ければ、自ら売主として当該建物の売買契約を締結することができる。

解説▶解答

問30 開発許可や建築確認など、工事に必要とされる許可等の処分があれば広告できます。申請中の場合はダメです。

1 違反しない　「工事に必要とされる許可等の処分があった」というんだから、広告オッケー。

2 違反する　建築確認を受けてからじゃないと、広告できません。違反。「建築確認申請済」と明示しても、ぜんぜん意味なし。

3 違反する　「広告を見た者からの問い合わせはなく、契約成立には至らなかった」としてもだ、広告に取引態様の別を明示しないことは違反。

4 違反する　ダメでしょ。広告することも「業務」なんだから、業務の全部停止期間中に広告しちゃ違反でしょ。「売買契約は当該期間の経過後に締結」したとしても許されません。

問31 未完成物件（工事完了前）の建物を題材に、建築確認をからめての広告・契約締結時期の制限。いずれもまいどおなじみの内容でした。

1 ×　出たぁー「貸借の媒介」。建築確認を受ける前でも、建物（未完成）の「貸借の媒介・代理」はしてもよい。

2 ×　建築確認を受けてからでなければ広告をしてはならない。「建築確認の申請中」の段階ではダメ。

3 ○　「貸借の媒介・代理」だったら建築確認を受ける前でもオッケーなんだけど、広告はダメ。建築確認を受けた後でなければ、当該建物の貸借の代理を行う旨の広告をしてはならない。

4 ×　「貸借の媒介・代理」の場合と異なり、建築確認を受けてからでなければ建物の売買契約を締結をすることはできない。「建築確認を受けることを停止条件とする特約」を付けたとしてもダメなものはダメ。

正解	
問30　1	問31　3

問題

問32

宅地建物取引業者Ａが行う業務に関する次の記述のうち、宅地建物取引業法の規定によれば、正しいものはどれか。

【平成26年 問30】

1　Ａは、新築分譲マンションを建築工事の完了前に販売しようとする場合、建築基準法第６条第１項の確認を受ける前において、当該マンションの売買契約の締結をすることはできないが、当該販売に関する広告をすることはできる。

2　Ａは、宅地の売買に関する広告をするに当たり、当該宅地の形質について、実際のものよりも著しく優良であると人を誤認させる表示をした場合、当該宅地に関する注文がなく、売買が成立しなかったときであっても、監督処分及び罰則の対象となる。

3　Ａは、宅地又は建物の売買に関する広告をする際に取引態様の別を明示した場合、当該広告を見た者から売買に関する注文を受けたときは、改めて取引態様の別を明示する必要はない。

4　Ａは、一団の宅地の販売について、数回に分けて広告をするときは、最初に行う広告以外は、取引態様の別を明示する必要はない。

解説▶解答

問32 この問題はできたでしょ。サービス問題。出題者さん、どうもありがとうございます。

1 × ダメでしょ。建築工事完了前のマンション。建築確認を受ける前においては、売買契約を締結することも、広告もすることはできないでしょ。

2 ○「実際のものよりも著しく優良であると人を誤認させるような表示」っていうと、誇大広告。誇大広告はもちろん禁止。宅建業法違反となって監督処分（業務停止処分や悪質な場合は免許の取消処分）及び罰則（6月以下の懲役・100万円以下の罰金）の対象となる。「注文がなく、売買が成立しなかった」としてもダメ。違反は違反です。

3 × ダメでしょ。広告には取引態様の別を明示しなきゃいけないし、注文を受けたときは、注文を受けたときで取引態様の別を明示する必要あり。取引態様の別を明示してある広告を見た客からの注文であってもおなじ。改めて取引態様の別を明示しなければならない。

4 × ダメでしょ。数回に分けて広告をするときは、その広告ごとに取引態様の別を明示しなければならない。

正解	
問32	2

業務に関する禁止事項

2025年版
合格しようぜ！
宅建士 基本テキスト

➡ Part1 宅建業法
➡ 宅建業法-3
➡ Section1　宅建業法での業務規制
➡ P101～P105

ここはこう出る!!

「業務に関する禁止事項」からの出題としては、「手付の貸付けなどによる契約締結の誘引」「断定的判断の提供の禁止」「不当に高額の報酬の要求」などが多い。また、「既に受領した預かり金（申込時に受領した申込証拠金など）の返還拒否」や「手付による解除拒否」などの出題もある。が、いずれも難しい問題ではなく、得点源とすべき項目である。

だからこう解く!! 厳選要点☆ここを押さえろ

業務に関する禁止事項

- 不実を告げる行為・事実の不告知（入居者の年収を偽るなど）
- 不当に**高額**の**報酬**を**要求**する行為
  →実際に受領しなくても要求するだけで違反
- **手付**の**貸付け**、その他信用の供与による契約の締結を**誘引**する行為
  （手付の後日払いを認める、手付の分割払いを持ちかけるなど）

＊手付金自体の融資（銀行との間の金銭の貸借のあっせん）は禁止されていない

- **断定的判断**の提供の禁止
  （南側には建物は絶対に建たない、うわさをもとに間違いなく新駅ができる、5年後の転売利益が出るのは確実だ、など）
- **登記**、**引渡し**、**対価の支払い**を不当に**遅延**してはならない
- 守秘義務→**正当な理由**（本人の承諾があるときや、裁判で証言を求められたなど）以外は秘密を他にもらしてはならない
- 契約の申込み撤回の際に、**預かり金**や**申込証拠金**などの**返還拒否**
- 手付放棄による契約の解除につき、正当な理由なく、**解除拒否**
- その他、強引な契約締結の勧誘（悪質な営業）の禁止
  （相手方に判断するための時間を与えない
  社名や氏名を名乗らず、契約締結の勧誘であると告げない
  契約しないといわれたにもかかわらず、勧誘継続
  迷惑な時間に電話、訪問
  深夜または長時間の勧誘（平穏を害する方法で困惑させる）
  相手方を威迫　など）

問題

問33

宅地建物取引業法（以下この問において「法」という。）第47条及び第47条の２に規定されている業務に関する禁止事項に関する次の記述のうち、誤っているものはどれか。なお、Ａは宅地建物取引業者である。

【平成28年 問34】

1　Ａが、賃貸アパートの媒介に当たり、入居申込者が無収入であることを知っており、入居申込書の収入欄に「年収700万円」とあるのは虚偽の記載であることを認識したまま、その事実を告げずに貸主に提出した行為は法に違反する。

2　Ａが、分譲マンションの購入を勧誘するに際し、うわさをもとに「３年後には間違いなく徒歩５分の距離に新しく私鉄の駅ができる」と告げた場合、そのような計画はなかったとしても、故意にだましたわけではないので法には違反しない。

3　Ａは、建売住宅の売買の相手方である買主から手付放棄による契約の解除の通知を受けたとしても、すでに所有権の移転登記を行い引渡しも済んでいる場合は、そのことを理由に当該契約の解除を拒むことができる。

4　Ａが、宅地の売買契約締結の勧誘に当たり、相手方が手付金の手持ちがないため契約締結を迷っていることを知り、手付金の分割払いを持ちかけたことは、契約締結に至らなかったとしても法に違反する。

解説▶解答

問33 選択肢1と2は、けっこう笑える。毎年、こんな感じで笑える問題が1問はあります。出題者さん、いつもありがとうございます。

1 ○ そりゃ違反でしょ。「入居申込者が無収入」なのに「年収700万円」だもんね(笑)。故意に事実を告げない行為は違反です。

2 × これも笑っちゃうよね。うわさだもんね。「3年後には間違いなく徒歩5分の距離に新しく私鉄の駅ができる」と告げることは、断定的判断の提供に該当し、違反です。

3 ○ 「すでに所有権の移転登記を行い引渡しも済んでいる」ということだから、売主Aは履行に着手済み。なので、買主からの手付放棄による解除を拒むことができます。

4 ○ 手付を貸し付けたり分割払いを持ちかけたりして契約の締結を誘因する行為は禁止されてまーす。契約締結に至らなくても違反です。

正　解	
問33	2

問題

問34

宅地建物取引業者が売主である新築分譲マンションを訪れた買主Ａに対して、当該宅地建物取引業者の従業者Ｂが行った次の発言内容のうち、宅地建物取引業法の規定に違反しないものはいくつあるか。

【平成27年 問41】

ア　Ａ：眺望の良さが気に入った。隣接地は空地だが、将来の眺望は大丈夫なのか。
　　Ｂ：隣接地は、市有地で、現在、建築計画や売却の予定がないことを市に確認しました。将来、建つとしても公共施設なので、市が眺望を遮るような建物を建てることは絶対ありません。ご安心ください。

イ　Ａ：先日来たとき、５年後の転売で利益が生じるのが確実だと言われたが本当か。
　　Ｂ：弊社が数年前に分譲したマンションが、先日高値で売れました。このマンションはそれより立地条件が良く、また、近隣のマンション価格の動向から見ても、５年後値上がりするのは間違いありません。

ウ　Ａ：購入を検討している。貯金が少なく、手付金の負担が重いのだが。
　　Ｂ：弊社と提携している銀行の担当者から、手付金も融資の対象になっていると聞いております。ご検討ください。

エ　Ａ：昨日、申込証拠金10万円を支払ったが、都合により撤回したいので申込証拠金を返してほしい。
　　Ｂ：お預かりした10万円のうち、社内規程上、お客様の個人情報保護のため、申込書の処分手数料として、5,000円はお返しできませんが、残金につきましては法令に従いお返しします。

1　一つ　　2　二つ　　3　三つ　　4　なし

解説▶解答

問34 「ア」と「イ」は笑っちゃうでしょ。断定的判断の提供は禁止です。「ウ」は「手付の貸付」に該当せず。「エ」は全額返金しなきゃダメです。

ア 違反する　「市が眺望を遮るような建物を建てることは絶対ありません」というような、将来の環境について誤解させるべき断定的判断を提供しちゃダメでしょ!!

イ 違反する　「5年後値上がりするのは間違いありません」というような、利益を生ずることが確実であると誤解させるべき断定的判断を提供しちゃダメでしょ!!

ウ 違反しない　おっと手付金の融資。手付金に関し、銀行との金銭の貸借(融資)のあっせんを行うことは、手付の貸付に該当せず。オッケーです。

エ 違反する　相手方が契約の申込みの撤回を行うに際し、既に受領した預り金(申込証拠金)の返還を拒むことは違反だよー。全額返金せよ。それにしても、もっともらしいことといってますねー(笑)。

違反しないものはウの「一つ」。選択肢1が正解となる。

正　解	
問34	1

問題

宅地建物取引業者Ａが行う業務に関する次の記述のうち、宅地建物取引業法の規定に違反しないものはどれか。【平成26年 問43】

1　Ａは、買主Ｂとの間で建物の売買契約を締結する当日、Ｂが手付金を一部しか用意できなかったため、やむを得ず、残りの手付金を複数回に分けてＢから受領することとし、契約の締結を誘引した。

2　Ａの従業者は、投資用マンションの販売において、相手方に事前の連絡をしないまま自宅を訪問し、その際、勧誘に先立って、業者名、自己の氏名、契約締結の勧誘が目的である旨を告げた上で勧誘を行った。

3　Ａの従業者は、マンション建設に必要な甲土地の買受けに当たり、甲土地の所有者に対し、電話により売買の勧誘を行った。その際、売却の意思は一切ない旨を告げられたが、その翌日、再度の勧誘を行った。

4　Ａの従業者は、宅地の売買を勧誘する際、相手方に対して「近所に幹線道路の建設計画があるため、この土地は将来的に確実に値上がりする」と説明したが、実際には当該建設計画は存在せず、当該従業者の思い込みであったことが判明した。

宅地建物取引業者Ａ社による投資用マンションの販売の勧誘に関する次の記述のうち、宅地建物取引業法の規定に違反するものはいくつあるか。【平成24年 問41】

ア　Ａ社の従業員は、勧誘に先立ってＡ社の商号及び自らの氏名を告げてから勧誘を行ったが、勧誘の目的が投資用マンションの売買契約の締結である旨を告げなかった。

イ　Ａ社の従業員は「将来、南側に５階建て以上の建物が建つ予定は全くない。」と告げ、将来の環境について誤解させるべき断定的判断を提供したが、当該従業員には故意に誤解させるつもりはなかった。

ウ　Ａ社の従業員は、勧誘の相手方が金銭的に不安であることを述べたため、売買代金を引き下げ、契約の締結を誘引した。

エ　Ａ社の従業員は、勧誘の相手方から、「午後３時に訪問されるのは迷惑である。」と事前に聞いていたが、深夜でなければ迷惑にはならないだろうと判断し、午後３時に当該相手方を訪問して勧誘を行った。

1　一つ　　2　二つ　　3　三つ　　4　四つ

解説▶解答

問35

選択肢2のいわゆる「飛び込み営業」自体は禁止されてません。選択肢1の手付け分割、選択肢3のしつこい勧誘、選択肢4の将来の利益の断定的判断の提供。いずれも宅建業法違反だよね。

1 違反する　「やむを得ず」とかいってもダメでしょ。手付金を複数回に分けたりして契約締結を誘引する行為は、手付貸付の禁止の規定に違反。

2 違反しない　「相手方に事前の連絡をしないまま自宅を訪問」っていうのは、単なる飛び込み営業。これ自体は禁止されていない。で、勧誘に先立って、業者名、自己の氏名、契約締結の勧誘が目的である旨を告げているので違反しない。告げていなかったら宅建業法違反だけどね。

3 違反する　相手方が契約を締結しない旨の意思表示をしたのにもかかわらず、勧誘を継続することは宅建業法違反となる。「売却の意思は一切ない」といってるんだからしつこく勧誘しちゃダメです。

4 違反する　「この土地は将来的に確実に値上がりする」というような、将来の利益が生ずることが確実であると誤解させるべき断定的判断を提供してはならず、宅建業法違反となる。そもそも道路計画は存在せず、思い込みだったしね。

問36

「エ」の記述がおもしろい。ダメでしょ、行っちゃ(笑)。

ア 違反する　「投資用マンションの売買契約の締結」が勧誘の目的であると告げなければならない。

イ 違反する　故意・過失を問わず、将来の環境について誤解させるべき断定的判断の提供をしてはならない。

ウ 違反しない　代金を引き下げ(値下げ)しての契約締結の誘引は、単なる営業行為。手付の貸付の禁止などの違反ともならない。

エ 違反する　「午後3時には来るな(迷惑)」といわれているのだから午後3時に行ってはならない。

違反するものはア・イ・エの「三つ」。選択肢3が正解となる。

正解	
問35 2	問36 3

媒介契約

2025年版
合格しようぜ！
宅建士 基本テキスト

➡ Part1 宅建業法
➡ 宅建業法-3
➡ Section2　媒介契約は選べる３タイプ
➡ P106～P113

媒介契約は毎年1問の出題。「専属専任媒介契約」「専任媒介契約」「一般媒介契約」の特徴を把握しておくこと。専任系の媒介契約の場合、有効期間や業務処理状況の報告についてを理解しておくこと。また、指定流通機構への物件登録関連についての出題も目立つ。また、専任系でも一般でも「媒介契約書」を交付しなければならず、その媒介契約書の記載事項、媒介契約書の交付などからも出題される。ただし、さほど難しい項目ではないため、ぜひ得点源にしてほしい。

だからこう解く!! 厳選要点☆ここを押さえろ

媒介契約

適用されるのは売買(交換)のみ

有効期間

専任系:**3ヶ月以内。**
依頼者の**申出**により更新
一般:規定なし

指定流通機構への登録

専属専任:**5日**以内(休業日を**除く**)
専任:**7日**以内(休業日を**除く**)
一般:規定なし(登録してもよい)

業務の処理状況

専属専任:**1週間**に1回以上
専任:**2週間**に1回以上
一般:規定なし

段取り

- 指定流通機構に登録すると、指定流通機構から「登録を証する書面」が交付される
- 業者はこれを遅滞なく**依頼者**に引き渡さなければならない
- 宅建業者は、登録した物件の売買·交換の契約が成立したときは、**遅滞なく**、**登録番号**、売買契約年月日、取引価格を指定流通機構に**通知**しなければならない

申込みの報告

売買の申込みがあったときは、遅滞なく、その旨を依頼者に**報告**しなければならない。

*一般媒介でも同様

媒介契約書の記載事項(主なもの)

- 売買すべき価格(意見を述べるには**根拠**が必要)
- 有効期間や解除
- 媒介契約の種類
- 既存建物:建物状況調査の実施をする者のあっせん
- 指定流通機構への登録
- 専属専任、専任、一般(明示型)で**違反**があった場合の措置
- 標準媒介契約約款に基づくものであるか否か

媒介契約書の交付

- 媒介契約書には**宅建業者**の記名押印が必要
- 相手方が宅建業者でも省略不可

問題

問37

宅地建物取引業者Ａが、ＢからＢ所有の宅地の売却に係る媒介を依頼された場合における次の記述のうち、宅地建物取引業法（以下この問において「法」という。）の規定によれば、正しいものはどれか。なお、この問において一般媒介契約とは、専任媒介契約でない媒介契約をいう。

【平成28年 問27】

1　ＡがＢと一般媒介契約を締結した場合、当該一般媒介契約が国土交通大臣が定める標準媒介契約約款に基づくものであるか否かの別を、法第34条の２第１項に規定する書面に記載する必要はない。

2　ＡがＢと専任媒介契約を締結した場合、当該宅地の売買契約が成立しても、当該宅地の引渡しが完了していなければ、売買契約が成立した旨を指定流通機構に通知する必要はない。

3　ＡがＢと一般媒介契約を締結した場合、当該宅地の売買の媒介を担当するＡの宅地建物取引士は、法第34条の２第１項に規定する書面に記名押印する必要はない。

4　Ａは、Ｂとの間で締結した媒介契約が一般媒介契約であるか、専任媒介契約であるかを問わず、法第34条の２第１項に規定する書面に売買すべき価額を記載する必要はない。

問38

宅地建物取引業者Ａが行う業務に関する次の記述のうち、宅地建物取引業法（以下この問において「法」という。）の規定によれば、正しいものはいくつあるか。

【平成27年 問28】

ア　Ａは、Ｂが所有する甲宅地の売却に係る媒介の依頼を受け、Ｂと専任媒介契約を締結した。このとき、Ａは、法第34条の２第１項に規定する書面に記名押印し、Ｂに交付のうえ、宅地建物取引士をしてその内容を説明させなければならない。

イ　Ａは、Ｃが所有する乙アパートの売却に係る媒介の依頼を受け、Ｃと専任媒介契約を締結した。このとき、Ａは、乙アパートの所在、規模、形質、売買すべき価額、依頼者の氏名、都市計画法その他の法令に基づく制限で主要なものを指定流通機構に登録しなければならない。

ウ　Ａは、Ｄが所有する丙宅地の貸借に係る媒介の依頼を受け、Ｄと専任媒介契約を締結した。このとき、Ａは、Ｄに法第34条の２第１項に規定する書面を交付しなければならない。

1　一つ　　2　二つ　　3　三つ　　4　なし

解説▶解答

問37 選択肢3の「○」が楽勝だとは思いますが。念のため残りの選択肢の内容も復習しておいてほしいなー。

1 × 「標準媒介契約約款に基づくか否かの別」は、媒介契約書に記載しなければならない。一般媒介契約であってもおなじ。

2 × 売買契約が成立してるんだからさ、その時点で指定流通機構に通知しないとね。登録した物件情報を取り下げてもらわないとまずいでしょ。「引渡しの完了」までだと遅い。

3 ○ そのとおり。宅地建物取引士の出番ではありませーん。媒介契約書の作成・記名押印は宅建業者が行いまーす。

4 × 「売買すべき価額又はその評価額」は、媒介契約書に必ず記載しなければならない。一般媒介契約でも専任媒介契約でもおなじ。っていうか、売買すべき価額を記載していない媒介契約書なんて、意味があるんですかね。

問38 媒介契約からの出題。「ア～ウ」のいずれも、よく出題されている項目で、定番中の定番。

ア × 媒介契約書（法第34条の2第1項に規定する書面）は依頼者に交付しなければならないけど、その内容を宅地建物取引士に説明させる必要はありませーん。

イ × 専任媒介契約を締結したときは、指定流通機構に一定事項を登録しなければならないけど、「依頼者の氏名」は登録事項じゃないよー。

ウ × 貸借の媒介には、この媒介契約の規定は適用せず。まいどおなじみの出題パターン。媒介契約書の交付義務も、当然ない。

正しいものは「なし」。選択肢4が正解となる。

正解	
問37 3	問38 4

問題

問39

宅地建物取引業者Ａは、Ｂが所有する宅地の売却を依頼され、専任媒介契約を締結した。この場合における次の記述のうち、宅地建物取引業法の規定に違反するものはいくつあるか。 【平成27年 問30】

ア　Ａは、Ｂが宅地建物取引業者であったので、宅地建物取引業法第34条の２第１項に規定する書面を作成しなかった。

イ　Ａは、Ｂの要望により、指定流通機構に当該宅地を登録しない旨の特約をし、指定流通機構に登録しなかった。

ウ　Ａは、短期間で売買契約を成立させることができると判断したので指定流通機構に登録せず、専任媒介契約締結の日の９日後に当該売買契約を成立させた。

エ　Ａは、当該契約に係る業務の処理状況の報告日を毎週金曜日とする旨の特約をした。

１　一つ　　２　二つ　　３　三つ　　４　四つ

問40

宅地建物取引業者Ａは、ＢからＢ所有の宅地の売却について媒介の依頼を受けた。この場合における次の記述のうち、宅地建物取引業法（以下この問において「法」という。）の規定によれば、誤っているものはいくつあるか。 【平成26年 問32】

ア　ＡがＢとの間で専任媒介契約を締結し、Ｂから「売却を秘密にしておきたいので指定流通機構への登録をしないでほしい」旨の申出があった場合、Ａは、そのことを理由に登録をしなかったとしても法に違反しない。

イ　ＡがＢとの間で媒介契約を締結した場合、Ａは、Ｂに対して遅滞なく法第34条の２第１項の規定に基づく書面を交付しなければならないが、Ｂが宅地建物取引業者であるときは、当該書面の交付を省略することができる。

ウ　ＡがＢとの間で有効期間を３月とする専任媒介契約を締結した場合、期間満了前にＢから当該契約の更新をしない旨の申出がない限り、当該期間は自動的に更新される。

エ　ＡがＢとの間で一般媒介契約（専任媒介契約でない媒介契約）を締結し、当該媒介契約において、重ねて依頼する他の宅地建物取引業者を明示する義務がある場合、Ａは、Ｂが明示していない他の宅地建物取引業者の媒介又は代理によって売買の契約を成立させたときの措置を法第34条の２第１項の規定に基づく書面に記載しなければならない。

１　一つ　　２　二つ　　３　三つ　　４　四つ

解説▶解答

問39 媒介契約からの出題。依頼者が業者、指定流通機構への登録、業務の処理状況の報告と、まいどおなじみの出題項目を並べてきた。

ア 違反する　依頼者が宅建業者でも、媒介契約書(宅建業法第34条の２第１項に規定する書面)を作成・交付しなければならない。省略しちゃダメ。

イ 違反する　依頼者の要望があったとしても、専任媒介契約だから、指定流通機構に登録しなければならない。「登録しない」はダメ。

ウ 違反する　だから「登録しない」はダメなんだってば。専任媒介契約を締結した場合、７日以内に一定事項を登録しなければならない。

エ 違反しない　専任媒介契約を締結したときは、業務の処理状況を２週間に１回以上報告しなければならない。「毎週金曜日」とする旨の特約は依頼者有利なのでオッケー。

違反するものはア・イ・ウの「三つ」。選択肢３が正解となる。

問40 「エ」がちょっと戸惑ったかな。でも「ア」「イ」「ウ」は過去問でも毎度おなじみの内容。この問題が単純に「正しいものはどれか」だったら「エ」を選べたと思うんだけど、「誤っているものはいくつあるか」となると、とたんにメンドくさいよね。イヤな出題者だねぇ～(笑)。

ア × 専任媒介契約を締結した場合、媒介契約の日から休業日を除き７日以内(専属専任媒介契約の場合は５日以内)に、指定流通機構に登録しなければならない。これに反する特約は、無効。たとえＢからの申出があったとしても、登録しなかったら宅建業法違反。

イ × 媒介契約に関する規定は宅建業者間取引でも適用される。というわけで、宅建業者は、依頼者が宅建業者だとしても、遅滞なく、媒介契約の内容を記した書面を交付しなければならない。省略できませーん。

ウ × 専任媒介契約の有効期間は３ヶ月を超えることができない。なので「有効期間３月」はいいんだけど、媒介契約の更新は依頼者の申出があった場合に限られる。自動的に更新されることはない。

エ ○ 他の宅建業者を明示する、いわゆる「明示型」の一般媒介契約の場合、依頼者が明示していない他の宅建業者の媒介又は代理によって売買又は交換の契約を成立させたときの措置について定めなければならず、媒介契約書にも記載しなければならない。

誤っているものはア・イ・ウの「三つ」。選択肢3が正解となる。

正解			
問39	3	問40	3

問題

宅地建物取引業者Ａは、ＢからＢ所有の宅地の売却について媒介の依頼を受けた。この場合における次の記述のうち、宅地建物取引業法（以下この問において「法」という。）の規定によれば、誤っているものはどれか。【平成19年 問39】

1　Ａは、Ｂとの間に媒介契約を締結したときは、当該契約が国土交通大臣が定める標準媒介契約約款に基づくものであるか否かの別を、法第34条の２第１項の規定に基づき交付すべき書面に記載しなければならない。

2　Ａは、Ｂとの間で媒介契約を締結し、Ｂに対して当該宅地を売却すべき価額又はその評価額について意見を述べるときは、その根拠を明らかにしなければならない。

3　Ａは、Ｂとの間に専属専任媒介契約を締結したときは、当該契約の締結の日から５日以内（休業日を除く。）に、所定の事項を当該宅地の所在地を含む地域を対象として登録業務を現に行っている指定流通機構に登録しなければならない。

4　Ａは、Ｂとの間で有効期間を２か月とする専任媒介契約を締結する際、「Ｂが媒介契約を更新する旨を申し出ない場合は、有効期間満了により自動更新するものとする」旨の特約を定めることができる。

宅地建物取引業者Ａは、Ｂから、Ｂが所有し居住している甲住宅の売却について媒介の依頼を受けた。この場合における次の記述のうち、宅地建物取引業法（以下この問において「法」という。）の規定によれば、正しいものはどれか。【平成30年 問33】

1　Ａが甲住宅について、法第34条の２第１項第４号に規定する建物状況調査の制度概要を紹介し、Ｂが同調査を実施する者のあっせんを希望しなかった場合、Ａは、同項の規定に基づき交付すべき書面に同調査を実施する者のあっせんに関する事項を記載する必要はない。

2　Ａは、Ｂとの間で専属専任媒介契約を締結した場合、当該媒介契約締結日から７日以内（休業日を含まない。）に、指定流通機構に甲住宅の所在等を登録しなければならない。

3　Ａは、甲住宅の評価額についての根拠を明らかにするため周辺の取引事例の調査をした場合、当該調査の実施についてＢの承諾を得ていなくても、同調査に要した費用をＢに請求することができる。

4　ＡとＢの間で専任媒介契約を締結した場合、Ａは、法第34条の２第１項の規定に基づき交付すべき書面に、ＢがＡ以外の宅地建物取引業者の媒介又は代理によって売買又は交換の契約を成立させたときの措置について記載しなければならない。

解説▶解答

問41 楽勝で選択肢４の「×」。みんな正解しちゃうんだろうなあ〜。

1 ◯ おっと、「標準媒介契約約款」を出題してきましたか。本肢記載のとおりでありまして、媒介契約書には、標準媒介契約約款に基づくものであるか否かの記載がなければなりません。

2 ◯ そのとおり。早く媒介をまとめようとして、「もっと売り出し価格を安くしちゃいましょうよ」なんてことが多発すると困る。なので売買価額や評価額について意見を述べるときは、その根拠を明らかにしなければならない。媒介業者にしてみればメンドーなこって。

3 ◯ あらま、これもそのとおり。「当該宅地の所在地を含む地域を対象として登録を行っている指定流通機構」っていうのが目新しいでしょうか。

4 × 有効期間を２か月とする、はいいんだけど、「有効期間満了により自動更新する」はダメ。基本中の基本で、これまた楽勝かな！

問42 選択肢１がイヤですね〜。とはいえ、選択肢２は速攻で「×」だもんな。選択肢４までたどり着けば、はいこれが「◯」で正解肢。

1 × おっと、それっぽいヒッカケ。既存建物の場合の「建物状況調査を実施する者のあっせんに関する事項」は、媒介契約書に記載がなければならぬ。あっせんを希望しなかった場合、その旨を記載だよね。

2 × 専属専任媒介契約だから、指定流通機構への登録は「５日以内」だよね。ちなみに「休業日を含まない」はオッケーなんだが。

3 × 依頼者の承諾を得ずに行った「周辺の取引事例の調査」の費用。そりゃ請求できるものなら請求したい。請求できません。

4 ◯ 専任媒介契約なので、媒介契約書には「他の宅建業者の媒介・代理によって売買・交換の契約を成立させたときの措置」についての記載がなければならない。

正解			
問41	4	問42	4

報酬 ※消費税の税率は 10% に修正している

2025年版
合格しようぜ！
宅建士 基本テキスト

➡ Part1 宅建業法
➡ 宅建業法-3
➡ Section3　宅建業者に払う報酬はいくら？
➡ P114〜P122

「売買の媒介の報酬限度額」の計算方法をまず理解。税抜きの代金価格（400万円超）×3%＋6万円。媒介業者が課税業者であれば、これに消費税をのせる（×1.1）。これが理解できないと、売買の代理報酬や複数の宅建業者が取引に関与しているパターンに手こずる。貸借の媒介については、報酬は「借賃の1ヶ月分」ということを理解。「貸主借主から1ヶ月分ずつ受領」で誤りというパターンも見受けられる。試験会場に電卓を持ち込めないため、電卓なしでの計算に慣れておく必要がある。

だからこう解く!! 厳選要点★ここを押さえろ

売買代金と消費税

- 宅地の売買代金には消費税は含まれない(非課税)
- 建物の売買代金に消費税が含まれている場合は税抜き価格にして報酬額を計算

売買の媒介報酬の限度

- 400万円超:代金(税抜き)×**3%+6万円**
- 200万円超~400万円以下:代金(税抜き)×4%+2万円
- 200万円以下:代金(税抜き)×5%

*交換の媒介の場合は、どちらか多い額を使って計算

売買の代理報酬の限度

- 代理の依頼者から「**媒介**報酬の**2倍**」まで
- 代理の依頼者以外からも報酬を受領する場合は、**合計**で「**媒介**報酬の**2倍**」まで

貸借の媒介・代理報酬の限度

- 依頼者**双方**から合計して「賃料の**1ヶ月分**」

居住用建物の貸借の場合

- 居住用建物の貸借の媒介の場合は、0.5ヶ月分ずつ
- 依頼を受けた時に承諾があれば、承諾している方から1ヶ月分を受領してよい

権利金の授受がある貸借の場合

- 居住用建物以外(店や事務所など)で**権利金**(返還されないもの)の授受があるときは、権利金を売買代金とみなして計算してもよい
- 「借賃1ヶ月分」と「権利金により算出した額」のいずれか**高い方**の額が上限

報酬と消費税

- 消費税の課税業者:報酬×**1.1**(消費税をのせて受領)
- 消費税の免税業者:報酬×1.04(4%をのせて受領)

広告料金など

- **依頼者**の**依頼**によって行う広告料金については別途受領できる
- 通常の広告料金は別途受領できない

問題

問43 **宅地建物取引業者Ａ（消費税課税事業者）は貸主Ｂから建物の貸借の媒介の依頼を受け、宅地建物取引業者Ｃ（消費税課税事業者）は借主Ｄから建物の貸借の媒介の依頼を受け、ＢとＤの間での賃貸借契約を成立させた。この場合における次の記述のうち、宅地建物取引業法（以下この問において「法」という。）の規定によれば、正しいものはどれか。なお、１か月分の借賃は９万円（消費税等相当額を含まない。）である。**

【平成29年 問26】

1　建物を店舗として貸借する場合、当該賃貸借契約において200万円の権利金（権利設定の対価として支払われる金銭であって返還されないものをいい、消費税等相当額を含まない。）の授受があるときは、Ａ及びＣが受領できる報酬の限度額の合計は220,000円である。

2　ＡがＢから49,500円の報酬を受領し、ＣがＤから49,500円の報酬を受領した場合、ＡはＢの依頼によって行った広告の料金に相当する額を別途受領することができない。

3　Ｃは、Ｄから報酬をその限度額まで受領できるほかに、法第35条の規定に基づく重要事項の説明を行った対価として、報酬を受領することができる。

4　建物を居住用として貸借する場合、当該賃貸借契約において100万円の保証金（Ｄの退去時にＤに全額返還されるものとする。）の授受があるときは、Ａ及びＣが受領できる報酬の限度額の合計は110,000円である。

解説▶解答

問43 **賃貸借の媒介報酬。権利金200万円。計算は200万円×５%＝10万円なんだな。これができなくても他の選択肢が見え見えの「×」。**

1 ○ 店舗なので権利金200万円を売買代金とみて（売買の媒介をしたとして）計算。200万円以下なので、200万円×５%＝10万円。これに消費税込みだと11万円。ＡはＢから、ＣはＤから11万円を報酬として受領できる。合計して22万円。

2 × Ａ及びＣがそれぞれ「４万9,500円の報酬を受領」するのはもちろんOKで、さらに「依頼者の依頼によって行った広告の料金に相当する額」については別途受領OK。

3 × 「法第35条の規定に基づく重要事項の説明を行った対価」なんていうものは報酬として受領できぬ。

4 × 全額返還されるとあるので、「100万円の保証金」は権利金にはならない。なので100万円を売買代金とする計算はできない。１か月分の借賃９万円＋消費税が限度。

正解	
問43	1

問題

問44

宅地建物取引業者が売買等の媒介に関して受けることができる報酬についての次の記述のうち、宅地建物取引業法の規定によれば、誤っているものはいくつあるか。 【平成28年 問33】

ア　宅地建物取引業者が媒介する物件の売買について、売主があらかじめ受取額を定め、実際の売却額との差額を当該宅地建物取引業者が受け取る場合は、媒介に係る報酬の限度額の適用を受けない。

イ　宅地建物取引業者は、媒介に係る報酬の限度額の他に、依頼者の依頼によらない通常の広告の料金に相当する額を報酬に合算して、依頼者から受け取ることができる。

ウ　居住用の建物の貸借の媒介に係る報酬の額は、借賃の１月分の1.1倍に相当する額以内であるが、権利金の授受がある場合は、当該権利金の額を売買に係る代金の額とみなして算定することができる。

１　一つ　　２　二つ　　３　三つ　　４　なし

問45

宅地建物取引業者Ａ及びＢ（ともに消費税課税事業者）が受領した報酬に関する次の記述のうち、宅地建物取引業法の規定に違反するものの組合せはどれか。なお、この問において「消費税等相当額」とは、消費税額及び地方消費税額に相当する金額をいうものとする。 【平成27年 問33】

ア　土地付新築住宅（代金3,000万円。消費税等相当額を含まない。）の売買について、Ａは売主から代理を、Ｂは買主から媒介を依頼され、Ａは売主から211万2,000円を、Ｂは買主から105万6,000円を報酬として受領した。

イ　Ａは、店舗用建物について、貸主と借主双方から媒介を依頼され、借賃１か月分20万円（消費税等相当額を含まない。）、権利金500万円（権利設定の対価として支払われる金銭であって返還されないもので、消費税等相当額を含まない。）の賃貸借契約を成立させ、貸主と借主からそれぞれ22万5,000円を報酬として受領した。

ウ　居住用建物（借賃１か月分10万円）について、Ａは貸主から媒介を依頼され、Ｂは借主から媒介を依頼され、Ａは貸主から８万円、Ｂは借主から５万5,000円を報酬として受領した。なお、Ａは、媒介の依頼を受けるに当たって、報酬が借賃の0.55か月分を超えることについて貸主から承諾を得ていた。

１　ア、イ　　２　イ、ウ　　３　ア、ウ　　４　ア、イ、ウ

解説▶解答

問44 「ア」が「なんじゃこりゃ？」っていう感じだったかな。「ウ」は「居住用の建物」の貸借の媒介だよー。

ア × 宅建業者は、国土交通大臣の定める報酬の限度額を超えて報酬を受け取ることはできませーん。報酬の限度額を無視して差額をもらうみたいなやり方はダメです。

イ × 依頼者の依頼によって行う広告の料金については、報酬のほかに受領できるけど、「依頼者の依頼によらない通常の広告の料金」の受領はできないでしょ。

ウ × 権利金の額を売買に係る代金の額とみなして報酬を計算することができるのは、「居住用以外の建物」の場合だけだよー。「居住用」の建物の場合はできないよー。

誤っているものはア・イ・ウの「三つ」。選択肢３が正解となる。

問45 報酬について、いずれもオーソドックスな出題内容。「ア」と「ウ」は限度額オーバー。「イ」は権利金を売買金として計算オッケー。

ア 違反する　代理業者Ａと媒介業者Ｂが受領できる報酬の限度額は合計では211万2,000円まで。(3,000万円×３％＋６万円)×２×1.1＝211万2,000円。Aが211万2,000円(代理報酬の限度)を受領した場合、Ｂは報酬を受領できない。

イ 違反しない　店舗の賃貸借の媒介なので権利金500万円を売買代金とみなして計算できる。(500万円×３％＋６万円)×1.1＝23万1,000円。貸主と借主から媒介依頼を受けているので、それぞれから23万1,000円を受領できる。

ウ 違反する　ＡとBが受領できる報酬の限度額の合計は10万円×1.1＝11万円。承諾を得ているＡが貸主から８万円を受領した場合、Ｂは5万5,000円を借主から受領することはできない。11万円をオーバーしちゃうもんね。

違反するものの組み合わせは「ア、ウ」。選択肢３が正解となる。

正解	
問44　3	問45　3

問題

問46 **宅地建物取引業者Ａ及び宅地建物取引業者Ｂ（共に消費税課税事業者）が受け取る報酬に関する次の記述のうち、正しいものはいくつあるか。**

【平成26年 問37】

ア　Ａが居住用建物の貸借の媒介をするに当たり、依頼者からの依頼に基づくことなく広告をした場合でも、その広告が貸借の契約の成立に寄与したとき、Ａは、報酬とは別に、その広告料金に相当する額を請求できる。

イ　Ａは売主から代理の依頼を受け、Ｂは買主から媒介の依頼を受けて、代金4,000万円の宅地の売買契約を成立させた場合、Ａは売主から272万2,000円、Ｂは買主から138万6,000円の報酬をそれぞれ受けることができる。

ウ　Ａは貸主から、Ｂは借主から、それぞれ媒介の依頼を受けて、共同して居住用建物の賃貸借契約を成立させた場合、貸主及び借主の承諾を得ていれば、Ａは貸主から、Ｂは借主からそれぞれ借賃の1.1か月分の報酬を受けることができる。

1　一つ　　2　二つ　　3　三つ　　4　なし

解説▶解答

問46 消費税をとくに気にしなくても解けた問題。

ア × 広告料金については、依頼者の特別の依頼に基づく場合であれば請求できるけど、たとえ「契約の成立に寄与した広告」であったとしても、依頼者の依頼に基づかないのであれば請求できない。

イ × 取り過ぎです。宅地の代金には消費税はかからないから、4,000万円×３％＋６万円＝126万円。消費税を乗せると138万6,000円。選択肢の場合、ＡＢあわせて138万6,000円×２＝277万2,000円が報酬の限度でしょ。

ウ × 貸借の媒介の場合、貸主及び借主からあわせて借賃１か月分（税込み1.1か月分）が限度。「貸主及び借主からそれぞれ借賃の1.1か月分」はダメ。違反です。

正しいものは「なし」。選択肢４が正解となる。

正　解	
問46	4

問題

問47 **宅地建物取引業者Ａ社（消費税課税事業者）は売主Ｂから土地付中古別荘の売却の代理の依頼を受け、宅地建物取引業者Ｃ社（消費税課税事業者）は買主Ｄから別荘用物件の購入に係る媒介の依頼を受け、ＢとＤの間で当該土地付中古別荘の売買契約を成立させた。この場合における次の記述のうち、宅地建物取引業法の規定によれば、正しいものの組合せはどれか。なお、当該土地付中古別荘の売買代金は320万円（うち、土地代金は100万円）で、消費税額及び地方消費税額を含むものとする。** 【平成24年 問35】

ア　Ａ社がＢから受領する報酬の額によっては、Ｃ社はＤから報酬を受領することができない場合がある。

イ　Ａ社はＢから、少なくとも154,000円を上限とする報酬を受領することができる。

ウ　Ａ社がＢから100,000円の報酬を受領した場合、Ｃ社がＤから受領できる報酬の上限額は208,000円である。

エ　Ａ社は、代理報酬のほかに、Ｂからの依頼の有無にかかわらず、通常の広告の料金に相当する額についても、Ｂから受け取ることができる。

1　ア、イ　　2　イ、ウ　　3　ウ、エ　　4　ア、イ、ウ

解説▶解答

問47

A社が代理でC社が媒介。計算もめんどうですね。売買代金320万円のうち、土地代金は100万円。土地代金には消費税がのっていないのでこのまま100万円。建物代金220万円には消費税がのっているので税抜きにすると200万円。ということで売買代金300万円として計算。300万円×4%＋2万円＝14万円。これに消費税を加えて154,000円。

ア ○ A社が代理報酬として154,000円×２を受領するとしたら、C社は媒介報酬を受領することができない。

イ ○ C社がDから媒介報酬として154,000円を受領したら、A社はBから154,000円を上限として報酬を受領することができる。

ウ × C社は媒介なので、受領できる報酬額は154,000円が限度となる。

エ × 「依頼の有無にかかわらず」が誤り。特別の依頼によるものでなければ広告料は受領できない。

正しいものの組合せは「ア、イ」。選択肢１が正解となる。

正　解	
問47	1

問題

問48 **宅地建物取引業者Ａ社（消費税課税事業者）は貸主Ｂから建物の貸借の代理の依頼を受け、宅地建物取引業者Ｃ社（消費税課税事業者）は借主Ｄから媒介の依頼を受け、ＢとＤの間で賃貸借契約を成立させた。この場合における次の記述のうち、宅地建物取引業法（以下この問において「法」という。）の規定によれば誤っているものはどれか。なお1か月分の借賃は10万円である。** 【平成23年 問40】

1　建物を住居として貸借する場合、Ｃ社は、Ｄから承諾を得ているときを除き、55,000円を超える報酬をＤから受領することはできない。

2　建物を店舗として貸借する場合、Ａ社がＢから110,000円の報酬を受領するときは、Ｃ社はＤから報酬を受領することはできない。

3　建物を店舗として貸借する場合、本件賃貸借契約において300万円の権利金（返還されない金銭）の授受があるときは、Ａ社及びＣ社が受領できる報酬の額の合計は、308,000円以内である。

4　Ｃ社は、Ｄから媒介報酬の限度額まで受領できるほかに、法第37条の規定に基づく契約の内容を記載した書面を作成した対価として、文書作成費を受領することができる。

解説▶解答

問48 **選択肢1～3は貸借シリーズ。選択肢1と2は定番。選択肢3は公式きちんと覚えていたかな？ちなみに、選択肢4が明らかに誤りと判断できると思うので、なーんだ計算しなくても答えは出るやん。**

1 ○ 居住用建物の貸借の場合、依頼者の承諾をもらっているときを除いて、依頼者の片方から、借賃の半月分（5万円）＋消費税＝55,000円を超えて受領してはいけません。

2 ○ 貸借の場合は、合計で借賃1月分（10万円）＋消費税＝11万円の枠内で、報酬を受領しなければいけません。なお、店舗用建物の場合は、貸主・借主への請求割合は自由です。貸主Bから1月分受け取ったら、借主Dからは報酬を受け取ることはできません。

3 ○ 「店舗用建物の貸借」なので、300万円の権利金を売買代金とみて報酬額を計算することができる。ちなみに400万円未満なので「○○×3％＋6万円」は使えない。300万円×4％＋2万円＝14万円。どちらの業者も消費税の課税業者なので、154,000円を限度に依頼者から受領できる。したがって、合計で154,000円×2＝308,000円以内で受領できる。

4 × 「契約書面の作成の対価」は、報酬とは別料金で依頼者から受領することができません。宅建業者が受け取る報酬の中でまかなわなければいけません。

正解	
問48	4

宅建業者が売主：自己所有に属しない宅地建物の売買契約締結の制限

2025年版
合格しようぜ！
宅建士 基本テキスト

➡ Part1 宅建業法
➡ 宅建業法-4
➡ Section1　宅建業者が売主となる場合の制限
➡ P126～P128

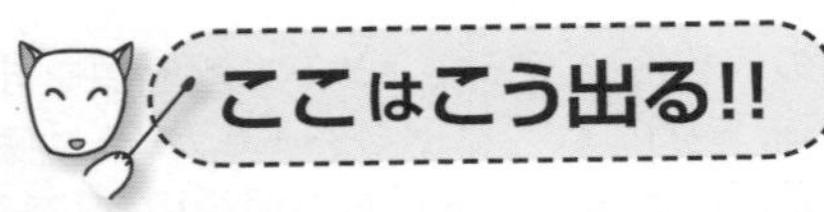

宅建業者が売主で、買主が宅建業者以外（例：一般消費者）となる売買契約についての制限からの出題。まずは「他人の所有する宅地建物の売買」の禁止。民法では認められているもののトラブルの温床になりがち。売主業者がその物件を取得する契約を締結しているかどうかがポイント。取得する契約をしているのであれば決済未了でも問題なし。ただし「停止条件付き」の取得契約の場合はNGとなる。問題文にはどうしても3者が登場することになりややこしい。人間関係を図解しておこう。

だからこう解く!! 厳選要点 ★ ここを押さえろ

自己の所有に属しない

- 宅建業者は、自己の所有に属しない物件（他人の所有物や未完成物件）を一般消費者に売ってはいけない（予約もダメ）

物件を取得する契約

「他人の所有物」の場合、売主業者がその物件を取得する**契約**を締結していれば、宅建業者以外の買主との売買オッケー。

＊取得する契約は**予約**でもよい

＊契約を締結しているのあれば、代金の支払いや引渡しがなくてもよい

＊取得する契約が**停止条件付き**の場合はNG

未完成（まだこの世に存在していない）

「未完成物件」の場合、売主業者が「**手付金等の保全措置**」を講じているのであれば、宅建業者以外の買主との売買オッケー。

問題

問49

宅地建物取引業者Aが自ら売主となって宅地建物の売買契約を締結した場合に関する次の記述のうち、宅地建物取引業法の規定に違反するものはどれか。なお、この問において、AとC以外の者は宅地建物取引業者でないものとする。【平成17年 問35】

1　Bの所有する宅地について、BとCが売買契約を締結し、所有権の移転登記がなされる前に、CはAに転売し、Aは更にDに転売した。

2　Aの所有する土地付建物について、Eが賃借していたが、Aは当該土地付建物を停止条件付でFに売却した。

3　Gの所有する宅地について、AはGと売買契約の予約をし、Aは当該宅地をHに転売した。

4　Iの所有する宅地について、AはIと停止条件付で取得する売買契約を締結し、その条件が成就する前に当該物件についてJと売買契約を締結した。

解説▶解答

問49 「他人の所有不動産」を宅建業者が売主となって一般人（宅建業者以外）に売ってはいけませんよという話にいろんなバリエーションを加えると、こんなややこしい問題になる。

1 違反しない　「宅建業者ではないB」の宅地を「宅建業者C」が取得し、Cが「宅建業者A」に転売。この時点でAはCと売買契約を締結しているので、登記名義がAではないとしても、Aは一般人Dに転売できるよね。問題ありませーん。

2 違反しない　「Eが賃借している」という、一瞬ワケがわかんなくなる感じがステキ。そもそもAの所有なので、自分の土地付建物を誰にどう売ろうとご自由にどうぞ。

3 違反しない　元々の所有者Gから宅地を取得する契約は、予約でもオッケー。なので宅建業者Aは一般人Hに転売できる。

4 違反する　出たぁ～「停止条件付き売買契約」。「停止条件付き」という、はなはだ不確かな契約では、宅建業者Aの所有物になったとは言いがたい。なので、条件成就前に一般人Jに売却する行為は宅建業法違反となりまーす。

正解	
問49	4

宅建業者が売主：クーリング・オフ

2025年版
合格しようぜ！
宅建士 基本テキスト

➡ Part1 宅建業法
➡ 宅建業法-4
➡ Section1　宅建業者が売主となる場合の制限
➡ P129〜P134

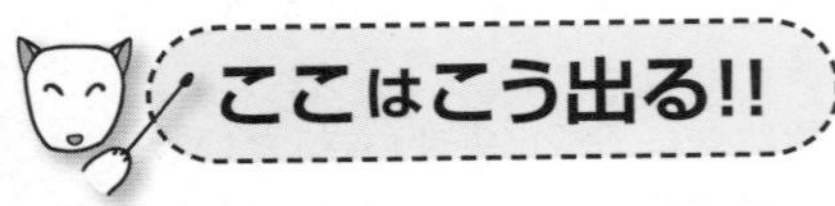

試験では「買主が法第37条の2の規定に基づき、いわゆるクーリング・オフにより契約の解除をする場合」と表現される。ほぼ毎年1問の出題。一定の条件に当てはまる場合、買主は売買契約を一方的に解除できる。どのような場合にクーリング・オフができるのかが出題の中心。「テント張りの案内所」「ホテルのロビー」「喫茶店」などでの売買であればクーリング・オフが可能。しかし「書面告知から8日間経過」や「引渡し・代金全額の支払い」となれば、もはやクーリング・オフはできなくなる。

だからこう解く!! 厳選要点★ここを押さえろ

クーリング･オフの方法など

- 買主は書面により売買契約の解除（クーリング・オフ）をすることができる
- 買主が**書面**を**発信**したときに解除
- 売主業者は手付金を返還しなければならない
- 売主業者は損害賠償を請求できない
- 買主に不利となる特約は無効

クーリング･オフの対象となる場所

- 「テント張りの案内所」「ホテルのロビー」「喫茶店」「レストラン」
- 媒介や代理の依頼を受けていない宅建業者の事務所
- 買主の申出ではない買主の自宅や勤務する場所

クーリング･オフの対象とはならない場所

- 売主業者の事務所
- 宅建士の設置義務があるモデルルームや案内所
- 媒介・代理業者の事務所、案内所
- 買主の申出による自宅や勤務する場所

クーリング･オフができなくなる場合

- 「クーリング・オフができること・方法」を書面で告げられてから8日経過（書面を交付されていなければ**8日**の起算はスタートしない）
- 買主が宅地建物の**引渡し**を受け、かつ、代金の**全額**を支払ったとき

買受けの申込みの場所と契約場所が異なる場合

クーリング・オフできない事務所などで「**買受けの申込み**」を行っている場合、その後どこで契約しようとも、クーリング･オフはできない。（申込みの場所がどこだったかがポイント）

問題

問50

宅地建物取引業者Ａが、自ら売主として宅地建物取引業者でない買主Ｂとの間で締結した宅地の売買契約について、Ｂが宅地建物取引業法第37条の２の規定に基づき、いわゆるクーリング・オフによる契約の解除をする場合における次の記述のうち、正しいものはどれか。

【平成26年 問38】

1　Ａは、喫茶店でＢから買受けの申込みを受け、その際にクーリング・オフについて書面で告げた上で契約を締結した。その７日後にＢから契約の解除の書面を受けた場合、Ａは、代金全部の支払を受け、当該宅地をＢに引き渡していても契約の解除を拒むことができない。

2　Ａは、Ｂが指定した喫茶店でＢから買受けの申込みを受け、Ｂにクーリング・オフについて何も告げずに契約を締結し、７日が経過した。この場合、Ｂが指定した場所で契約を締結しているので、Ａは、契約の解除を拒むことができる。

3　Ｂは、Ａの仮設テント張りの案内所で買受けの申込みをし、その３日後にＡの事務所でクーリング・オフについて書面で告げられた上で契約を締結した。この場合、Ａの事務所で契約を締結しているので、Ｂは、契約の解除をすることができない。

4　Ｂは、Ａの仮設テント張りの案内所で買受けの申込みをし、Ａの事務所でクーリング・オフについて書面で告げられた上で契約を締結した。この書面の中で、クーリング・オフによる契約の解除ができる期間を14日間としていた場合、Ｂは、契約の締結の日から10日後であっても契約の解除をすることができる。

解説▶解答

問50 選択肢１は履行完了。選択肢２～４はいずれもいい加減な場所（事務所等以外の場所）。

1 × もはや手遅れ。買主が物件の引渡しを受け、代金の全部を支払ったときはクーリング・オフできません。売主業者Ａは契約の解除を拒むことができる。

2 × 買主Ｂの指定があったとしても「喫茶店」での買受けの申込み・契約締結であればクーリング・オフできるでしょ。そもそも「クーリング・オフについて何も告げず」ということだから、「8日間」自体の起算もはじまっていないし。ちなみに買主が指定したのが自宅や勤務先だったら事務所等となって、クーリング・オフはできなくなるけどね。

3 × Ａの仮設テント張りの案内所で買受けの申込みをしているのでクーリング・オフの対象となる。その後に事務所で契約締結したとしても買主は契約を解除することができる。契約の日に「クーリング・オフについて書面で告知」ということだから「8日間」以内だしね。

4 ○ クーリング・オフによる契約の解除ができる期間を「８日間」以上となる「14日間」とする旨の特約は有効。なので、Ｂは、契約の締結の日から10日後であっても契約の解除をすることができる。

正解	
問50	4

問題

問51

宅地建物取引業者Ａ社が、自ら売主として宅地建物取引業者でない買主Ｂとの間で締結した宅地の売買契約について、Ｂが宅地建物取引業法第37条の２の規定に基づき、いわゆるクーリング・オフによる契約の解除をする場合における次の記述のうち、正しいものはどれか。

【平成25年 問34】

1　Ｂは、自ら指定した喫茶店において買受けの申込みをし、契約を締結した。Ｂが翌日に売買契約の解除を申し出た場合、Ａ社は、既に支払われている手付金及び中間金の全額の返還を拒むことができる。

2　Ｂは、月曜日にホテルのロビーにおいて買受けの申込みをし、その際にクーリング・オフについて書面で告げられ、契約を締結した。Ｂは、翌週の火曜日までであれば、契約の解除をすることができる。

3　Ｂは、宅地の売買契約締結後に速やかに建物請負契約を締結したいと考え、自ら指定した宅地建物取引業者であるハウスメーカー（Ａ社より当該宅地の売却について代理又は媒介の依頼は受けていない。）の事務所において買受けの申込みをし、Ａ社と売買契約を締結した。その際、クーリング・オフについてＢは書面で告げられた。その６日後、Ｂが契約の解除の書面をＡ社に発送した場合、Ｂは売買契約を解除することができる。

4　Ｂは、10区画の宅地を販売するテント張りの案内所において、買受けの申込みをし、２日後、Ａ社の事務所で契約を締結した上で代金全額を支払った。その５日後、Ｂが、宅地の引渡しを受ける前に契約の解除の書面を送付した場合、Ａ社は代金全額が支払われていることを理由に契約の解除を拒むことができる。

解説▶解答

選択肢３の宅建業者であるハウスメーカー、よく読んでみるとＡ社から代理・媒介の依頼を受けていない。

1 × 「喫茶店」。買主が自ら申し出た場合であっても、クーリング・オフできちゃう。Ａ社は受領した手付金その他の金銭全額の返還を拒むことなんてできないのだ。

2 × クーリング・オフできるのは、月曜に告知を受けているから月火水木金土日月。翌週の月曜日までだね。

3 ○ この宅建業者でもあるハウスメーカーはＡ社から代理・媒介の依頼を受けていない。ということで、Ｂは、その事務所で買受けの申込みをしているけど、クーリング・オフができるよ。６日目だしね。

4 × 出たぁ〜、こちらも定番の「テント張りの案内所」。ここでの買受けの申込みはクーリング･オフの対象となる。Ｂは引渡しを受けていないし、まだ７日目だし。「契約の解除の書面を送付」でクーリング・オフ成立。Ａは解除を拒めない。

正　解	
問51	3

問題

問52　宅地建物取引業者Ａ社が、自ら売主として宅地建物取引業者でない買主Ｂとの間で締結した建物の売買契約について、Ｂが宅地建物取引業法第37条の２の規定に基づき、いわゆるクーリング・オフによる契約の解除をする場合における次の記述のうち、正しいものはどれか。
【平成24年 問37】

1　Ｂは、モデルルームにおいて買受けの申込みをし、後日、Ａ社の事務所において売買契約を締結した。この場合、Ｂは、既に当該建物の引渡しを受け、かつ、その代金の全部を支払ったときであっても、Ａ社からクーリング・オフについて何も告げられていなければ、契約の解除をすることができる。

2　Ｂは、自らの希望により自宅近くの喫茶店において買受けの申込みをし、売買契約を締結した。その３日後にＡ社から当該契約に係るクーリング・オフについて書面で告げられた。この場合、Ｂは、当該契約締結日から起算して10日目において、契約の解除をすることができる。

3　Ｂは、ホテルのロビーにおいて買受けの申込みをし、その際にＡ社との間でクーリング・オフによる契約の解除をしない旨の合意をした上で、後日、売買契約を締結した。この場合、仮にＢがクーリング・オフによる当該契約の解除を申し入れたとしても、Ａ社は、当該合意に基づき、Ｂからの契約の解除を拒むことができる。

4　Ｂは、Ａ社の事務所において買受けの申込みをし、後日、レストランにおいてＡ社からクーリング・オフについて何も告げられずに売買契約を締結した。この場合、Ｂは、当該契約締結日から起算して10日目において、契約の解除をすることができる。

解説▶解答

問52 選択肢2、日にちを数えるのがめんどくさいですねー。まぁとにかく、問題文・選択肢も長くてめんどくさいですねー。ということで、めんどくさい問題(←しつこい!!)。

1 × 建物の引渡しを受け、かつ、その代金の全部を支払っている場合はクーリング・オフによる契約の解除はできない。

2 ○ A社から書面で告げられた日（初日算入）から8日間（契約締結日から10日目）であれば、クーリング・オフによる契約の解除ができる。

3 × 「クーリング・オフによる契約の解除をしない旨の合意」は無効となる。なのでクーリング・オフによる契約の解除ができます。

4 × 「A社の事務所において買受けの申込み」をしている場合、クーリング・オフによる契約の解除はできない。

正解	
問52	2

問題

問53

宅地建物取引業者Ａが、自ら売主として、宅地建物取引業者ではない法人Ｂ又は宅地建物取引業者ではない個人Ｃをそれぞれ買主とする土地付建物の売買契約を締結する場合において、宅地建物取引業法第37条の２の規定に基づくいわゆるクーリング・オフに関する次の記述のうち、誤っているものはどれか。なお、この問において、買主は本件売買契約に係る代金の全部を支払ってはおらず、かつ、土地付建物の引渡しを受けていないものとする。

【令和3年12月 問43】

1　Ｂは、Ａの仮設テント張りの案内所で買受けの申込みをし、その８日後にＡの事務所で契約を締結したが、その際クーリング・オフについて書面の交付を受けずに告げられた。この場合、クーリング・オフについて告げられた日から８日後には、Ｂはクーリング・オフによる契約の解除をすることができない。

2　Ｂは、Ａの仮設テント張りの案内所で買受けの申込みをし、その３日後にＡの事務所でクーリング・オフについて書面の交付を受け、告げられた上で契約を締結した。この書面の中で、クーリング・オフによる契約の解除ができる期間を14日間としていた場合、Ｂは、その書面を交付された日から12日後であっても契約の解除をすることができる。

3　Ｃは、Ａの仮設テント張りの案内所で買受けの申込みをし、その３日後にＡの事務所でクーリング・オフについて書面の交付を受け、告げられた上で契約を締結した。Ｃは、その書面を受け取った日から起算して８日目に、Ａに対しクーリング・オフによる契約の解除を行う旨の文書を送付し、その２日後にＡに到達した。この場合、Ａは契約の解除を拒むことができない。

4　Ｃは、Ａの事務所で買受けの申込みをし、その翌日、喫茶店で契約を締結したが、Ａはクーリング・オフについて告げる書面をＣに交付しなかった。この場合、Ｃはクーリング・オフによる契約の解除をすることができない。

解説▶解答

問53 買主が法人だったり個人だったり。新鮮です。ナイス出題者さん。がしかし、いずれも宅建業者ではないので、クーリング・オフ制度の適用あり。

1 × 「クーリング・オフについて書面の交付を受けずに」ということだから「8日間」の起算がはじまらない。「仮設テント張りの案内所で買受けの申込み」なので契約の解除OK。

2 ○ そんな親切な業者がこの世にいるのかという問題はさておき、「クーリング・オフによる契約の解除ができる期間を14日間」という特約は買主有利なので有効。「仮設テント張りの案内所で買受けの申込み」なので、12日後であっても契約の解除OK。

3 ○ 「Aに対しクーリング・オフによる契約の解除を行う旨の文書を送付」した時点で契約は解除となる。いつ送付したのかというと「クーリング・オフについて書面の交付を受け取った日から起算して8日目」。ギリギリセーフ。Aは契約の解除を拒むことができない。

4 ○ 「Aの事務所で買受けの申込み」をしているんだもんね。どのみち、Cはクーリング・オフによる契約の解除をすることができない。

正　解	
問53	1

宅建業者が売主：

担保責任についての特約の制限

2025年版
合格しようぜ！
宅建士 基本テキスト

➡ Part1 宅建業法
➡ 宅建業法-4
➡ Section1　宅建業者が売主となる場合の制限
➡ P139～P141

ここはこう出る!!

民法上、自ら売主となる宅地又は建物の売買契約において、その目的物が種類又は品質に関して契約の内容に適合しない場合におけるその不適合を担保すべき責任に関し、当事者間で「責任は負わない」「目的物の引渡しの日から3ヶ月以内に買主が売主に通知した不適合のみ」などの特約をすることも可能です。がしかし、宅建業法では「担保責任についての特約」につき、一定の制限を加えています。

だからこう解く!! 厳選要点★ここを押さえろ

民法（目的物の種類又は品質に関する担保責任の期間の制限）

売主が種類又は品質に関して契約の内容に適合しない目的物を買主に引き渡した場合において、買主がその不適合を**知った時から1年以内**にその旨を売主に**通知**しないときは、買主は、その不適合を理由として、履行の追完の請求、代金の減額の請求、損害賠償の請求及び契約の解除をすることができない。

宅建業法での担保責任についての特約の制限

売主である宅建業者は、その目的物が種類又は品質に関して契約の内容に適合しない場合におけるその不適合を担保すべき責任に関し、買主の通知期間を「その目的物の**引渡し**の日から**2年以上**」となる特約をする場合を除き、民法に規定するものより買主に不利となる特約をしてはならない。

宅建業法上、無効となる特約の例

- 買主の通知期間：「目的物の引渡しの日から1年間」とする
- 売主の責めに帰すべき事由による不適合についてのみ責任を負う
- 損害賠償のみに応じる
- 担保責任を負わない

特約がない場合

民法の買主が不適合を**知った時**から**1年以内**にその旨を売主に**通知**で処理。

問題

問54

宅地建物取引業者Ａが、自ら売主として宅地建物取引業者でない買主Ｂとの間で締結した宅地の売買契約に関する次の記述のうち、宅地建物取引業法及び民法の規定によれば、正しいものはいくつあるか。（法改正により記述をすべて修正している） 【平成29年 問27】

ア　売買契約において、当該宅地の契約不適合をＡが担保すべき責任に関し、Ｂの通知期間を引渡しの日から２年間とする特約を定めた場合、その特約は無効となる。

イ　売買契約において、売主の責めに帰すべき事由による不適合についてのみ引渡しの日から１年間担保責任を負うという特約を定めた場合、その特約は無効となる。

ウ　Ａが担保責任を負う期間内においては、損害賠償の請求をすることはできるが、契約を解除することはできないとする特約を定めた場合、その特約は有効である。

1　一つ　　2　二つ　　3　三つ　　4　なし

問55

宅地建物取引業者Ａが、自ら売主として、宅地建物取引業者でない買主Ｂと中古マンションを3,000万円で売却する契約を締結し、後日引渡しが行われることとなった。この場合において、次の記述のうち、民法及び宅地建物取引業法の規定によれば、誤っているものはどれか。 【出題予想オリジナル問題】

1　この売買契約において、ＡがＢに対して負うべき当該中古マンションの品質の不適合を担保する責任につき、Ｂの通知期間を「契約締結の日から２年間とする」旨の特約をした場合、当該特約は有効である。

2　この売買契約において、違約手付であると特約してＢがＡに500万円を交付した場合であっても、Ｂは当該手付による契約の解除をすることができる。

3　この売買契約において、当該中古マンションがＣの所有物であり、先にＡがＣとの間で売買予約を締結している場合は、このＡＢ間の売買契約は宅地建物取引業法違反とはならない。

4　この売買契約において、損害賠償額の予定を定めなかった、Ａは、Ｂが債務を履行しなかったときの損害賠償として、その実損害額を請求することができる。

解説▶解答

問54 「売主の責めに帰すべき事由」とか「解除できない」とかはダメでしょ。

ア × 売主業者が負う担保責任に関し、Bの通知期間を「引渡しの日から２年間とする」という特約はOKだよね。無効にはなりません。

イ ○ 「売主の責めに帰すべき事由による不適合についてのみ」はNGだよね。売主の過失の有無を問わず、責任を負う。そんで担保責任を負う期間が「引渡しの日から１年間」だという特約もダメ。

ウ × 「契約を解除することはできないとする特約」はダメだよね。無効です。

正しいものはイの「一つ」。選択肢１が正解となる。

問55 宅建業法上の担保責任の特約の制限、手付、自己所有ではない物件売買、損害賠償額の予定と、まぁ出るんだったらこういう複合出題パターンかな、との出題予想（オリジナル問題）でございます。

1 × 宅建業者Aの「不適合を担保すべき責任」について、買主の通知期間を「引渡しの日」から２年以上とする特約は有効になるけど、問題文で「後日引渡し」とあるので、「契約締結の日から２年間」とする特約は無効だよね。

2 ○ 宅建業者が自ら売主となって宅建業者でない買主から手付を受領したときは、その手付がいかなる性質のもの（例：違約手付＝買主の違約があったときに没収する手付。売主の違約の場合は、その２倍）であっても、解約手付として扱ってよい。Bは手付を使って解除することができるよね。

3 ○ 宅建業者Aが、中古マンションの所有者Cと売買予約を締結しているので、Aが自ら売主となって宅地建物取引業者でないBと売買契約を締結しちゃってもだいじょうぶ。

4 ○ 損害賠償額の予定を定めないときは、民法の規定に従い実損害額を請求することができちゃいます。ちなみに、損害賠償額の予定を定めるときには、代金の10分の２を超える定めをしてはならないという制限がありましたがね。

正解	
問54 1	問55 1

宅建業者が売主：

手付金等の保全措置

2025年版
合格しようぜ！
宅建士 基本テキスト

➡ Part1 宅建業法
➡ 宅建業法-4
➡ Section1　宅建業者が売主となる場合の制限
➡ P142〜P146

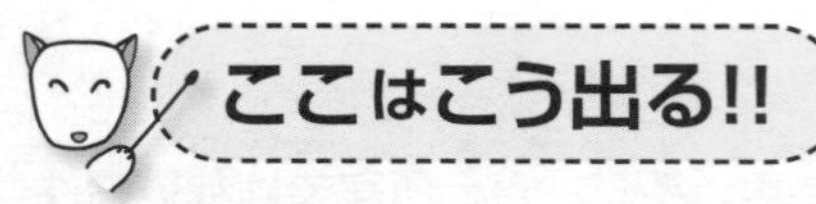

物件の引渡し前に売主業者に支払ってしまう手付金や中間金を手付金等という。引渡し前に支払ってしまうため、売主業者が倒産などした場合、物件の引渡しは受けられず、手付金等も取り戻せなくなるという事態になりかねない。このようなトラブルを防ぐため、手付金等を受領する前に、売主業者に「手付金等の保全措置」を講じることを義務付けている。ただし、手付金等の額が少額の場合、保全措置を講じなくてもよい。すでに受け取った手付金とこれから受け取る中間金の合計額で判断する。

だからこう解く!! 厳選要点☆ここを押さえろ

手付金等（手付金や中間金）

手付金を含み、物件の引渡し前にやりとりされる中間金など

手付金等の保全措置を講じない場合

- 売主業者は手付金等の保全措置を講じた後でなければ、買主から手付金等を受領してはならない
- 売主業者が手付金等の保全措置を講じない場合、買主は手付金等を支払わないことができる

手付金等の保全措置

未完成：未完成は指定保管は×
　①銀行等の連帯保証
　②保険会社の保証保険

完成済：
　①銀行等の連帯保証
　②保険会社の保証保険
　③指定保管機関の保管

手付金等の保全措置が不要となる場合

- 買主が**所有権の登記**（保存登記・移転登記）をしたとき
- 手付金等の額が

未完成：
　代金の額の**5%以下**で、かつ、1,000万円以下のとき

完成済：
　代金の額の**10%以下**で、かつ、1,000万円以下のとき

問題

問56 **宅地建物取引業者Ａが、自ら売主として、宅地建物取引業者でないＢと建築工事完了前のマンション（代金3,000万円）の売買契約を締結した場合、宅地建物取引業法第41条の規定に基づく手付金等の保全措置（以下この問において「保全措置」という。）に関する次の記述のうち、正しいものはいくつあるか。** 【平成28年 問43】

ア　Ａが、Ｂから手付金600万円を受領する場合において、その手付金の保全措置を講じていないときは、Ｂは、この手付金の支払を拒否することができる。

イ　Ａが、保全措置を講じて、Ｂから手付金300万円を受領した場合、Ｂから媒介を依頼されていた宅地建物取引業者Ｃは、Ｂから媒介報酬を受領するに当たり、Ａと同様、あらかじめ保全措置を講じなければ媒介報酬を受領することができない。

ウ　Ａは、Ｂから手付金150万円を保全措置を講じないで受領し、その後引渡し前に、中間金350万円を受領する場合は、すでに受領した手付金と中間金の合計額500万円について保全措置を講じなければならない。

エ　Ａは、保全措置を講じないで、Ｂから手付金150万円を受領した場合、その後、建築工事が完了しＢに引き渡す前に中間金150万円を受領するときは、建物についてＢへの所有権移転の登記がなされるまで、保全措置を講じる必要がない。

1　一つ　　2　二つ　　3　三つ　　4　四つ

解説▶解答

問56 **建築工事完了前の物件だから、手付金等が代金の5%を超えるか、1,000万円を超える場合は保全措置が必要だよー。3,000万円×5%＝150万円。まず計算しちゃおう。**

ア ○ 手付金の額が150万円を超えているので、もちろん保全措置が必要です。宅建業者が保全措置を講じないときは、買主は、手付金等を支払わないとすることができる。で、手付金の600万円は、ちょうど代金の20%なので、これ自体は違反ではないです。

イ × 手付金等の保全措置を講じる義務を負うのは、売主となる宅建業者Aだけだよー。媒介する宅建業者Cが保全措置を講ずる必要はありません。報酬うんぬんと、それらしいヒッカケ。

ウ ○ 手付金は150万円ちょうどなので保全措置は不要だけど、引渡し前に受領する中間金も「手付金等」だから、手付金等の額はトータルで500万円。中間金を受領する前に500万円全額について保全措置を講じなければなりませーん。

エ × 契約の時点で「工事完了前」だったら、その後に工事が完了したとしても、工事完了前の物件の売買として扱う。手付金150万円の受領はいいんだけど、引渡し前に受領する中間金は手付金等になるので、合計300万円につき保全措置を講じなければならない。なお、買主への所有権移転登記がされたら、保全措置は講じなくてもいいけどね。

正しいものはア・ウの「二つ」。選択肢2が正解となる。

正解	
問56	2

問題

宅地建物取引業者Aが、自ら売主として買主との間で建築工事完了前の建物を5,000万円で売買する契約をした場合において、宅地建物取引業法第41条第１項に規定する手付金等の保全措置（以下この問において「保全措置」という。）に関する次の記述のうち、同法に違反するものはどれか。
【平成26年 問33】

1　Aは、宅地建物取引業者であるBと契約を締結し、保全措置を講じずに、Bから手付金として1,000万円を受領した。

2　Aは、宅地建物取引業者でないCと契約を締結し、保全措置を講じた上でCから1,000万円の手付金を受領した。

3　Aは、宅地建物取引業者でないDと契約を締結し、保全措置を講じることなくDから手付金100万円を受領した後、500万円の保全措置を講じた上で中間金500万円を受領した。

4　Aは、宅地建物取引業者でないEと契約を締結し、Eから手付金100万円と中間金500万円を受領したが、既に当該建物についてAからEへの所有権移転の登記を完了していたため、保全措置を講じなかった。

宅地建物取引業者A社は、自ら売主として宅地建物取引業者でない買主Bとの間で、中古マンション（代金2,000万円）の売買契約（以下「本件売買契約」という。）を締結し、その際、代金に充当される解約手付金200万円（以下「本件手付金」という。）を受領した。この場合におけるA社の行為に関する次の記述のうち、宅地建物取引業法（以下この問において「法」という。）の規定に違反するものはいくつあるか。
【平成24年 問34】

ア　引渡前に、A社は、代金に充当される中間金として100万円をBから受領し、その後、本件手付金と当該中間金について法第41条の２に定める保全措置を講じた。

イ　本件売買契約締結前に、A社は、Bから申込証拠金として10万円を受領した。本件売買契約締結時に、当該申込証拠金を代金の一部とした上で、A社は、法第41条の２に定める保全措置を講じた後、Bから本件手付金を受領した。

ウ　A社は、本件手付金の一部について、Bに貸付けを行い、本件売買契約の締結を誘引した。

1　一つ　　2　二つ　　3　三つ　　4　なし

解説▶解答

問57 宅建業者が売主となる場合の制限「手付の額の制限」と「手付金等の保全」の複合問題。とはいえ、オーソドックスな内容でございます。選択肢1は買主が宅建業者。読み飛ばさないでね。

1 違反しない　買主が宅建業者。手付金の限度も、手付金等の保全措置を講じるのだのなんだのという規定も適用されませぇーん。好きにして〜。

2 違反しない　手付金として受領するのは代金5,000万円の20%となる1,000万円。違反しない。で、代金の額の５%(250万円)を超えることになるけど、手付金等の保全措置を講じての受領であり問題なし。これまた違反しない。

3 違反する　保全措置の額が足りませぇーん。手付金100万円と中間金500万円の合計600万円について保全措置を講じなければならない。

4 違反しない　買主への所有権移転登記が完了していれば、保全措置を講じることなく手付金等を受領することができまぁ〜す。

問58 中古マンション(工事完了済)で代金2,000万円ということだから、200万円(10%)までだったら保全措置不要で受領できる。

ア 違反する　中間金100万円を受領する前に、手付金(200万円)と中間金(100万円)について保全措置を講じなければならない。

イ 違反しない　契約締結前に受領した申込証拠金は手付金等にはならないけど、契約締結後に代金の一部としたら手付金等になる。で、保全措置を講じた後に手付金(200万円。合計で210万円となる)を受領しているので違反とはならない。

ウ 違反する　手付貸付けによる契約締結の誘引は禁止されている。

違反するものはア・ウの「二つ」。選択肢２が正解となる。

正解	
問57 3	問58 2

問題

問59 宅地建物取引業者Ａが自ら売主として、買主Ｂとの間で締結した売買契約に関して行う次に記述する行為のうち、宅地建物取引業法（以下この問において「法」という。）の規定に違反するものはどれか。

【平成20年 問41】

1　Ａは、宅地建物取引業者でないＢとの間で建築工事完了前の建物を5,000万円で販売する契約を締結し、法第41条に規定する手付金等の保全措置を講じずに、200万円を手付金として受領した。

2　Ａは、宅地建物取引業者でないＢとの間で建築工事が完了した建物を5,000万円で販売する契約を締結し、法第41条の２に規定する手付金等の保全措置を講じずに、当該建物の引渡し前に700万円を手付金として受領した。

3　Ａは、宅地建物取引業者でないＢとの間で建築工事完了前の建物を1億円で販売する契約を締結し、法第41条に規定する手付金等の保全措置を講じた上で、1,500万円を手付金として受領した。

4　Ａは、宅地建物取引業者であるＢとの間で建築工事が完了した建物を1億円で販売する契約を締結し、法第41条の２に規定する手付金等の保全措置を講じずに、当該建物の引渡し前に2,500万円を手付金として受領した。

問60 宅地建物取引業者Ａが、自ら売主として、宅地建物取引業者ではないＢとの間で締結する建築工事完了前のマンション（代金3,000万円）の売買契約に関する次の記述のうち、宅地建物取引業法（35条以下この問において「法」という。）の規定によれば、正しいものはどれか。（法改正により選択肢2を修正している）

【令和元年 問37】

1　Ａが手付金として200万円を受領しようとする場合、Ａは、Ｂに対して書面で法第41条に定める手付金等の保全措置を講じないことを告げれば、当該手付金について保全措置を講じる必要はない。

2　Ａが手付金を受領している場合、Ｂが契約の履行に着手する前であっても、Ａは、契約を解除することについて正当な理由がなければ、手付金の倍額を現実に提供して契約を解除することができない。

3　Ａが150万円を手付金として受領し、さらに建築工事完了前に中間金として50万円を受領しようとする場合、Ａは、手付金と中間金の合計額200万円について法第41条に定める手付金等の保全措置を講じれば、当該中間金を受領することができる。

4　Ａが150万円を手付金として受領し、さらに建築工事完了前に中間金として500万円を受領しようとする場合、Ａは、手付金と中間金の合計額650万円について法第41条に定める手付金等の保全措置を講じたとしても、当該中間金を受領することができない。

解説▶解答

問59 まいどおなじみの選択肢が並びまして、いっちょ楽勝で得点してくださいまし。

1 違反しない　手付金等の額が「代金の額の5%以下で、かつ、1,000万円以下」、つまり250万円以下なので、保全措置を講じずに受領しちゃってもよい。

2 違反する　工事完了後の売買なので、保全措置を講じなくても受領できる手付金等の額は「代金の額の10%以下で、かつ、1,000万円以下」。つまり500万円まで。「700万円を手付金として受領」は違反でしょ。

3 違反しない　建築工事完了前の物件売買で、代金の額の5%を超えている額の手付金等を受領する場合、保全措置が必要です。ちなみに手付金として受領できる上限は2,000万円まで。受領したのは1,500万円なので、こちらもクリア。

4 違反しない　「宅地建物取引業者であるB」が取引相手なので、お好きにどうぞ。

問60 選択肢2で手付による解除。「正当な理由」がそれらしいけど。選択肢4の中間金。宅建業法上、中間金の受領額などについての制約はありません。

1 × 書面で告げればいいってもんじゃねーだろ（笑）。代金の5%を超えるので、その「200万円」につき手付金等の保全措置を講じなければならない。

2 × 手付を使っての解除には「正当な理由」は必要なしです。「Bが契約の履行に着手する前」なので、売主Aは手付金の倍額を現実に提供して契約を解除することができる。

3 ○ 手付金等の合計額は200万円となる。中間金50万円を受領するにあたり、手付金と中間金の合計額200万円について法第41条に定める手付金等の保全措置を講じれば、当該中間金を受領することができる。

4 × 手付金の受領額については代金の20%までという制約はあるけど、「中間金」については、宅建業法上の制約なし。なので500万円の受領でもオッケー。手付金と中間金の合計額650万円について手付金等の保全措置を講じれば、当該中間金を受領することができる。

正解	
問59 2	問60 3

宅建業者が売主（複合）

2025年版
合格しようぜ！
宅建士 基本テキスト

➡ Part1 宅建業法
➡ 宅建業法-4
➡ Section1　宅建業者が売主となる場合の制限
➡ P124〜P150

「宅建業者が売主となる場合の制限」からは、いままで見てきた「クーリング・オフ」や「手付金等の保全措置」は単独で1問の出題となることが多いが、「手付の額の制限等」「損害賠償額の予定等の制限」などは他の項目との複合問題としての出題となる。いずれも「代金の額の20%まで」となっており覚えやすい。しかし「手付20%ルール」と「手付金等の保全措置」の混同を狙うヒッカケもたまにある。そのほか「割賦販売契約の解除等の制限」「所有権留保等の禁止」があるが出題は少ない。

だからこう解く!! 厳選要点★ここを押さえろ

手付の額の制限等

- 売主業者が受領できる手付の額は、代金の**20%**まで
- 買主は手付を放棄して解除できる
- 売主業者は手付の**倍額**を**現実**に**提供**して解除できる
- 買主に不利となる特約は無効
- ただし相手方が契約の履行に着手したあとは解除できない

損害賠償額の予定等の制限

- 売主業者が損害賠償の額を予定しまたは「違約金」を定めるとしても、これらを合算して代金の**20%**を超えて定めてはならない
- 20%を超えて定めた場合、**超えた部分**は**無効**（20%として扱う）

*損害賠償の額を予定しなかった場合は、実損額にて処理。20%を超えることもありうる

割賦販売契約の解除等の制限

- 賦払金の支払いがされない場合、**30日**以上の相当の期間を定めて書面で催告
- その期間内に支払いがないときに、**解除**・残代金の**一括請求**ができる

*割賦販売と住宅ローンとは異なることに留意

所有権留保等の禁止

- 売主業者が受領した額が代金の**3割以下**であるときは所有権留保してよい

問題

問61 **宅地建物取引業者Aが、自ら売主として、宅地建物取引業者でないBとの間でマンション（代金4,000万円）の売買契約を締結した場合に関する次の記述のうち、宅地建物取引業法（以下この問において「法」という。）の規定に違反するものの組合せはどれか。（法改正により記述ウを修正している）** 【平成28年 問28】

ア　Aは、建築工事完了前のマンションの売買契約を締結する際に、Bから手付金200万円を受領し、さらに建築工事中に200万円を中間金として受領した後、当該手付金と中間金について法第41条に定める保全措置を講じた。

イ　Aは、建築工事完了後のマンションの売買契約を締結する際に、法第41条の２に定める保全措置を講じることなくBから手付金400万円を受領した。

ウ　Aは、建築工事完了前のマンションの売買契約を締結する際に、Bから手付金500万円を受領したが、Bに当該手付金500万円を現実に提供して、契約を一方的に解除した。

エ　Aは、建築工事完了後のマンションの売買契約を締結する際に、当事者の債務の不履行を理由とする契約の解除に伴う損害賠償の予定額を1,000万円とする特約を定めた。

1　ア、ウ　　2　イ、ウ　　3　ア、イ、エ　　4　ア、ウ、エ

解説▶解答

問61 建築工事完了前と完了後での、手付金等の保全措置のちがいを理解しておいてねー。

ア 違反する　選択肢の手付金と中間金は手付金等になる。工事完了前だから代金の５％(200万円)となる手付金を受領する時点では保全措置は不要だけど、中間金を受領する前に、あわせて400万円について保全措置を講じなければならない。受領したあとじゃ遅いよん。

イ 違反しない　建築工事完了後だから、手付金等の額が代金の10％(400万円)までだったら保全措置は不要。

ウ 違反する　売主からは、手付倍返し(1,000万円)で解除だよね。「500万円を現実に提供するだけで一方的に契約を解除」は違反でしょ。なお手付の額自体は20％(800万円)以下なので問題なし。

エ 違反する　損害賠償の予定額は代金の20％まで。800万円が限度額だよね。これを超える特約を定めることはできない。

違反するものの組合せは「ア、ウ、エ」。選択肢４が正解となる。

正解	
問61	4

問題

問62

宅地建物取引業者Ａが、自ら売主として、宅地建物取引業者でないＢとの間で建物の売買契約を締結する場合における次の記述のうち、民法及び宅地建物取引業法の規定によれば、正しいものはどれか。（法改正により選択肢２を修正している） 【平成27年 問34】

☑☑☑☑☑

1　Ｃが建物の所有権を有している場合、ＡはＢとの間で当該建物の売買契約を締結してはならない。ただし、ＡがＣとの間で、すでに当該建物を取得する契約（当該建物を取得する契約の効力の発生に一定の条件が付されている。）を締結している場合は、この限りではない。

2　Ａは、Ｂとの間における建物の売買契約において、「ＡがＢに対して建物の種類又は品質に関して契約の内容に適合しない場合における不適合を担保すべき期間は、建物の引渡しの日から１年以内にＢがＡに通知した場合とする」旨の特約を付した。この場合、当該特約は無効となり、ＢがＡに対して担保責任を追求することができる通知期間は、当該建物の引渡しの日から２年間となる。

3　Ａは、Ｂから喫茶店で建物の買受けの申込みを受け、翌日、同じ喫茶店で当該建物の売買契約を締結した際に、その場で契約代金の２割を受領するとともに、残代金は５日後に決済することとした。契約を締結した日の翌日、ＡはＢに当該建物を引き渡したが、引渡日から３日後にＢから宅地建物取引業法第37条の２の規定に基づくクーリング・オフによる契約の解除が書面によって通知された。この場合、Ａは、契約の解除を拒むことができない。

4　ＡＢ間の建物の売買契約における「宅地建物取引業法第37条の２の規定に基づくクーリング・オフによる契約の解除の際に、ＡからＢに対して損害賠償を請求することができる」旨の特約は有効である。

解説▶解答

問62 選択肢１は停止条件が付いている。担保責任の特約が無効となったら民法の原則に。クーリング・オフの問題はまいどおなじみ。

1 × ＡＣ間で建物を取得する契約をしていたとしても、停止条件が付されている（当該建物を取得する契約の効力の発生に一定の条件が付されている）ときは、ＡＢ間での売買契約はダメ。締結してはならぬ。

2 × 通知期間を「建物の引渡しの日から１年以内」とする旨の特約は無効となる。で、この場合、通知期間はどうなるかというと、民法の原則に立ち返り「不適合を知った時から１年以内」となる。「建物の引渡しの日から２年間」じゃないよー。

3 ○ 建物の引渡しはあったけど、払ったのは代金の２割。全額を払っていないので、まだクーリング・オフによる解除が可能。Ａは、契約の解除を拒むことができない。

4 × 買主に不利なので「クーリング・オフによる契約の解除の際に、ＡからＢに対して損害賠償を請求することができる」旨の特約は無効。

正解	
問62	3

問題

問63 **宅地建物取引業者Aが、自ら売主として、宅地建物取引業者でないBとの間で建物（代金2,400万円）の売買契約を締結する場合における次の記述のうち、宅地建物取引業法の規定によれば、正しいものはいくつあるか。**
【平成27年 問36】

ア　Aは、Bとの間における建物の売買契約において、当事者の債務の不履行を理由とする契約の解除に伴う損害賠償の予定額を480万円とし、かつ、違約金の額を240万円とする特約を定めた。この場合、当該特約は全体として無効となる。

イ　Aは、Bとの間における建物の売買契約の締結の際、原則として480万円を超える手付金を受領することができない。ただし、あらかじめBの承諾を得た場合に限り、720万円を限度として、480万円を超える手付金を受領することができる。

ウ　AがBとの間で締結する売買契約の目的物たる建物が未完成であり、AからBに所有権の移転登記がなされていない場合において、手付金の額が120万円以下であるときは、Aは手付金の保全措置を講じることなく手付金を受領することができる。

1　一つ　　2　二つ　　3　三つ　　4　なし

問64 **宅地建物取引業者Aが自ら売主となる売買契約に関する次の記述のうち、宅地建物取引業法（以下この問において「法」という。）の規定によれば、正しいものはどれか。（法改正により選択肢２、４を修正している）**
【平成27年 問39】

1　宅地建物取引業者でない買主Bが、法第37条の２の規定に基づくクーリング・オフについてAより書面で告げられた日から７日目にクーリング・オフによる契約の解除の書面を発送し、９日目にAに到達した場合は、クーリング・オフによる契約の解除をすることができない。

2　宅地建物取引業者でない買主Cとの間で土地付建物の売買契約を締結するに当たって、Cが建物を短期間使用後取り壊す予定である場合には、建物についての担保責任を負わない旨の特約を定めることができる。

3　宅地建物取引業者Dとの間で締結した建築工事完了前の建物の売買契約において、当事者の債務の不履行を理由とする契約の解除に伴う損害賠償の予定額を代金の額の30％と定めることができる。

4　宅地建物取引業者でない買主Eとの間で締結した宅地の売買契約において、当該宅地の引渡しを当該売買契約締結の日の１月後とし、当該宅地が種類又は品質に関して契約の内容に適合しない場合における不適合を担保すべき責任に関し、そのEの通知期間について、当該売買契約を締結した日から２年間とする特約を定めることができる。

解説▶解答

問63 損害賠償額の予定は代金の２割まで。手付もおなじく２割まで。「ウ」の手付金等は代金の５％以下だよ。いずれもまいどおなじみ。

ア × 損害賠償の予定額と違約金の額を合算した額が代金の２割を超えるような特約は無効なんだけど「全体として無効」じゃなくて、２割を超える部分が無効。

イ × 買主の承諾があってもなくても、代金の２割を超える手付を受領してはいけませーん。

ウ ○ 未完成物件の場合で、手付金等が代金の額の５％以下で、かつ、1,000万円以下なので、手付金等の保全措置を講じることなく受領してオッケー。

正しいのはウの「一つ」。選択肢１が正解となる。

問64 クーリング・オフによる解除は書面発信の時点で。選択肢２は取り壊す予定だとしてもダメ。選択肢３は買主が宅建業者だよー。

1 × ７日目にクーリング・オフによる契約の解除の書面を発送しているので、この時点で解除したことになる。発信で解除。到着ではない。

2 × Ｃが建物を短期間使用後取り壊す予定だとしても、担保責任を負わない旨の特約は定めることができない。定めても問題なさそうなんだけどね。

3 ○ 買主が宅建業者なので好きにやってください。損害賠償の予定額を代金の額の30％でも50％でも。70％でも90％でも（笑）。

4 × 「締結した日」ではなくて「引渡しの日」だったらOKなんだけどね。引渡しが契約締結の日の１月後ということなので、Ｅの通知期間を「売買契約を締結した日から２年間」とする特約は無効。

正解	
問63 1	問64 3

問題

問65

宅地建物取引業者Ａが、自ら売主として宅地建物取引業者でない買主Ｂとの間で締結した売買契約に関する次の記述のうち、宅地建物取引業法の規定によれば、正しいものはいくつあるか。

【平成27年 問40】

ア　Ａは、Ｂとの間で建築工事完了後の建物に係る売買契約（代金3,000万円）において、「Ａが契約の履行に着手するまでは、Ｂは、売買代金の１割を支払うことで契約の解除ができる」とする特約を定め、Ｂから手付金10万円を受領した。この場合、この特約は有効である。

イ　Ａは、Ｂとの間で建築工事完了前の建物に係る売買契約（代金3,000万円）を締結するに当たり、保険事業者との間において、手付金等について保証保険契約を締結して、手付金300万円を受領し、後日保険証券をＢに交付した。

ウ　Ａは、Ｂとの間で建築工事完了前のマンションに係る売買契約（代金3,000万円）を締結し、その際に手付金150万円を、建築工事完了後、引渡し及び所有権の登記までの間に、中間金150万円を受領したが、合計額が代金の10分の１以下であるので保全措置を講じなかった。

1　一つ　　2　二つ　　3　三つ　　4　なし

問66

宅地建物取引業者Ａが、自ら売主として宅地建物取引業者ではない買主Ｂとの間で宅地の売買契約を締結する場合における次の記述のうち、宅地建物取引業法の規定によれば、誤っているものはいくつあるか。（法改正により記述アを修正している）

【平成26年 問31】

ア　Ａが当該宅地の契約不適合を担保すべき責任に関し、その不適合についてのＢの通知期間を売買契約に係る宅地の引渡しの日から３年間とする特約は、無効である。

イ　Ａは、Ｂに売却予定の宅地の一部に甲市所有の旧道路敷が含まれていることが判明したため、甲市に払下げを申請中である。この場合、Ａは、重要事項説明書に払下申請書の写しを添付し、その旨をＢに説明すれば、売買契約を締結することができる。

ウ　「手付放棄による契約の解除は、契約締結後30日以内に限る」旨の特約を定めた場合、契約締結後30日を経過したときは、Ａが契約の履行に着手していなかったとしても、Ｂは、手付を放棄して契約の解除をすることができない。

1　一つ　　2　二つ　　3　三つ　　4　なし

解説▶解答

問65 手付の額の制限と手付金等の保全措置。いずれもまいどおなじみの出題内容。いくつあるか(個数問題)だとむずかしく感じるけどね。

ア ×　「Bから手付金10万円を受領した」とあるので、買主はこの手付金10万円を放棄すれば解除できる。「さらに代金の１割払え」とする特約は買主に不利なので無効。

イ ×　「手付金300万円を受領し、後日保険証券をBに交付」だと遅い。保険証券をBに交付した後でなければ手付金等を受領してはならぬ。

ウ ×　「建築工事完了前のマンション」だから５％を超える手付金等を受領するにあたり保全措置が必要。手付金150万円は５％以下だからいいけど、次の中間金150万円を受領する前に、合計300万円の保全措置を講じなければならぬ。

ア・イ・ウはすべて誤りなので、選択肢４「なし」が正解となる。

問66 担保責任の特約、他人物売買の禁止、解約手付。いつものパターン。

ア ×　Aが不適合を担保すべき責任に関し、Bが不適合を通知すべき期間を「引渡しの日から２年以上」とする特約はOK。「引渡しの日から３年間」とする特約は問題なし。有効。

イ ×　売却予定の宅地のうち、甲市所有の部分は、まだAの所有に属していない。なのでこの部分については売買は禁止。「甲市に払下げを申請中」だとか「重要事項説明書に払下申請書の写しを添付」だとか「その旨をBに説明」だとかいってますけど、ダメなものはダメ。

ウ ×　買主は、売主が履行に着手するまでは、手付放棄で解除できる。これよりも買主に不利な特約は無効。で、この選択肢の「手付解除は、Aが履行の着手前であっても、契約締結後30日以内に限る」は買主にとって不利な特約だから無効。となると、Aが履行に着手する前であれば、Bは手付を放棄して契約を解除することができる。

誤っているものはア・イ・ウの「三つ」。選択肢３が正解となる。

正解	
問65　4	問66　3

問題

問67 **宅地建物取引業者Ａ社が、自ら売主として締結する建築工事完了後の新築分譲マンション（代金3,000万円）の売買契約に関する次の記述のうち、宅地建物取引業法の規定に誤っているものはいくつあるか。** 【平成24年 問38】

ア　Ａ社は、宅地建物取引業者である買主Ｂとの当該売買契約の締結に際して、当事者の債務不履行を理由とする契約解除に伴う損害賠償の予定額を1,000万円とする特約を定めることができない。

イ　Ａ社は、宅地建物取引業者でない買主Ｃとの当該売買契約の締結に際して、当事者の債務不履行を理由とする契約の解除に伴う損害賠償の予定額300万円に加え、違約金を600万円とする特約を定めたが、違約金についてはすべて無効である。

ウ　Ａ社は、宅地建物取引業者でない買主Ｄとの当該売買契約の締結に際して、宅地建物取引業法第41条の２の規定による手付金等の保全措置を講じた後でなければ、Ｄから300万円の手付金を受領することができない。

1　一つ　　2　二つ　　3　三つ　　4　なし

問68 **宅地建物取引業者Ａ社が、自ら売主として行う宅地（代金3,000万円）の売買に関する次の記述のうち、宅地建物取引業法の規定に違反するものはどれか。（法改正により選択肢４を修正している）** 【平成23年 問39】

1　Ａ社は、宅地建物取引業者である買主Ｂ社との間で売買契約を締結したが、Ｂ社は支払期日までに代金を支払うことができなかった。Ａ社は、Ｂ社の債務不履行を理由とする契約解除を行い、契約書の違約金の定めに基づき、Ｂ社から1,000万円の違約金を受け取った。

2　Ａ社は、宅地建物取引業者でない買主Ｃとの間で、割賦販売の契約を締結したが、Ｃが賦払金の支払を遅延した。Ａ社は20日の期間を定めて書面にて支払を催告したが、Ｃがその期間内に賦払金を支払わなかったため、契約を解除した。

3　Ａ社は、宅地建物取引業者でない買主Ｄとの間で、割賦販売の契約を締結し、引渡しを終えたが、Ｄは300万円しか支払わなかったため、宅地の所有権の登記をＡ社名義のままにしておいた。

4　Ａ社は、宅地建物取引業者である買主Ｅ社との間で、売買契約を締結したが、宅地の契約不適合を担保すべき責任について、「契約の解除又は損害賠償の請求は、契約対象物件である宅地の引渡しの日から１年を経過したときはできない」とする旨の特約を定めていた。

解説▶解答

問67 出題内容はたいしたことないけど「いくつあるか」がめんどくさい。

ア × 買主が宅地建物取引業者であるため、損害賠償の予定額を1,000万円（代金の20%超）としてもよい。

イ × 「違約金についてすべて無効」とはならない。損害賠償の予定額と違約金を合算して、代金の20%（600万円）と予定したことになる。

ウ × 工事完了後の物件なので、代金の10%（300万円）までであれば、手付金等の保全措置を講じることなく受領できる。

誤っているものはア・イ・ウの「三つ」。選択肢３が正解となる。

問68 買主が宅建業者の場合は、契約自由の原則。どうぞ、お好きにやっちゃってください。選択肢２、３は、マイナーな割賦販売契約シリーズ。

1 違反しない　買主が宅建業者なので、違約金の額の定めに上限なし！　お好きにやってください。代金の20%を超える1,000万円の違約金を定めて、実際に受け取ってもオッケー。

2 違反する　買主が宅建業者ではない場合の割賦販売。買主側で賦払金の支払いが遅れている場合、売主は「30日以上の相当の期間」を定めて書面で催告しないと契約の解除はできません。「20日」では短すぎるので契約の解除はできません。

3 違反しない　買主が宅建業者ではない場合の割賦販売。売主が所有権を留保できるのは、代金の30%の賦払金を受け取るまで。つまり、支払額が900万円になるまでは、所有権の登記名義を移さなくてもオッケー。

4 違反しない　買主が宅建業者なので、担保責任の特約は自由。契約自由の原則ですから、お好きなように取り決めをしてください。

正解	
問67　3	問68　2

問題

問69 **宅地建物取引業者Ａが、自ら売主として宅地建物取引業者でないＢとの間で宅地(代金2,000万円)の売買契約を締結する場合における次の記述のうち、宅地建物取引業法の規定によれば、正しいものはどれか。(法改正により選択肢１を修正している)** 【平成22年 問40】

1　Ａは、当該宅地が種類又は品質に関して契約の内容に適合しない場合におけるその不適合を担保すべき責任に関し、そのＢの通知期間につき、当該宅地の引渡しの日から３年以内にAに通知した場合とする特約をすることができる。

2　Ａは、当事者の債務不履行を理由とする契約の解除に伴う損害賠償の予定額を300万円とし、かつ、違約金を300万円とする特約をすることができる。

3　Ａは、Ｂの承諾がある場合においても、「Ａが契約の履行に着手した後であっても、Ｂは手付を放棄して、当該売買契約を解除することができる」旨の特約をすることができない。

4　当該宅地が、Ａの所有に属しない場合、Ａは、当該宅地を取得する契約を締結し、その効力が発生している場合においても、当該宅地の引渡しを受けるまでは、Ｂとの間で売買契約を締結することができない。

解説▶解答

宅建業者が売主となる場合の制限からの出題。「担保責任についての特約の制限」「損害賠償の予定等の制限」「手付の額の制限等」「他人物売買の禁止」と、棚卸決算セールみたいな問題。

1 ○ 買主の通知期間を「引渡しから２年以上」とする特約はOKです。

2 × えーと、損害賠償の予定額と違約金の額は、合わせて代金の額の２割までです。この問題でいうと400万円まで。ということで「債務不履行を理由とする契約の解除に伴う損害賠償の予定額を300万円とし、かつ、違約金を300万円とする特約」はできません。

3 × 手付の放棄・倍返しによる解除は、本来は相手方が履行に着手する前までなんだけど、そこは特約で調整できます。とはいえ買主に不利となる特約は無効。でもこの選択肢だと「売主業者Ａが契約の履行に着手した後であっても、Ｂは手付を放棄して、当該売買契約を解除することができる」という買主有利な内容なのでオッケー。特約は有効です。

4 × 売主業者の「他人物売買」は禁止されていますけど、この選択肢の場合、「当該宅地を取得する契約を締結」していて「効力も発生している」ということなので、まだ代金決済とか引渡しが済んでいなくても、当該宅地の売買契約を締結できます。

正　解	
問69	1

重要事項の説明（35 条書面）

2025年版
合格しようぜ！
宅建士 基本テキスト

➡ Part1 宅建業法
➡ 宅建業法-5
➡ Section1　重要事項の説明等
➡ P152～P169

宅地建物取引士の法定職務である「重要事項の説明等」からは、例年3問ほどの出題となる。まず、「宅地建物取引士はどのように重要事項の説明をすべきか」という点をしっかり理解すべき。また、試験では「○○は重要事項として説明しなければならない」という記述で出題され、その正誤を判断しなければならない。つまり、重要事項として説明すべき項目にはどういうものがあるのかを理解しておく必要がある。ボリュームはあるものの、問題を繰り返し解くことにより徐々にわかってくる。

だからこう解く!! 厳選要点★ここを押さえろ

重要事項の説明等

- 説明義務：宅建業者にあり
- 説明時期：契約が成立するまでの間（契約前）
- 説明の相手方：**買主**や**借主**になろうとする者
- 説明する人：**宅地建物取引士**
- 宅建士証：相手方の請求がなくても提示義務あり
- 説明書への記名：**宅地建物取引士**
- 説明する場所：**どこでも**よい

宅地建物取引士

- 重要事項の説明・説明書の記名は、宅地建物取引士であればよい
- 専任の宅地建物取引士でなくてもよい

相手方が宅建業者の場合

- 重要事項の説明自体は省略してもよい
- 重要事項説明書（35条書面）は交付しなければならない

説明すべき重要事項ではないもの

- 代金や借賃の支払い時期
- 物件の引渡し時期
- 所有権移転登記の申請時期

問題

宅地建物取引業者が行う宅地建物取引業法第35条に規定する重要事項の説明に関する次の記述のうち、正しいものはどれか。なお、説明の相手方は宅地建物取引業者ではないものとする。【平成29年 問33】

1　宅地の売買の媒介を行う場合、売買の各当事者すなわち売主及び買主に対して、書面を交付して説明しなければならない。

2　宅地の売買の媒介を行う場合、代金に関する金銭の貸借のあっせんの内容及び当該あっせんに係る金銭の貸借が成立しないときの措置について、説明しなければならない。

3　建物の貸借の媒介を行う場合、私道に関する負担について、説明しなければならない。

4　建物の売買の媒介を行う場合、天災その他不可抗力による損害の負担に関する定めがあるときは、その内容について、説明しなければならない。

宅地建物取引業者が行う宅地建物取引業法第35条に規定する重要事項の説明に関する次の記述のうち、誤っているものはどれか。なお、説明の相手方は宅地建物取引業者ではないものとする。

【平成29年 問41】

1　区分所有建物の売買の媒介を行う場合、当該１棟の建物及びその敷地の管理が委託されているときは、その委託を受けている者の氏名（法人にあっては、その商号又は名称）及び住所（法人にあっては、その主たる事務所の所在地）を説明しなければならない。

2　土地の売買の媒介を行う場合、移転登記の申請の時期の定めがあるときは、その内容を説明しなければならない。

3　住宅の売買の媒介を行う場合、宅地内のガス配管設備等に関して、当該住宅の売買後においても当該ガス配管設備等の所有権が家庭用プロパンガス販売業者にあるものとするときは、その旨を説明する必要がある。

4　中古マンションの売買の媒介を行う場合、当該マンションの計画的な維持修繕のための費用の積立てを行う旨の規約の定めがあるときは、その内容及び既に積み立てられている額について説明しなければならない。

解説▶解答

問70 「説明の相手方が宅建業者ではないものとする」と最後に書いてある。宅建業者が相手方だったら説明不要だよね。

1 × 売主には書面交付&説明は不要だよね。まいどおなじみの「×」でした。

2 ○ 「代金に関する金銭の貸借のあっせんの内容」と「金銭の貸借が成立しないときの措置（融資が受けられなかったときの措置）」は説明しないとならぬ。

3 × 「建物の貸借の媒介」のときは「私道に関する負担」は説明不要だよね。

4 × 契約書面（37条書面）には「天災その他不可抗力による損害の負担に関する定め」があるときは記載せねばならぬけど。重要事項としては説明不要だよね。

問71 まいどおなじみの「35条書面」。新鮮味はないですが。選択肢３がちょっと珍しいかな。

1 ○ 分譲マンションの場合、マンション管理業者の氏名（商号）、住所（主たる事務所の所在地）は説明事項だもんな。

2 × 「移転登記の申請の時期の定め」は、重要事項として説明しなくてもいいよね。

3 ○ ごちゃごちゃ書いてあるけど、要は飲用水・電気・ガスの整備状況を説明せよ、ということ。

4 ○ 分譲マンションの場合、維持修繕のための費用の積立てを行う旨の規約の内容と、既に積み立てられている額を説明しなければならない。

正解	
問70 2	問71 2

問題

問72

宅地建物取引業者が行う宅地建物取引業法第35条に規定する重要事項の説明及び書面の交付に関する次の記述のうち、正しいものはどれか。なお、説明の相手方は宅地建物取引業者ではないものとする。（法改正により問題文、選択肢４を修正している） 【平成27年 問29】

1　宅地建物取引業者ではない売主に対しては、買主に対してと同様に、宅地建物取引士をして、契約締結時までに重要事項を記載した書面を交付して、その説明をさせなければならない。

2　重要事項の説明及び書面の交付は、取引の相手方の自宅又は勤務する場所等、宅地建物取引業者の事務所以外の場所において行うことができる。

3　宅地建物取引業者が代理人として売買契約を締結し、建物の購入を行う場合は、代理を依頼した者に対して重要事項の説明をする必要はない。

4　重要事項の説明を行う宅地建物取引士は専任の宅地建物取引士でなくてもよいが、書面に記名する宅地建物取引士は専任の宅地建物取引士でなければならない。

解説▶解答

問72

「重要事項の説明」として、まいどおなじみの出題項目を並べた問題。速攻で選択肢２の「○」ができちゃう。選択肢３は一瞬「？」となるかも。

1 × 重要事項の説明は、宅地建物取引業者であるか否かを問わず、売主にする必要はありませーん。まいどおなじみの出題パターン。

2 ○ 「重要事項の説明」も「書面の交付」も、どこでやってもよい。

3 × 建物の購入の代理を依頼した者（要は買主になろうとする者）に、重要事項の説明をする必要あり。

4 × 「重要事項の説明」も「書面への記名」も、宅地建物取引士であれば行うことができまーす。専任でなくてもいいでーす。

正解	
問72	2

問題

問73 **建物の貸借の媒介を行う宅地建物取引業者が、その取引の相手方に対して行った次の発言内容のうち、宅地建物取引業法の規定に違反しないものはどれか。なお、この問において「重要事項説明」とは同法第35条の規定に基づく重要事項の説明をいい、「重要事項説明書」とは同条の規定により交付すべき書面をいうものとする。なお、説明の相手方は宅地建物取引業者ではないものとする。(法改正により問題文、選択肢3を修正している)**

【平成26年 問36】

1　重要事項説明のため、明日お宅にお伺いする当社の者は、宅地建物取引士ではありませんが、当社の最高責任者である代表取締役ですので、重要事項説明をする者として問題ございません。

2　この物件の契約条件につきましては、お手元のチラシに詳しく書いてありますので、重要事項説明は、内容が重複するため省略させていただきます。ただ、重要事項説明書の交付は、法律上の義務ですので、入居後、郵便受けに入れておきます。

3　この物件の担当である宅地建物取引士が急用のため対応できなくなりましたが、せっかくお越しいただきましたので、重要事項説明書にある宅地建物取引士欄を訂正の上、宅地建物取引士である私が記名をし、代わりに重要事項説明をさせていただきます。私の宅地建物取引士証をお見せします。

4　この物件は人気物件ですので、申込みをいただいた時点で契約成立とさせていただきます。後日、重要事項説明書を兼ねた契約書を送付いたしますので、署名押印の上、返送していただければ、手続は全て完了いたします。

解説▶解答

問73

ここ最近の本試験では、こんな感じで１問、爆笑問題が入ってます。おもしろいです。この問題は「お笑い宅建」にエントリーしましょう。

1 違反する　「当社の最高責任者である代表取締役」だとしても宅地建物取引士じゃないんだから重要事項説明はダメでしょ。「重要事項説明をする者として問題ございません」の「問題はございません」が爆笑。問題あるでしょ（笑）。

2 違反する　お手元のチラシと内容が重複するとしても、重要事項説明を省略することはできない。文末の「法律上の義務ですので、入居後、郵便受けに入れておきます」という後ろめたさ。

3 違反しない　重要事項の説明は宅地建物取引士だったらオッケー。

4 違反する　「重要事項説明書を兼ねた契約書」っていうのが怪しい。重要事項の説明は、契約が成立するまでの間に行わなければならない。契約の流れとして「重要事項説明」があって「契約締結」。そして遅滞なく「37条書面（契約書面）の交付」という段取り。なので「申込時点で契約成立」とし、その後に、「重要事項説明書を兼ねた契約書」の送付。これって段取り的にダメでしょ。さらに重要事項説明書を送付しているだけで説明なし。これも宅建業法違反。相手方に署名押印させて返送させたとしてもそれがどうしたなんの意味なし（笑）。

正解	
問73	3

問題

宅地建物取引業法第35条に規定する重要事項の説明に関する次の記述のうち、正しいものはどれか。なお、説明の相手方は宅地建物取引業者ではないものとする。（法改正により問題文を修正している）

【平成25年 問33】

1　宅地建物取引業者は、自ら売主として分譲マンションの売買を行う場合、管理組合の総会の議決権に関する事項について、管理規約を添付して説明しなければならない。

2　宅地建物取引業者は、分譲マンションの売買の媒介を行う場合、建物の区分所有等に関する法律第２条第４項に規定する共用部分に関する規約の定めが案の段階であっても、その案の内容を説明しなければならない。

3　宅地建物取引業者は、マンションの１戸の貸借の媒介を行う場合、建築基準法に規定する容積率及び建蔽率に関する制限があるときは、その制限内容を説明しなければならない。

4　宅地建物取引業者は、マンションの１戸の貸借の媒介を行う場合、借賃以外に授受される金銭の定めがあるときは、その金銭の額、授受の目的及び保管方法を説明しなければならない。

宅地建物取引業者が行う宅地建物取引業法第35条に規定する重要事項の説明に関する次の記述のうち、正しいものはどれか。なお、説明の相手方は宅地建物取引業者ではないものとする。（法改正により問題文を修正している）

【平成23年 問32】

1　建物の貸借の媒介を行う場合、借賃以外に授受される金銭の額については説明しなければならないが、当該金銭の授受の目的については説明する必要はない。

2　昭和60年10月1日に新築の工事に着手し、完成した建物の売買の媒介を行う場合、当該建物が指定確認検査機関による耐震診断を受けたものであっても、その内容は説明する必要はない。

3　建物の売買の媒介を行う場合、当該建物が宅地造成及び特定盛土等規制法の規定により指定された造成宅地防災区域内にあるときは、その旨を説明しなければならないが、当該建物の貸借の媒介を行う場合においては、説明する必要はない。

4　自ら売主となって建物の売買契約を締結する場合、買主が宅地建物取引業者でないときは、当該建物の引渡時期を説明する必要がある。

解説▶解答

問74

まぁそこそこ、それなりにまとめてきた問題でしょうか。「総会の議決権」や「借賃以外の金銭の保管方法」は説明事項じゃないしね。「建物の貸借」のときは敷地についての建蔽率や容積率はカンケーないしね。

1 × 管理組合の総会の議決権に関する事項は、重要事項として説明すべき事項じゃないよー。っていうか、マンションを買う段階で「総会の議決権」なんてね。あんまり気にしないかな。

2 ○ そうよ、そうそう。共用部分に関する規約がまだ「案」の段階だとしても、その「案」の内容を重要事項として説明しなければならない。結局どっちみち、その「案」の内容が本規約になっちゃうんだからね。

3 × おっと建物の貸借契約。単に建物の貸借なんだから、建築基準法に規定する敷地についての容積率・建蔽率に関する制限を説明する必要はない。っていうか、説明したところで意味がない。

4 × 出たぁ～「保管方法」。「代金、交換差金及び借賃以外に授受される金銭の額及び当該金銭の授受の目的」は重要事項として説明しなければならないけど、「保管方法」は説明事項とされていませぇ～ん。

問75

選択肢２の「○」、３は「×」。過去に似たような問題が出ていたから面食らった人はもはやいないはず。選択肢１と４は定番問題。

1 × 借賃以外に支払わなければならない雑費関連（敷金、礼金など）は、借主がカネを用意するに当たって知っておきたい重要な事項。「額」のほか、「授受の目的」についても説明をする必要があります。

2 ○ 「耐震診断」については、説明の対象となる類型が「昭和56年５月31日以前に建築工事に着手した」旧耐震基準の古～い建物の売買や貸借等となります。「昭和60年10月１日に新築の工事に…」という建物については、説明する必要はありません。

3 × 「建物が宅地造成及び特定盛土等規制法の規定により指定された造成宅地防災区域内にある」ということは、ひらたくいうと「あなたがこれから住もうとしている建物は、大地震や豪雨があったら土砂災害をおこすかもしれない危ない地域に建っています」ということ。従って、建物の売買の場合の買主だけではなく、建物の貸借の場合の借主に対しても、もちろん説明が必要です。

4 × 毎度おなじみのヒッカケ。「建物の引渡時期」は、重要事項の説明の内容ではありません。37条契約書面の記載事項となります。説明する必要なし。

正解	
問74　2	問75　2

問題

問76

宅地建物取引業法第35条に規定する重要事項の説明を宅地建物取引士が行う場合における次の記述のうち、誤っているものはどれか。なお、説明の相手方は宅地建物取引業者ではないものとする。（法改正により問題文を修正している）

【平成22年 問35】

1　建物の売買の媒介の場合は、建築基準法に規定する建蔽率及び容積率に関する制限があるときはその概要を説明しなければならないが、建物の貸借の媒介の場合は説明する必要はない。

2　宅地の売買の媒介の場合は、土砂災害警戒区域等における土砂災害防止対策の推進に関する法律第６条第１項により指定された土砂災害警戒区域内にあるときはその旨を説明しなければならないが、建物の貸借の媒介の場合は説明する必要はない。

3　建物の売買の媒介の場合は、住宅の品質確保の促進等に関する法律第５条第１項に規定する住宅性能評価を受けた新築住宅であるときはその旨を説明しなければならないが、建物の貸借の媒介の場合は説明する必要はない。

4　宅地の売買の媒介の場合は、私道に関する負担について説明しなければならないが、建物の貸借の媒介の場合は説明する必要はない。

問77

宅地建物取引業者が行う宅地建物取引業法第35条に規定する重要事項の説明に関する次の記述のうち、正しいものはどれか。なお、説明の相手方は宅地建物取引業者ではないものとする。（法改正により問題文を修正している）

【平成24年 問30】

1　建物の貸借の媒介を行う場合、当該建物が住宅の品質確保の促進等に関する法律に規定する住宅性能評価を受けた新築住宅であるときは、その旨について説明しなければならないが、当該評価の内容までを説明する必要はない。

2　建物の売買の媒介を行う場合、飲用水、電気及びガスの供給並びに排水のための施設が整備されていないときは、その整備の見通し及びその整備についての特別の負担に関する事項を説明しなければならない。

3　建物の貸借の媒介を行う場合、当該建物について、石綿の使用の有無の調査の結果が記録されているときは、その旨について説明しなければならないが、当該記録の内容までを説明する必要はない。

4　昭和55年に竣工した建物の売買の媒介を行う場合、当該建物について耐震診断を実施した上で、その内容を説明しなければならない。

解説▶解答

問76

「土砂災害警戒区域」については、建物の貸借の場合でもちゃんと説明してあげましょうよ。

1 ○ そのとおり。建物の貸借の媒介だと、建蔽率や容積率はある意味、どうでもいい。説明する必要はない。

2 × あっはっは。あのですね「土砂災害警戒区域内」なんでしょ。「ここ危ないっすよ」ということですよね。建物の貸借の媒介だったとしても、それは伝えましょうよ。「賃貸だから、ま、土石流に巻き込まれてもしょうがないか」というワケにもいかない。

3 ○ そのとおり。「住宅性能評価」を受けた新築住宅である旨の説明は、建物の貸借の媒介の場合は説明する必要はない。

4 ○ そのとおり。単なる建物の貸借の媒介だと、私道がどうのという敷地の話はまったく関係がない。ということで建物の貸借の媒介の場合は説明する必要はない。

問77

オーソドックスな内容が並んでいます。が、それにしても選択肢4がおもしろい。たかが媒介している業者に、手間とカネをかけて耐震診断を実施しろだなんて、そんな規定あるもんかっ!!

1 × 建物の貸借の媒介の場合、住宅性能評価に関することは説明しなくてもよい。

2 ○ 飲用水、電気及びガスの供給並びに排水のための施設が整備されていないときは、整備の見通し及びその整備についての特別の負担に関する事項を説明しなければならない。

3 × 建物の貸借の媒介の場合でも、石綿の使用の有無の調査の結果が記録されているときは、その旨のほか当該記録の内容を説明しなければならない。

4 × 宅建業者に「耐震診断の実施」まで義務づけてはいない。そんな規定があったらたまりませーん。

正解	
問76 2	問77 2

問題

問78

宅地建物取引業者Aが、マンションの分譲に際して行う宅地建物取引業法第35条の規定に基づく重要事項の説明に関する次の記述のうち、正しいものはどれか。なお、説明の相手方は宅地建物取引業者ではないものとする。（法改正により問題文を修正している）

【平成20年 問37】

1　当該マンションの建物又はその敷地の一部を特定の者にのみ使用を許す旨の規約の定めがある場合、Aは、その内容だけでなく、その使用者の氏名及び住所について説明しなければならない。

2　建物の区分所有等に関する法律第２条第４項に規定する共用部分に関する規約がまだ案の段階である場合、Aは、規約の設定を待ってから、その内容を説明しなければならない。

3　当該マンションの建物の計画的な維持修繕のための費用の積立を行う旨の規約の定めがある場合、Aは、その内容を説明すれば足り、既に積み立てられている額については説明する必要はない。

4　当該マンションの建物の計画的な維持修繕のための費用を特定の者にのみ減免する旨の規約の定めがある場合、Aは、買主が当該減免対象者であるか否かにかかわらず、その内容を説明しなければならない。

問79

宅地建物取引業者が行う宅地建物取引業法第35条に規定する重要事項の説明に関する次の記述のうち、正しいものはどれか。なお、説明の相手方は宅地建物取引業者ではないものとする。【令和4年 問36】

1　建物の売買の媒介を行う場合、当該建物が既存の住宅であるときは当該建物の検査済証（宅地建物取引業法施行規則第16条の２の３第２号に定めるもの）の保存の状況について説明しなければならず、当該検査済証が存在しない場合はその旨を説明しなければならない。

2　宅地の売買の媒介を行う場合、売買代金の額並びにその支払の時期及び方法について説明しなければならない。

3　建物の貸借の媒介を行う場合、当該建物が、水防法施行規則第11条第１号の規定により市町村（特別区を含む。）の長が提供する図面にその位置が表示されている場合には、当該図面が存在していることを説明すれば足りる。

4　自ら売主となって建物の売買契約を締結する場合、当該建物の引渡しの時期について説明しなければならない。

解説▶解答

問78 「重要事項の説明」で、マンションを出題するんだったら、こんなような選択肢が並ぶ。

1 × いわゆる専用使用権というやつで、敷地内の駐車場とか。内容は説明しなきゃいけないけど、実際にそこを使用している人の氏名などは説明する必要はない。っていうかキリがないでしょ。たとえば駐車スペースが200台分もあったりすると。

2 × それが案の段階であっても、重要事項として説明しなければならない。

3 × 修繕積立金。フツーのマンションだと「積立を行う旨の規約」はある。で、それはもちろん説明しなければならないんだけど、どちらかというと、中古マンションを買おうなんていう場合は「既にいくら積み立てられているのか」のほうが重要だったりする。なので、ちゃんと説明しなさいっ！

4 ○ 出たぁ〜、売れ残ったマンション在庫を抱える分譲業者の救済措置。そんなのが規約に盛り込まれているんだったら、買主が減免対象者であるか否かにかかわらず、それを正直に説明しなさいっ。

問79 選択肢２と４。出題者さんありがとう。宅建ダイナマイトの受験講座での「じきじきじきは37条かもぉ〜ん」で一発一撃。選択肢３。図面に当該宅地又は建物の位置が表示されているときは、当該図面における当該宅地又は建物の所在地（例：ここです）を説明せねばね。

1 ○ そうだね。「保存の状況」を説明しなければならないから、存在しない場合はその旨を説明だね。

2 × 出ました「時期」（笑）。「売買代金の額並びにその支払の時期及び方法」は説明すべき重要事項とはなっていないよね。

3 × バカくさいけどおもしろい。「水害ハザードマップは存在してまーす」とだけ説明するんかい。「ありまーす」と絶叫。そんな騒ぎが昔ありましたね。

4 × しつこく「時期」（笑）。「当該建物の引渡しの時期」は説明すべき重要事項とはなっていないよね。

正解			
問78	4	問79	1

契約書面の交付（37条書面）

2025年版
合格しようぜ！
宅建士 基本テキスト

➡ Part1 宅建業法
➡ 宅建業法-5
➡ Section2　契約書面(37条書面)
➡ P170〜P174

ここはこう出る!!

契約書面の交付（37条書面）も宅地建物取引士の法定職務であるため、例年2問ほどの出題となる。ただし法定職務とはいっても、「重要事項の説明等」とは異なり、契約書面への記名が要求されるだけであり、実際に説明をする義務もなく、交付についても宅地建物取引士が行う必要もない。また、契約書面に記載すべき事項も、重要事項と比べればはるかに少ない。ただし、「必ず記載すべき事項」と「特約があれば記載する事項」とに分かれている点に留意。慣れてくればすぐわかるようになる。

だからこう解く!! 厳選要点★ここを押さえろ

契約書面の交付

- 交付時期：契約が成立した後、遅滞なく
- 契約書面への記名：**宅地建物取引士**
- 交付の相手方：契約の**両当事者**（売主・買主、貸主・借主）
- 相手方に交付：宅地建物取引士でなくてもよい
- 説明義務：**なし**

*相手方が宅建業者であっても、契約書面の**交付**は省略できない

契約書面に必ず記載すべき事項

- 当事者の氏名・住所
- 物件を特定するための表示
- 建物の構造耐力上主要な部分等の状況についての確認事項（中古建物の場合）
- 代金や借賃、支払い時期、支払い方法
- 宅地建物の引渡し時期
- 移転登記の申請の時期

特約があれば記載すべき事項

- 代金や借賃以外の金銭の授受があるときは額や目的など
- 契約の解除、損害賠償の予定
- ローンが成立しない場合の措置
- 担保責任の履行措置
- 担保責任についての特約
- 天災その他不可抗力による損害の負担
- 租税その他公課の負担

問題

問80 **宅地建物取引業者Ａが、宅地建物取引業法（以下この問において「法」という。）第37条の規定により交付すべき書面（以下この問において「37条書面」という。）に関する次の記述のうち、法の規定に違反しないものはどれか。（法改正により選択肢４を修正している）**

【平成29年 問38】

1　Ａは、売主を代理して宅地の売買契約を締結した際、買主にのみ37条書面を交付した。

2　Ａは、自ら売主となる宅地の売買契約において、手付金等を受領するにもかかわらず、37条書面に手付金等の保全措置の内容を記載しなかった。

3　Ａは、媒介により宅地の売買契約を成立させた場合において、契約の解除に関する定めがあるにもかかわらず、37条書面にその内容を記載しなかった。

4　Ａは、自ら売主となる宅地の売買契約において、当該宅地の品質に関して契約の内容に適合しない不適合についての担保責任に関する特約を定めたが、買主が宅地建物取引業者であり、担保責任に関する特約を自由に定めることができるため、37条書面にその内容を記載しなかった。

問81 **宅地建物取引業法（以下この問において「法」という。）第37条の規定により交付すべき書面（以下この問において「37条書面」という。）に関する次の記述のうち、法の規定に違反しないものはどれか。（法改正により、選択肢2を修正している）**

【平成29年 問40】

1　宅地建物取引業者Ａは、中古マンションの売買の媒介において、当該マンションの代金の支払の時期及び引渡しの時期について、重要事項説明書に記載して説明を行ったので、37条書面には記載しなかった。

2　宅地建物取引業者である売主Ｂは、宅地建物取引業者Ｃの媒介により、宅地建物取引業者ではない買主Ｄと宅地の売買契約を締結した。Ｂは、Ｃと共同で作成した37条書面にＣの宅地建物取引士の記名がなされていたため、その書面に、Ｂの宅地建物取引士をして記名をさせなかった。

3　売主である宅地建物取引業者Ｅの宅地建物取引士Ｆは、宅地建物取引業者ではない買主Ｇに37条書面を交付する際、Ｇから求められなかったので、宅地建物取引士証をＧに提示せずに当該書面を交付した。

4　宅地建物取引業者Ｈは、宅地建物取引業者ではない売主Ｉから中古住宅を購入する契約を締結したが、Ｉが売主であるためＩに37条書面を交付しなかった。

解説▶解答

問80 まいどおなじみの37条書面。新鮮味はないんだけど、選択肢4がおもしろいといえばおもしろい。

1 違反する　Aは買主のほか、代理の依頼者で売主にも37条書面を交付せねばならぬ。37条書面は、売主と買主、当事者双方に交付だもんね。

2 違反しない　手付金等の保全措置の内容は37条書面への記載事項じゃないもんね。重要事項説明書（35条書面）には記載だけどね。

3 違反する　「契約の解除に関する定め」があるときは、37条書面に記載しなければならぬ。

4 違反する　買主が宅建業者で、担保責任の特約はなんでもいいとしてもだ、「担保責任に関する特約」を定めたのであれば、37条書面に記載しなければならぬ。

問81 まいどおなじみの「37条書面」。まいどおなじみの選択肢が並んでいますね。

1 違反する　「代金の支払の時期及び引渡しの時期」は必ず37条書面には記載だよね。重要事項説明書には記載しなくてもいいんだけどね。

2 違反する　売主である宅建業者Bも、Bの宅地建物取引士をして、Cと共同で作成した37条書面に記名させねばならぬ。

3 違反しない　37条書面の交付については、宅建業法上の規制はないよね。宅地建物取引士が交付しなくてもいいし、もちろん宅地建物取引士証を提示しなくてもよい。

4 違反する　相手方が宅建業者であってもなくても、37条書面の交付は省略できません。この選択肢は、宅建業者が買主。この場合、買主側の宅建業者は、売主に37条書面を交付しなければならないっす。

正解	
問80 2	問81 3

問題

問82 **宅地建物取引業者Ａが行う業務に関する次の記述のうち、宅地建物取引業法（以下この問において「法」という。）の規定によれば、正しいものはどれか。** 【平成28年 問41】

1　Ａは、宅地建物取引業者Ｂから宅地の売却についての依頼を受けた場合、媒介契約を締結したときは媒介契約の内容を記載した書面を交付しなければならないが、代理契約を締結したときは代理契約の内容を記載した書面を交付する必要はない。

2　Ａは、自ら売主として宅地の売買契約を締結したときは、相手方に対して、遅滞なく、法第37条の規定による書面を交付するとともに、その内容について宅地建物取引士をして説明させなければならない。

3　Ａは、宅地建物取引業者でないＣが所有する宅地について、自らを売主、宅地建物取引業者Ｄを買主とする売買契約を締結することができる。

4　Ａは、宅地建物取引業者でないＥから宅地の売却についての依頼を受け、専属専任媒介契約を締結したときは、当該宅地について法で規定されている事項を、契約締結の日から休業日数を含め５日以内に指定流通機構へ登録する義務がある。

解説▶解答

問82 「選択肢１が「代理契約？」となるかな。選択肢３はよく読んでみると、宅建業者が買主じゃん。

1 × 媒介契約書の交付は、宅建業者間の取引でも省略できないよね。で、代理契約についても、媒介契約に関する規定が準用されます。代理契約を締結したときも、代理契約の内容を記載した書面を交付する必要があります。

2 × 出たぁー、いつものヒッカケ。37条書面は相手方に交付しなければならないけど、宅地建物取引士をして内容を説明させる必要はありませーん。

3 ○ 宅建業者Ａが自ら売主で、宅建業者Ｄが買主だから、Ｃ所有の宅地の売買契約を締結しても宅建業法には違反しない。お好きにどうぞ。

4 × 「休業日を除く」ですよね。専属専任媒介契約を締結したときは、媒介契約の日から休業日数を除き、５日以内に指定流通機構に登録でーす。

正　解	
問82	3

問題

問83

宅地建物取引業者Ａが宅地建物取引業法第37条の規定により交付すべき書面（以下この問において「37条書面」という。）に関する次の記述のうち、宅地建物取引業法の規定によれば、正しいものはいくつあるか。

【平成27年 問38】

ア　Ａが売主を代理して中古マンションの売買契約を締結した場合において、その品質に関しての不適合を担保すべき責任の履行に関して講ずべき保証保険契約の締結その他の措置についての定めがあるときは、Ａは、その内容を37条書面に記載しなければならず、当該書面を、売主及び買主に交付しなければならない。

イ　Ａが媒介により中古戸建住宅の売買契約を締結させた場合、Ａは、引渡しの時期又は移転登記の申請の時期のいずれかを37条書面に記載しなければならず、売主及び買主が宅地建物取引業者であっても、当該書面を交付しなければならない。

ウ　Ａが自ら貸主として宅地の定期賃貸借契約を締結した場合において、借賃の支払方法についての定めがあるときは、Ａは、その内容を37条書面に記載しなければならず、借主が宅地建物取引業者であっても、当該書面を交付しなければならない。

エ　Ａが自ら買主として宅地の売買契約を締結した場合において、当該宅地に係る租税その他の公課の負担に関する定めがあるときは、Ａは、その内容を37条書面に記載しなければならず、売主が宅地建物取引業者であっても、当該書面を交付しなければならない。

1　一つ　　2　二つ　　3　三つ　　4　四つ

解説▶解答

問83

「イ」の「いずれか」を見落とさないように。「ウ」はそもそも自ら貸主なので、宅建業じゃありませーん。「エ」はややこしくて、軽くウザい。

ア ○ その品質に関しての不適合を担保すべき責任の履行に関して講ずべき保証保険契約の締結などの措置について定めがあるんだったら37条書面に記載。37条書面は売主・買主の双方に交付。

イ × 引渡しの時期又は移転登記の申請の時期の「いずれか」じゃなくて両方とも37条書面に記載しなければならぬ。宅建業者が相手でも省略不可。交付せよ。

ウ × 自ら宅地の貸主となる行為は、そもそも宅建業にならないので、37条書面もへったくれもない。カンケーない。

エ ○ 租税その他の公課の負担に関する定めがあるときは、その内容を37条書面に記載しなければならぬ。で、Aは買主だけど業者なので、売主に37条書面を交付。売主が業者でも省略不可。ややこしいわ(笑)。

正しいものはア・エの「二つ」。選択肢２が正解となる。

正　解	
問83	2

問題

問84

宅地建物取引業者が行う業務に関する次の記述のうち、宅地建物取引業法の規定によれば、正しいものはいくつあるか。なお、この問において「37条書面」とは、同法第37条の規定により交付すべき書面をいうものとする。（法改正により記述イを修正している）

【平成26年 問40】

ア　宅地建物取引業者は、自ら売主として宅地建物取引業者ではない買主との間で新築分譲住宅の売買契約を締結した場合において、その品質に関しての不適合を担保すべき責任の履行に関して講ずべき保証保険契約の締結その他の措置について定めがあるときは、当該措置についても37条書面に記載しなければならない。

イ　宅地建物取引業者は、37条書面を交付するに当たり、宅地建物取引士をして、その書面に記名の上、その内容を説明させなければならない。

ウ　宅地建物取引業者は、自ら売主として宅地の売買契約を締結した場合は、買主が宅地建物取引業者であっても、37条書面に当該宅地の引渡しの時期を記載しなければならない。

エ　宅地建物取引業者は、建物の売買の媒介において、当該建物に係る租税その他の公課の負担に関する定めがあるときは、その内容を37条書面に記載しなければならない。

1　一つ　　2　二つ　　3　三つ　　4　四つ

問85

宅地建物取引業者Ａ社が宅地建物取引業法第37条の規定により交付すべき書面（以下この問において「37条書面」という。）に関する次の記述のうち、宅地建物取引業法の規定によれば、正しいものの組合せはどれか。

【平成25年 問31】

ア　Ａ社は、建物の貸借に関し、自ら貸主として契約を締結した場合に、その相手方に37条書面を交付しなければならない。

イ　Ａ社は、建物の売買に関し、その媒介により契約が成立した場合に、当該売買契約の各当事者のいずれに対しても、37条書面を交付しなければならない。

ウ　Ａ社は、建物の売買に関し、その媒介により契約が成立した場合に、天災その他不可抗力による損害の負担に関する定めがあるときは、その内容を記載した37条書面を交付しなければならない。

エ　Ａ社は、建物の売買に関し、自ら売主として契約を締結した場合に、その相手方が宅地建物取引業者であれば、37条書面を交付する必要はない。

1　ア、イ　　2　イ、ウ　　3　ウ、エ　　4　ア、エ

解説▶解答

この問題が単純に「誤っているものはどれか」だったら、速攻で「イ」が誤りとわかる(笑)。

ア ○　新築分譲住宅の売買にあたり、その品質に関しての不適合を担保すべき責任の履行に関して講ずべき保証保険契約の締結その他の措置について定めがあるときは、37条書面にその措置の内容を記載しなければならない。

イ ×　この「×」はすぐにわかって欲しいなぁ〜。37条書面には宅地建物取引士の記名が必要だけど、宅地建物取引士に37条書面を交付させ内容を説明させることまでは義務づけられていない。

ウ ○　買主が宅建業者であってもなくっても、37条書面には当該宅地の引渡しの時期の記載がなければならない。

エ ○　租税その他の公課の負担に関する定めがあるときは、その内容を37条書面に記載しなければならない。

正しいものはア・ウ・エの「三つ」。選択肢３が正解となる。

出題形式は「正しい組み合わせはどれか」問題で、一瞬ビビるかもしれないけど、出題されている内容は、なんだ、カンタンじゃないか。「ア」のＡ社さん、自ら貸主だって。読み飛ばさないでね。

ア ×　出たぁ〜「自ら貸主」。このＡ社さん、そもそも「宅地建物取引業」をやってないじゃん!!　ということで宅建業法自体の適用もないから、37条書面がどうのこうのも、まるっきり関係なし。交付する必要なし!!

イ ○　媒介で契約を成立させたときは、選択肢に書いてあるとおり、当該売買契約の各当事者に、つまり売主と買主に、遅滞なく、37条書面を交付しなければならない。

ウ ○　これもそうだよね。「天災その他不可抗力による損害の負担に関する定めがあるときは、その内容」は、建物の売買の媒介をしたときの37条書面には記載しないとね。

エ ×　出たぁ〜定番ヒッカケ。っていうか、いまさら誰もひっかかんないかな〜。37条書面の交付義務は、宅建業者間取引においても適用される。なので「その相手方が宅地建物取引業者であれば、37条書面を交付する必要はない」は「×」だよね。

正しいものの組合せは「イ、ウ」。選択肢２が正解となる。

正解			
問84	3	問85	2

問題

問86 **宅地建物取引業者が媒介により建物の貸借の契約を成立させた場合、宅地建物取引業法第37条の規定により当該貸借の契約当事者に対して交付すべき書面に必ず記載しなければならない事項の組合せとして、正しいものはどれか。** 【平成25年 問35】

ア　保証人の氏名及び住所

イ　建物の引渡しの時期

ウ　借賃の額並びにその支払の時期及び方法

エ　媒介に関する報酬の額

オ　借賃以外の金銭の授受の方法

1　ア、イ　　2　イ、ウ　　3　ウ、エ、オ　　4　ア、エ、オ

問87 **宅地建物取引業者Ａ社が行う業務に関する次の記述のうち、宅地建物取引業法（以下この問において「法」という。）の規定に違反しないものはどれか。なお、この問において「37条書面」とは、法第37条の規定により交付すべき書面をいうものとする。（法改正によりすべての選択肢を修正している）** 【平成25年 問36】

1　Ａ社は、宅地の売買の媒介に際して、売買契約締結の直前に、当該宅地の一部に私道に関する負担があることに気付いた。既に宅地建物取引業者ではない買主に重要事項説明を行った後だったので、Ａ社は、私道の負担に関する追加の重要事項説明は行わず、37条書面にその旨記載し、売主及び買主の双方に交付した。

2　Ａ社は、営業保証金を供託している供託所及びその所在地を説明しないままに、自らが所有する宅地の売買契約が成立したので、宅地建物取引業者ではない買主に対し、その供託所等を37条書面に記載の上、説明した。

3　Ａ社は、媒介により建物の貸借の契約を成立させ、37条書面を借主に交付するに当たり、37条書面に記名をした宅地建物取引士が不在であったことから、宅地建物取引士ではない従業員に37条書面を交付させた。

4　Ａ社は、宅地建物取引業者間での宅地の売買の媒介に際し、当該売買契約に、当該宅地の品質に関して契約の内容に適合しない不適合についての担保に関する特約はあったが、宅地建物取引業者間の取引であったため、当該特約の内容について37条書面への記載を省略した。

解説▶解答

問86 「ア」が「×」とわかったら、「ア」が入っている選択肢を消してみる。

ア 記載しなくてもよい　「当事者の氏名(法人にあっては、その名称)及び住所」は、37条書面に必ず記載しなければならない事項だけど、「保証人の氏名及び住所」は記載事項とはされてない。

イ 必ず記載しなければならない　もうこれは鉄板。「建物の引渡しの時期」は、37条書面に必ず記載。

ウ 必ず記載しなければならない　「イ」の「建物の引渡しの時期」とおなじく「借賃の額並びにその支払の時期及び方法」は、37条書面に必ず記載しなければならない。

エ 記載しなくてもよい　「媒介に関する報酬の額」については、37条書面に必ず記載とはされていない。

オ 記載しなくてもよい　「借賃以外の金銭の授受」については、その定めがあるんだったら「その額並びに当該金銭の授受の時期及び目的」を37条書面に記載しておかなければならないけど、「授受の方法」は記載事項とはされていない。

37条書面に必ず記載しなければならない事項の組合せは「イ、ウ」。選択肢2が正解となる。

問87 選択肢3があっけなく『○』。選択肢1はやっぱり重要事項として説明しないとまずいでしょ。

1 違反する　宅地の売買の媒介だから、重要事項として「私道に関する負担」について説明しなければならない。っていうかアナタ、あとから気がついたってどういうことっすか。で、「追加の重要事項説明は行わず」ということだから、たとえ37条書面に記載したとしても、違反は違反です。

2 違反する　供託所等に関する説明は「契約が成立するまでの間に」しなければならない。ということで、これを説明しないまま契約を締結しちゃったら、「その供託所等を37条書面に記載の上、説明した」としても違反は違反です。

3 違反しない　37条書面の交付は宅地建物取引士じゃなくてもオッケー。

4 違反する　「契約の内容に適合しない不適合についての担保に関する特約」があるんだったら、宅建業者間取引であっても37条書面への記載がなければならない。

正解	
問86 2	問87 3

問題

問88

宅地建物取引業法（以下この問において「法」という。）第37条の規定により交付すべき書面（以下この問において「37条書面」という。）に関する次の記述のうち、正しいものはどれか。なお、Aは宅地建物取引業者（消費税課税事業者）である。（法改正により選択肢3を修正している）

【平成28年 問42】

1　Aは、宅地建物取引業者Bと宅地建物取引業者Cの間で締結される宅地の売買契約の媒介においては、37条書面に引渡しの時期を記載しなくてもよい。

2　Aは、自ら売主として土地付建物の売買契約を締結したときは、37条書面に代金の額を記載しなければならないが、消費税等相当額については記載しなくてもよい。

3　Aは、自ら売主として、宅地建物取引業者Dの媒介により、宅地建物取引業者Eと宅地の売買契約を締結した。Dが宅地建物取引士をして37条書面に記名させている場合、Aは宅地建物取引士をして当該書面に記名させる必要はない。

4　Aは、貸主Fと借主Gの間で締結される建物賃貸借契約について、Fの代理として契約を成立させたときは、FとGに対して37条書面を交付しなければならない。

問89

宅地建物取引業者が媒介により既存建物の貸借の契約を成立させた場合、宅地建物取引業法第37条の規定により、当該貸借の契約当事者に対して交付すべき書面に必ず記載しなければならない事項の組合せはどれか。（法改正により記述アを修正している）

【平成30年 問34】

ア　建物の品質に関して契約の内容に適合しない不適合についての担保責任の内容

イ　当事者の氏名（法人にあっては、その名称）及び住所

ウ　建物の引渡しの時期

エ　建物の構造耐力上主要な部分等の状況について当事者双方が確認した事項

1　ア、イ　　2　イ、ウ　　3　イ、エ　　4　ウ、エ

解説▶解答

問88 宅建業者がガチャガチャからんでくる選択肢1と3がウザいです。でも例年、おなじような出題パターンの37条書面です。

1 × 宅建業者間の売買で、媒介が宅建業者と、なんかウザい(笑)。で、宅建業者間の取引でも37条書面の作成・交付は省略できない。で、37条書面には「引渡しの時期」を必ず記載せねばならぬ。

2 × えーと、消費税等相当額も記載しないとまずいでしょ。37条書面には代金の額と消費税等相当額を記載せねばならぬ。

3 × 選択肢1に引き続きウザい(爆)。で、宅建業者間の取引でも、37条書面には宅地建物取引士の記名が必要。媒介業者であるDも売主業者であるAも、宅地建物取引士をして37条書面に記名させねばならぬ。

4 ○ 貸主Fを代理して賃貸借契約を成立させた媒介業者Aは、借主Gと代理の依頼者で貸主Fの双方に対して37条書面を交付せねばならぬ。

問89 既存建物の貸借の媒介の場合の「37条書面」。そりゃ氏名だ住所だ、引渡しの時期は記載事項ですぐわかるけど、記述「エ」は「あれ？　どうだったっけ？」というパターンかな。

ア 記載事項ではない　貸借の媒介なので「担保責任の内容」については37条書面への記載事項ではない。売買（交換）の場合で、さらに「定めがある」ときは記載だよね。

イ 記載事項　「当事者の氏名（法人にあっては、その名称）及び住所」が37条書面に書いてなかったらどうなるの(笑)。バカバカしいけど笑えます。もちろん「必ず記載しなければならない事項」だよ。

ウ 記載事項　これもまいどおなじみ。「建物の引渡しの時期」は、もちろん「必ず記載しなければならない事項」だよ。書いていなかったらヤバイでしょ。

エ 記載事項ではない　なるほどここでヒッカケか。既存建物なんだけど「貸借の媒介」なので、「建物の構造耐力上主要な部分等の状況について当事者双方が確認した事項」は37条書面への記載事項ではないのよ。売買（交換）の場合は記載事項だけどね。

37条書面に必ず記載しなければならない事項の組合せは「イ、ウ」。選択肢2が正解となる。

正解	
問88 4	問89 2

35 条書面・37 条書面（複合）

2025年版
合格しようぜ！
宅建士 基本テキスト

➡ Part1 宅建業法
➡ 宅建業法-5
➡ Section1　重要事項の説明等
　Section2　契約書面（37条書面）
➡ P152〜P174

ここはこう出る!!

重要事項の説明等（35条書面）と契約書面の交付（37条書面）との取り扱いのちがいを聞いてくる。37条書面の場合、宅建業者には交付義務はあるものの、重要事項の説明等の場合とは異なり、宅地建物取引士に交付させたり、説明させたりする必要はない。また書面を交付する相手方も異なってくる。一方共通点は、いずれの書面にも宅地建物取引士の記名が必要であることと、交付先が宅建業者であっても、また、相手方の合意があっても交付の省略はできないということ。ツボを押さえれば得点しやすい。

だからこう解く!! 厳選要点★ここを押さえろ

書面の交付時期

35条書面：契約が成立するまでの間（契約前）

37条書面：契約が成立した後、遅滞なく

書面への記名

35条書面：宅地建物取引士の記名

37条書面：宅地建物取引士の記名

書面の交付先

35条書面：買主・借主になる側に交付

37条書面：契約の両当事者（売主・貸主にも交付）

書面の交付義務

35条書面：相手方の承諾があっても交付を省略できない

37条書面：相手方の承諾があっても交付を省略できない

説明義務

35条書面：宅地建物取引士をして説明させなければならない

37条書面：説明義務はない

問題

宅地建物取引業法第35条の規定に基づく重要事項の説明及び同法第37条の規定により交付すべき書面（以下この問において「37条書面」という。）に関する次の記述のうち、正しいものはどれか。

【令和3年10月 問37】

1　宅地建物取引業者は、媒介により区分所有建物の賃貸借契約を成立させた場合、専有部分の用途その他の利用の制限に関する規約においてペットの飼育が禁止されているときは、その旨を重要事項説明書に記載して説明し、37条書面にも記載しなければならない。

2　宅地建物取引業者は、自ら売主となる土地付建物の売買契約において、宅地建物取引業者ではない買主から保全措置を講ずる必要のない金額の手付金を受領する場合、手付金の保全措置を講じないことを、重要事項説明書に記載して説明し、37条書面にも記載しなければならない。

3　宅地建物取引業者は、媒介により建物の敷地に供せられる土地の売買契約を成立させた場合において、当該売買代金以外の金銭の授受に関する定めがあるときは、その額並びに当該金銭の授受の時期及び目的を37条書面に記載しなければならない。

4　宅地建物取引業者は、自ら売主となる土地付建物の売買契約及び自ら貸主となる土地付建物の賃貸借契約のいずれにおいても、37条書面を作成し、その取引の相手方に交付しなければならない。

宅地建物取引業者が媒介により区分所有建物の貸借の契約を成立させた場合に関する次の記述のうち、宅地建物取引業法（以下この問において「法」という。）の規定によれば、正しいものはどれか。なお、この問において「重要事項説明書」とは法第35条の規定により交付すべき書面をいい、「37条書面」とは法第37条の規定により交付すべき書面をいうものとする。

【平成28年 問39】

1　専有部分の用途その他の利用の制限に関する規約において、ペットの飼育が禁止されている場合は、重要事項説明書にその旨記載し内容を説明したときも、37条書面に記載しなければならない。

2　契約の解除について定めがある場合は、重要事項説明書にその旨記載し内容を説明したときも、37条書面に記載しなければならない。

3　借賃の支払方法が定められていても、貸主及び借主の承諾を得たときは、37条書面に記載しなくてよい。

4　天災その他不可抗力による損害の負担に関して定めなかった場合には、その旨を37条書面に記載しなければならない。

解説▶解答

問90 この年の試験で「自ら貸主」ヒッカケはどこで出てくるか楽しみでした。そうきたか選択肢4。読み飛ばし狙いかな。ナイス出題者。

1 × 「専有部分の用途その他利用の制限に関する規約」としての「ペットの飼育禁止」については、貸借の媒介の場合だとしても35条書面（重要事項説明書）には記載&説明が必要なんだけど、37条書面には記載不要。記載があってもいいと思うけどね。

2 × 「手付金等の保全措置」についてもね、35条書面（重要事項説明書）には記載&説明が必要なんだけど、37条書面には記載不要。

3 ○ そのとおり。「当該売買代金以外の金銭の授受に関する定め」があるんだったら、「その額並びに当該金銭の授受の時期及び目的」を37条書面に記載しなければならぬ。

4 × 出た「自ら貸主」。自ら売主となる場合は、そりゃやっぱり「37条書面」は作成&交付だけど、自ら貸主のときはね。宅建業にはならないから37条書面もへったくれもカンケーなし。

問91 重要事項説明書と37条書面の複合問題。でも、できたでしょ。

1 × おっと、重要事項説明書には「専有部分の利用の制限に関する規約の定め」を記載して説明しなければならないけど、37条書面では記載事項とはされていないよ。

2 ○ 契約の解除に関する事項は、重要事項説明書の記載事項であり説明しなければならず、また、契約の解除に関する定めがあるときは、37条書面にも記載しなければならない。

3 × 借賃の額並びにその支払の時期及び方法は、37条書面に必ず記載せねばならぬ。貸主及び借主の承諾を得たとしても省略はダメです。

4 × 天災その他不可抗力による損害の負担に関しては、その定めがあるときは、37条書面に記載しなければならないけど、定めがない場合だったら記載する必要はないです。

正解	
問90 3	問91 2

問題

問92 宅地建物取引業法に関する次の記述のうち、誤っているものはどれか。なお、この問において、「35条書面」とは、同法第35条の規定に基づく重要事項を記載した書面を、「37条書面」とは、同法第37条の規定に基づく契約の内容を記載した書面をいうものとする。（法改正により選択肢4を修正している） 【平成23年 問34】

1　宅地建物取引業者は、抵当権に基づく差押えの登記がされている建物の貸借の媒介をするにあたり、貸主から当該登記について告げられなかった場合であっても、35条書面及び37条書面に当該登記について記載しなければならない。

2　宅地建物取引業者は、37条書面の作成を宅地建物取引士でない従業者に行わせることができる。

3　宅地建物取引業者は、その媒介により建物の貸借の契約が成立した場合、天災その他不可抗力による損害の負担に関する定めがあるときには、その内容を37条書面に記載しなければならない。

4　37条書面に記名する宅地建物取引士は、35条書面に記名した宅地建物取引士と必ずしも同じ者である必要はない。

問93 宅地建物取引業者Ａが売主Ｂと買主Ｃの間の建物の売買について媒介を行う場合に交付する「35条書面」又は「37条書面」に関する次の記述のうち、宅地建物取引業法の規定によれば、正しいものはどれか。なお、35条書面とは、同法第35条の規定に基づく重要事項を記載した書面を、37条書面とは、同法第37条の規定に基づく契約の内容を記載した書面をいうものとする。（法改正により選択肢1を修正している） 【平成19年 問40】

1　Ａは、35条書面及び37条書面のいずれの交付に際しても、宅地建物取引士をして、当該書面への記名及びその内容の説明をさせなければならない。

2　Ｂが宅地建物取引業者でその承諾がある場合、Ａは、Ｂに対し、35条書面及び37条書面のいずれの交付も省略することができる。

3　Ｃが宅地建物取引業者でその承諾がある場合、Ａは、Ｃに対し、35条書面の交付を省略することができるが、37条書面の交付を省略することはできない。

4　Ａが、宅地建物取引業者Ｄと共同で媒介を行う場合、35条書面にＡが調査して記入した内容に誤りがあったときは、Ａだけでなく、Ｄも業務停止処分を受けることがある。

解説▶解答

問92 35条書面・37条書面の複合問題。選択肢２、３、４はやや細かいが、選択肢１が明らかに誤り。

1 × 登記の内容(抵当権に基づく差押えの登記)は、35条書面には記載が必要ですが、37条書面には記載する必要はありません。

2 ○ そのとおり。宅建業者は、37条書面の作成を、宅地建物取引士でない従業者に行わせることができます。なお、宅地建物取引士は、出来上がった契約書面の内容をチェックして問題がなければ「記名」し、責任を負うという役割を担います。

3 ○ そのとおり。建物の貸借の場合は、「天災その他不可抗力による損害の負担」に関して定めがあった場合、37条書面に記載は必要だったっけ？　と悩む受験生多数。そうなんです、37条書面に記載しなければいけません。天災で引渡を受けられない又は住めなくなるというリスクは、貸借の場合もあるわけだし。

4 ○ そのとおり。本来、35条書面と37条書面は、同じ宅地建物取引士が記名したほうが望ましいと思われますが、法律上、必ずしも同一人物である必要はありません。

問93 選択肢４は共同媒介。両業者とも責任を負うよ。

1 × これまた基本中の基本。37条書面(契約書面)については、その内容を宅地建物取引士に説明させなくてもよい。記名はどちらの書面にも必要ですが。

2 × 媒介業者Aは、35条書面(重要事項説明書)は売主Bに交付しなくてもいいけど、37条書面は売主にも交付しなければならず、相手が宅建業者だとしても承諾があったとしても省略することなぞできません。

3 × 35条書面も37条書面も、買主が宅建業者だとしても承諾があったとしても交付を省略することはできません。

4 ○ 共同媒介の場合、両業者とも買主に対して重要事項の説明義務を負うため、もちろん誤りがあればともに責任を負う。なので場合によっては、Dも業務停止処分を受けることもあり得る。

正解	
問92　1	問93　4

営業保証金

2025年版
合格しようぜ！
宅建士 基本テキスト

➡ Part1 宅建業法
➡ 宅建業法-6
➡ Section1　営業保証金制度
➡ P176〜P183

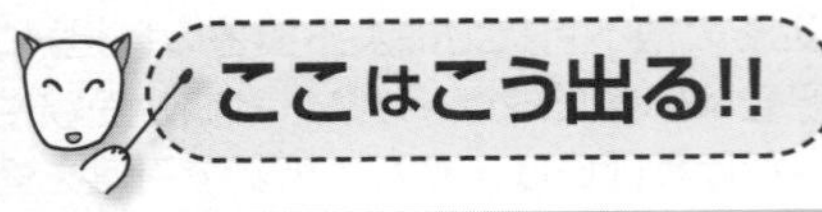

「営業保証金」からは毎年1問の出題。基本さえ押さえておけば得点できる。合格を狙うクラスは、例年100%に近い正解率になると思われる。営業保証金制度の趣旨は、宅建業者に一定額の現金や国債証券などの有価証券を営業保証金として国家機関である供託所に提出させておいて、いざ顧客と金銭的なトラブルが起きた場合に備えようというもの。営業保証金の額は、主たる事務所1,000万円・従たる事務所ごとに500万円。それをまとめて主たる事務所の最寄りの供託所に供託する。

だからこう解く!! 厳選要点★ここを押さえろ

段取り

- 免許→供託→届出→開業

営業保証金の供託

- 営業保証金を**主たる事務所の最寄りの供託所**に供託
- 免許権者に供託した旨を届け出た後でなければ開業できない
- 営業保証金の額は、主たる事務所**1,000万円、**従たる事務所(支店)ごとに**500万円**の合計額

＊事業開始後に新たに設置した事務所の営業保証金も、主たる事務所の最寄りの供託所に**供託**。届出してから新設事務所で事業開始

有価証券での供託(評価額)

- 国債証券:額面金額(100%で評価)
- **地方債証券**・政府保証債：額面金額の**90%**
- 国土交通省令で定める有価証券：額面金額の80%

営業保証金の還付

- 対象：宅建業者と**宅建業**に関し取引をした者(宅建業者を除く)

＊宅建業者が供託した営業保証金の額が還付の上限となる

営業保証金の不足額の供託

- 免許権者からの**通知**を受け取った日から**2週間**以内に不足額を供託
- 不足額を供託した日から2週間以内に免許権者に届け出なければならない

営業保証金の保管替え等

- 主たる事務所の移転に伴い、営業保証金の保管替え等
- 金銭のみで供託：**保管替え**の請求
- 有価証券がらみ：移転後の最寄りの供託所に**新たに**供託(いったん二重供託して取り戻す)

営業保証金の取戻し公告

- 6ヶ月を下回らない一定期間内に申し出る旨を**公告→**

免許の有効期間が満了

一部事務所を廃止

取戻しにあたり公告不要の場合

- 主たる事務所移転に伴い、新たに供託したとき(二重供託の解消)
- 宅地建物取引業保証協会の社員となったとき(加入したとき)
- 営業保証金の取戻し事由が生じてから10年を経過したとき

問題

問94 宅地建物取引業法に規定する営業保証金に関する次の記述のうち、誤っているものはどれか。

【平成29年 問32】

1　宅地建物取引業者は、主たる事務所を移転したことにより、その最寄りの供託所が変更となった場合において、金銭のみをもって営業保証金を供託しているときは、従前の供託所から営業保証金を取り戻した後、移転後の最寄りの供託所に供託しなければならない。

2　宅地建物取引業者は、事業の開始後新たに事務所を設置するため営業保証金を供託したときは、供託物受入れの記載のある供託書の写しを添附して、その旨を免許を受けた国土交通大臣又は都道府県知事に届け出なければならない。

3　宅地建物取引業者は、一部の事務所を廃止し営業保証金を取り戻そうとする場合には、供託した営業保証金につき還付を請求する権利を有する者に対し、6月以上の期間を定めて申し出るべき旨の公告をしなければならない。

4　宅地建物取引業者は、営業保証金の還付があったために営業保証金に不足が生じたときは、国土交通大臣又は都道府県知事から不足額を供託すべき旨の通知書の送付を受けた日から2週間以内に、不足額を供託しなければならない。

問95 宅地建物取引業者A（甲県知事免許）は、甲県に本店と支店を設け、営業保証金として1,000万円の金銭と額面金額500万円の国債証券を供託し、営業している。この場合に関する次の記述のうち宅地建物取引業法の規定によれば、正しいものはどれか。（法改正により選択肢3を修正している）

【平成28年 問40】

1　Aは、本店を移転したため、その最寄りの供託所が変更した場合は、遅滞なく、移転後の本店の最寄りの供託所に新たに営業保証金を供託しなければならない。

2　Aは、営業保証金が還付され、営業保証金の不足額を供託したときは、供託書の写しを添附して、30日以内にその旨を甲県知事に届け出なければならない。

3　本店でAと宅地建物取引業に関する取引をした者（宅地建物取引業者に該当する者を除く。）は、その取引により生じた債権に関し、1,000万円を限度としてAからその債権の弁済を受ける権利を有する。

4　Aは、本店を移転したため、その最寄りの供託所が変更した場合において、従前の営業保証金を取りもどすときは、営業保証金の還付を請求する権利を有する者に対し、一定期間内に申し出るべき旨の公告をしなければならない。

解説▶解答

問94 選択肢１がうれしい「×」。これはできるだろっ!! あとの選択肢もまいどおなじみだよね。

1 × 金銭のみをもって営業保証金を供託しているときは、「保管替えの請求」をしなければならない。「取り戻した後に供託」はできませーん。

2 ○ 事業の開始後新たに事務所を設置するため営業保証金を供託したときは、営業保証金を供託した旨の届出をしなければならぬ。

3 ○ 営業保証金の場合、一部の事務所廃止による超過額の取戻しも、公告が必要でーす。

4 ○ 不足額を供託すべき旨の通知書の送付を受けた日から２週間以内に、不足額を供託しなければならぬ。

問95 選択肢２は「２週間以内」だよねー。営業保証金や保証協会だと「２週間以内」が多いです。

1 ○ そうだよね。金銭のみではなく「金銭と国債証券」で営業保証金を供託しているから、移転後の主たる事務所の最寄りの供託所に新たに営業保証金を供託する必要があります。金銭のみだったら「保管替えの請求」ができますが。

2 × 「30日以内」じゃなくて「２週間以内」でーす。営業保証金の不足額を供託した場合、２週間以内に、その旨を甲県知事(免許権者)に届け出なければならない。

3 × 本店での取引でも支店での取引でも、供託した営業保証金の額が還付の限度額となる。なので1,500万円が限度だね。

4 × 営業保証金を取り戻す場合には、原則として公告が必要なんだけど、主たる事務所の移転に伴う場合や保証協会の社員となった場合は、公告なしで取り戻すことができる。

正解	
問94 1	問95 1

問題

問96

宅地建物取引業法に規定する営業保証金に関する次の記述のうち、正しいものはどれか。 【平成26年 問29】

1　新たに宅地建物取引業を営もうとする者は、営業保証金を金銭又は国土交通省令で定める有価証券により、主たる事務所の最寄りの供託所に供託した後に、国土交通大臣又は都道府県知事の免許を受けなければならない。

2　宅地建物取引業者は、既に供託した額面金額1,000万円の国債証券と変換するため1,000万円の金銭を新たに供託した場合、遅滞なく、その旨を免許を受けた国土交通大臣又は都道府県知事に届け出なければならない。

3　宅地建物取引業者は、事業の開始後新たに従たる事務所を設置したときは、その従たる事務所の最寄りの供託所に政令で定める額を供託し、その旨を免許を受けた国土交通大臣又は都道府県知事に届け出なければならない。

4　宅地建物取引業者が、営業保証金を金銭及び有価証券をもって供託している場合で、主たる事務所を移転したためその最寄りの供託所が変更したときは、金銭の部分に限り、移転後の主たる事務所の最寄りの供託所への営業保証金の保管替えを請求することができる。

問97

宅地建物取引業者の営業保証金に関する次の記述のうち、宅地建物取引業法（以下この問において「法」という。）の規定によれば、正しいものはどれか。 【平成25年 問27】

1　宅地建物取引業者は、不正の手段により法第３条第１項の免許を受けたことを理由に免許を取り消された場合であっても、営業保証金を取り戻すことができる。

2　信託業法第３条の免許を受けた信託会社で宅地建物取引業を営むものは、国土交通大臣の免許を受けた宅地建物取引業者とみなされるため、営業保証金を供託した旨の届出を国土交通大臣に行わない場合は、国土交通大臣から免許を取り消されることがある。

3　宅地建物取引業者は、本店を移転したためその最寄りの供託所が変更した場合、国債証券をもって営業保証金を供託しているときは、遅滞なく、従前の本店の最寄りの供託所に対し、営業保証金の保管換えを請求しなければならない。

4　宅地建物取引業者は、その免許を受けた国土交通大臣又は都道府県知事から、営業保証金の額が政令で定める額に不足することとなった旨の通知を受けたときは、供託額に不足を生じた日から２週間以内に、その不足額を供託しなければならない。

解説▶解答

問96 選択肢２の「営業保証金の変換」がちょっとマニアックだったね。

1 × 免許が先。免許を受けてから営業保証金の供託という流れだよね。「主たる事務所の最寄りの供託所に供託した後に、国土交通大臣又は都道府県知事の免許」じゃないよね。

2 ○ そのとおり。営業保証金の変換（国債証券から金銭）を行った場合、遅滞なく、その旨を免許を受けた国土交通大臣又は都道府県知事に届け出なければならない。

3 × 事業開始後、新たに従たる事務所を設置。この場合の営業保証金は、「その従たる事務所の最寄りの供託所」じゃなくて、あくまでも「主たる事務所の最寄りの供託所」に供託する。

4 × 金銭のみで営業保証金を供託しているんだったら「営業保証金の保管替え」を請求できるけど、有価証券がらみ（金銭と有価証券で供託）のときは「営業保証金の保管替え」の請求はできず、いったん二重供託した上で取り戻しの手続をしなければならない。「金銭の部分に限り、移転後の主たる事務所の最寄りの供託所への営業保証金の保管替えを請求」なんてことはできない。

問97 選択肢２がばかばかしいというか、そもそも信託会社って免許受けていないじゃんというオチ。

1 ○ そうそう。免許の取消処分を受けた場合でも、営業保証金を取り戻すことができまーす。なんとなくペナルティーで没収されちゃうのかな、というふうに思わせたいんだろうけど。

2 × なんだかなー、この選択肢。信託会社が宅地建物取引業を営もうとする場合は、国土交通大臣にその旨を届け出ればよく、免許を取得する必要はない。つまり、そもそも免許を受けていないんだから、免許の取消しとかにはならないでしょ。

3 × えーと、金銭のみで営業保証金を供託しているんだったら「保管替えの請求」で処理できるけど、国債証券などの有価証券がらみで供託している場合には「保管替えの請求」によることはできない。いったん二重供託した上で取り戻しにてお願いします。

4 × おっと「供託額に不足を生じた日から２週間」じゃないよね。宅建業者は、その免許を受けた国土交通大臣又は都道府県知事から「不足額を供託すべき旨の通知書の送付を受けた日」から２週間以内にその不足額を供託しなければならない。

正解	
問96　2	問97　1

問題

宅地建物取引業者Ａ社の営業保証金に関する次の記述のうち、宅地建物取引業法の規定によれば、正しいものはどれか。（法改正により選択肢4を修正している）
【平成24年 問33】

1　Ａ社が地方債証券を営業保証金に充てる場合、その価額は額面金額の100分の90である。

2　Ａ社は、営業保証金を本店及び支店ごとにそれぞれ最寄りの供託所に供託しなければならない。

3　Ａ社が本店のほかに５つの支店を設置して宅地建物取引業を営もうとする場合、供託すべき営業保証金の合計額は210万円である。

4　Ａ社は、自ら所有する宅地を売却するに当たっては、当該売却に係る売買契約が成立するまでの間に、その買主（宅地建物取引業者に該当する者を除く。）に対して、供託している営業保証金の額を説明しなければならない。

宅地建物取引業者Ａ社（甲県知事免許）の営業保証金に関する次の記述のうち、宅地建物取引業法の規定によれば、正しいものはどれか。
【平成23年 問30】

1　Ａ社は、甲県の区域内に新たに支店を設置し宅地建物取引業を営もうとする場合、甲県知事にその旨の届出を行うことにより事業を開始することができるが、当該支店を設置してから3月以内に、営業保証金を供託した旨を甲県知事に届け出なければならない。

2　甲県知事は、Ａ社が宅地建物取引業の免許を受けた日から3月以内に営業保証金を供託した旨の届出をしないときは、その届出をすべき旨の催告をしなければならず、その催告が到達した日から１月以内にＡ社が届出をしないときは、Ａ社の免許を取り消すことができる。

3　Ａ社は、宅地建物取引業の廃業により営業保証金を取り戻すときは、営業保証金の還付を請求する権利を有する者（以下この問において「還付請求権者」という。）に対して公告しなければならないが、支店の廃止により営業保証金を取り戻すときは、還付請求権者に対して公告する必要はない。

4　Ａ社は、宅地建物取引業の廃業によりその免許が効力を失い、その後に自らを売主とする取引が結了した場合、廃業の日から10年経過していれば、還付請求権者に対して公告することなく営業保証金を取り戻すことができる。

解説▶解答

問98

選択肢１がドンピシャで「○」。選択肢３がおもしろい。弁済業務保証金分担金だったら210万円になるけどねー。へんなヒッカケ!(^^)! 選択肢４はちょっとマニアック。ウゲっ、どーだったっけ？

1 ○ ピンポーン。そうでーす。地方債証券は、額面金額の100分の90でーす。ちなみに国債証券だったら100分の100。

2 × だから「本店及び支店ごとにそれぞれ最寄りの供託所」じゃなくてさ、主たる事務所の最寄りの供託所に供託しなければならない。

3 × 営業保証金の合計額は、主たる事務所⇒1,000万円、５つの支店⇒500万円×５だから、3,500万円となる。保証協会（弁済業務保証金分担金）とのヒッカケ。

4 × おっと。細かいとこ聞いてきたなぁー。「供託している営業保証金の額」については説明事項とはされていない。

問99

選択肢４を除いて、定番のヒッカケ問題。選択肢４は無視して、答えを出そう！

1 × 事務所（支店）を増設した場合、「支店を設置してから３月以内に…」という規定はない。支店を増設した分の営業保証金を追加供託し、届出を行うことにより、その支店で事業を開始することができます。

2 ○ そのとおり。免許権者は、免許をした日から３月以内に宅建業者が営業保証金を供託した旨の届出をしないときは、その届出をすべき旨の催告をしなければならず、その催告が到達した日から１月以内に宅建業者が届出をしないときは、その免許を取り消すことができる。

3 × 保証協会制度とごっちゃにならないように注意。営業保証金制度では、支店の廃止により営業保証金を取り戻す場合も、還付請求権者に対して公告が必要です。

4 × やや細かいところからの出題。営業保証金の取戻しなんだけど、「営業保証金を取り戻すことができる事由が発生した時から10年」経過していれば公告することなく取り戻すことができる。で、宅建業を廃業したとしても、取引を結了する目的の範囲内においては宅建業者とみなされるので、この選択肢の場合だと「10年」の起算点は「廃業の日から」ではなくて「取引が結了した時から」となる。

正解			
問98	1	問99	2

保証協会

2025年版
合格しようぜ！
宅建士 基本テキスト

➡ Part1 宅建業法
➡ 宅建業法-6
➡ Section2　宅地建物取引業保証協会
➡ P184〜P191

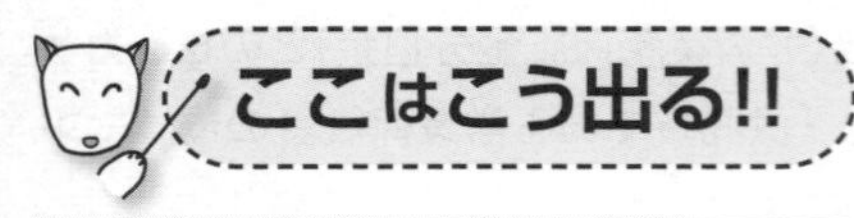

「営業保証金」と「保証協会」は、それぞれ1問の出題となる。営業保証金と比べると「少し解きにくい」という感想をもつかもしれないが、まずは、弁済業務保証金分担金を納付するにせよ、還付充当金を納付するにせよ、とにかく宅建業者がなにかする際には必ず保証協会が間に入るという点を理解しておくこと。営業保証金という名称に代わり「弁済業務保証金」が登場する。宅建業に関する取引でトラブルが生じた際の顧客への弁済業務は、保証協会が供託した弁済業務保証金から行う。

だからこう解く!! 厳選要点★ここを押さえろ

保証協会

- 一つの保証協会の社員は、他の保証協会の社員となることはできない

弁済業務保証金分担金の納付

- 保証協会に加入しようとする宅建業者は、**加入しようとする日**までに、弁済業務保証金分担金を**保証協会**に納付
- 弁済業務保証金分担金の額は、主たる事務所（本店）**60万円**・従たる事務所（支店）ごとに**30万円**の合計額

弁済業務保証金の供託

- **保証協会**は、弁済業務保証金分担金の納付を受けたときは、その日から**1週間以内**に、納付を受けた額に相当する額を**弁済業務保証金**として供託（金銭でも有価証券でもOK）
- 法務大臣及び国土交通大臣が指定する供託所に（まとめて）供託する

弁済業務保証金の還付・供託

- 保証協会の社員と宅建業に関し取引をした者（宅建業者が**社員となる**前に取引をした者も含み、宅建業者を除く）が還付の対象
- 還付額は、供託すべき**営業保証金**の額に換算した額が上限
- 弁済を受ける額について**保証協会**から**認証**を受けなければならない

還付充当金の納付

- **保証協会**は、還付に係る社員に対し、還付相当額の還付充当金を保証協会に納付すべきことを**通知**しなければならない
- 通知を受けた社員は、2週間以内に、通知された額の還付充当金を保証協会に納付
- 納付しないときは、社員の地位を失う（社員の地位を失った日から**1週間以内**に営業保証金を供託しなければならない）

弁済業務保証金の取戻し

- 社員が社員の地位を失った場合
  - ・保証協会が、弁済業務保証金を取り戻す
  - ・6ヶ月を下回らない一定期間内に認証を受けるため申し出る旨を**公告**。取戻し後に返還
- 一部事務所の廃止の場合**公告不要**

問題

問100　宅地建物取引業保証協会（以下この問において「保証協会」という。）の社員である宅地建物取引業者に関する次の記述のうち、宅地建物取引業法の規定によれば、正しいものはどれか。（法改正により選択肢4を修正している）

【平成28年 問31】

1　保証協会に加入することは宅地建物取引業者の任意であり、一の保証協会の社員となった後に、宅地建物取引業に関し取引をした者の保護を目的として、重ねて他の保証協会の社員となることができる。

2　保証協会に加入している宅地建物取引業者（甲県知事免許）は、甲県の区域内に新たに支店を設置した場合、その設置した日から１月以内に当該保証協会に追加の弁済業務保証金分担金を納付しないときは、社員の地位を失う。

3　保証協会から還付充当金の納付の通知を受けた社員は、その通知を受けた日から２週間以内に、その通知された額の還付充当金を主たる事務所の最寄りの供託所に供託しなければならない。

4　150万円の弁済業務保証金分担金を保証協会に納付して当該保証協会の社員となった者と宅地建物取引業に関し取引をした者（宅地建物取引業者に該当する者を除く。）は、その取引により生じた債権に関し、2,500万円を限度として、当該保証協会が供託した弁済業務保証金から弁済を受ける権利を有する。

解説▶解答

問100 保証協会に加入している宅建業者が、直接、供託所に出向くことはないよね。

1 × 保証協会に加入するかどうかは、宅建業者の任意だけど、加入できる協会は一つ。重ねて他の保証協会の社員となることはできませーん。

2 × 「1月以内」では遅すぎでーす。新たに事務所を設置したときは、その日から2週間以内に、弁済業務保証金分担金を保証協会に納付しなければなりません。なお、2週間以内に納付しないときは、社員の地位を失う。

3 × 還付充当金は保証協会に納付だよね。社員である宅建業者が、直接、供託所に供託するなんてことはしない。なお、「通知を受けた日から2週間以内」は正しい。

4 ○ 弁済業務保証金分担金が150万円ということは、本店(60万円)＋支店3か所(30万円×3＝90万円)。営業保証金に換算すると2,500万円(1,000万＋500万×3)。というわけで2,500万円が弁済の限度額ということになる。

正解	
問100	4

問題

営業保証金を供託している宅地建物取引業者Aと宅地建物取引業保証協会（以下この問において「保証協会」という。）の社員である宅地建物取引業者Bに関する次の記述のうち、宅地建物取引業法の規定によれば、正しいものはどれか。 【平成27年 問42】

1　新たに事務所を設置する場合、Aは、主たる事務所の最寄りの供託所に供託すべき営業保証金に、Bは、保証協会に納付すべき弁済業務保証金分担金に、それぞれ金銭又は有価証券をもって充てることができる。

2　一部の事務所を廃止した場合において、営業保証金又は弁済業務保証金を取り戻すときは、A、Bはそれぞれ還付を請求する権利を有する者に対して6か月以内に申し出るべき旨を官報に公告しなければならない。

3　AとBが、それぞれ主たる事務所の他に3か所の従たる事務所を有している場合、Aは営業保証金として2,500万円の供託を、Bは弁済業務保証金分担金として150万円の納付をしなければならない。

4　宅地建物取引業に関する取引により生じた債権を有する者は、Aに関する債権にあってはAが供託した営業保証金についてその額を上限として弁済を受ける権利を有し、Bに関する債権にあってはBが納付した弁済業務保証金分担金についてその額を上限として弁済を受ける権利を有する。

宅地建物取引業保証協会（以下この問において「保証協会」という。）に関する次の記述のうち、正しいものはどれか。 【平成26年 問39】

1　還付充当金の未納により保証協会の社員の地位を失った宅地建物取引業者は、その地位を失った日から2週間以内に弁済業務保証金を供託すれば、その地位を回復する。

2　保証協会は、その社員である宅地建物取引業者から弁済業務保証金分担金の納付を受けたときは、その納付を受けた日から2週間以内に、その納付を受けた額に相当する額の弁済業務保証金を供託しなければならない。

3　保証協会は、弁済業務保証金の還付があったときは、当該還付に係る社員又は社員であった者に対して、当該還付額に相当する額の還付充当金を保証協会に納付すべきことを通知しなければならない。

4　宅地建物取引業者が保証協会の社員となる前に、当該宅地建物取引業者に建物の貸借の媒介を依頼した者は、その取引により生じた債権に関し、当該保証協会が供託した弁済業務保証金について弁済を受ける権利を有しない。

解説▶解答

問101

営業保証金と保証協会の複合問題。めずらしいです。選択肢２がちょっと悩んじゃうかな。あとはまいどおなじみの出題内容。

1 × 営業保証金は有価証券を充てることができるけど、弁済業務保証金分担金は金銭のみで納付です。有価証券はダメでーす。

2 × 一部の事務所を廃止した場合の超過額の取戻しは、営業保証金だと「公告」となるけど、弁済業務保証金のほうは、保証協会は公告することなく取り戻せる。

3 ○ 主たる事務所の他に３か所の従たる事務所だから、営業保証金は主たる事務所分1,000万円＋従たる事務所分500万円×３＝2,500万円。弁済業務保証金分担金は主たる事務所分60万円＋従たる事務所分30万円×３＝150万円。以上、算数のお時間でしたー。

4 × 営業保証金だと供託した額が上限となるけど、Bに関する債権にあっては、営業保証金に換算した額が上限となる。「弁済業務保証金分担金についてその額を上限」だと、かなり少なくねーか（笑）。

問102

選択肢１みたいな規定はなし。選択肢２は「２週間」じゃなくて「１週間」。選択肢４の「×」は楽勝。

1 × 還付充当金がどうしたこうしたとそれらしいことが書いてありますけど、「地位を回復する」なんていう規定なし。保証協会の社員の地位を失った宅地建物取引業者は、１週間以内に営業保証金を供託しなければならない。

2 × うわ。２週間じゃなくて１週間。

3 ○ そのとおり。還付額に相当する額の還付充当金を保証協会に納付すべきことを通知しなければならない。

4 × 保証協会の社員となる前の取引であっても、弁済業務保証金からの還付対象となる。

正解	
問101 3	問102 3

問題

宅地建物取引業保証協会（以下この問において「保証協会」という。）に関する次の記述のうち、宅地建物取引業法の規定によれば、正しいものはどれか。　【平成25年 問39】

1　保証協会は、社員の取り扱った宅地建物取引業に係る取引に関する苦情について、宅地建物取引業者の相手方等からの解決の申出及びその解決の結果を社員に周知させなければならない。

2　保証協会に加入した宅地建物取引業者は、直ちに、その旨を免許を受けた国土交通大臣又は都道府県知事に報告しなければならない。

3　保証協会は、弁済業務保証金の還付があったときは、当該還付に係る社員又は社員であった者に対し、当該還付額に相当する額の還付充当金をその主たる事務所の最寄りの供託所に供託すべきことを通知しなければならない。

4　宅地建物取引業者で保証協会に加入しようとする者は、その加入の日から２週間以内に、弁済業務保証金分担金を保証協会に納付しなければならない。

宅地建物取引業保証協会（以下この問において「保証協会」という。）に関する次の記述のうち、宅地建物取引業法の規定によれば、誤っているものはどれか。　【平成24年 問43】

1　保証協会は、弁済業務保証金分担金の納付を受けたときは、その納付を受けた額に相当する額の弁済業務保証金を供託しなければならない。

2　保証協会は、弁済業務保証金の還付があったときは、当該還付額に相当する額の弁済業務保証金を供託しなければならない。

3　保証協会の社員との宅地建物取引業に関する取引により生じた債権を有する者は、当該社員が納付した弁済業務保証金分担金の額に相当する額の範囲内で、弁済を受ける権利を有する。

4　保証協会の社員との宅地建物取引業に関する取引により生じた債権を有する者は、弁済を受ける権利を実行しようとする場合、弁済を受けることができる額について保証協会の認証を受けなければならない。

解説▶解答

問103

保証協会の社員である宅建業者が、知事や大臣に報告したり、還付充当金を供託したりはしないよね。そうです、そういったことは保証協会がやりまぁーす。

1 ○ 保証協会は、苦情の解決業務を行っており、苦情についての解決の申出及びその解決の結果を社員に周知させなければならない。ご苦労様です。

2 × おっと、宅建業者が報告するわけじゃないんだな。新たに社員が加入し、又は社員がその地位を失ったときは、保証協会は、直ちに、その社員が免許を受けた国土交通大臣又は都道府県知事に報告しなければならない。

3 × 社員である宅建業者が、直接、供託所に供託しに行くことはない。弁済業務保証金が還付された場合は、保証協会は社員に対し、還付充当金を保証協会に納付するように通知する。で、保証協会が供託しに行く。

4 × 「加入の日から2週間以内」じゃないよー。保証協会に加入しようとする宅建業者は、加入しようとする日までに、弁済業務保証金分担金を現金で納付しなければならない。

問104

いずれも基本的な内容だから、復習するのに最適。選択肢3がなにげにおもしろい。弁済を受けられる額、チョー少なくねー?

1 ○ はいそのとおり。保証協会は、納付を受けた弁済業務保証金分担金を弁済業務保証金として供託しなければなりません。

2 ○ そうそう。弁済業務保証金の還付があったときは、保証協会が、当該還付額に相当する額の弁済業務保証金を供託しなければならない。

3 × そんなワケねーでしょ。「当該社員が納付した弁済業務保証金分担金の額に相当する額の範囲内」ではなく、営業保証金に換算した額の範囲内となる。

4 ○ そのとおり。弁済を受けることができる額について保証協会の認証を受けなければなりません。

正解	
問103 1	問104 3

問題

問105 **宅地建物取引業保証協会(以下この問において「保証協会」という。)に関する次の記述のうち、宅地建物取引業法(以下この問において「法」という。)の規定によれば、正しいものはどれか。**

【平成23年 問43】

1　宅地建物取引業者が保証協会に加入しようとするときは、当該保証協会に弁済業務保証金分担金を金銭又は有価証券で納付することができるが、保証協会が弁済業務保証金を供託所に供託するときは、金銭でしなければならない。

2　保証協会は、宅地建物取引業の業務に従事し、又は、従事しようとする者に対する研修を行わなければならないが、宅地建物取引士については、法第22条の2の規定に基づき都道府県知事が指定する講習をもって代えることができる。

3　保証協会に加入している宅地建物取引業者（甲県知事免許）は、甲県の区域内に新たに支店を設置する場合、その日までに当該保証協会に追加の弁済業務保証金分担金を納付しないときは、社員の地位を失う。

4　保証協会は、弁済業務保証金から生ずる利息又は配当金、及び、弁済業務保証金準備金を弁済業務保証金の供託に充てた後に社員から納付された還付充当金は、いずれも弁済業務保証金準備金に繰り入れなければならない。

解説▶解答

問105 保証協会制度。目新しい問題としては選択肢２と４。まぁ、どちらかに絞れといったら、やっぱり４かなぁ。

1 × 宅建業者が保証協会に加入しようとするときは、保証協会に分担金を「金銭」で納付しなければならない。そして、保証協会が保証金を供託するときは、「金銭又は有価証券」ですることができる。

2 × 前半部分は正しい記述ですけど、後半「宅地建物取引士については…都道府県知事が指定する講習をもって代えることができる。」なんていう規定はありません。いかにもあやしい選択肢。ちなみに、この「都道府県知事が指定する講習」とは、いわゆる法定講習のことで、宅地建物取引士証の交付にあたり事前に受ける講習のことだよん。

3 × 社員が支店を増設する場合は、「その日までに」ではなく、「新たに事務所を設置した日から２週間以内」に分担金の追加納付が必要。営業保証金制度の支店増設パターンとのひっかけか。ややこし〜。

4 ◯ そのとおり。不足額の供託をするのに使った準備金。原因を作った社員から納付を受けた還付充当金はきちんと準備金として戻さないとね。

正解	
問105	4

監督処分

2025年版
合格しようぜ！
宅建士 基本テキスト

➡ Part1 宅建業法
➡ 宅建業法-6
➡ Section4　監督処分と罰則
➡ P194～P207

ここはこう出る!!

宅建業者への監督処分には「指示処分・業務停止処分・免許取消処分」が、宅地建物取引士への監督処分には「指示処分・事務の禁止処分・登録の消除処分」がある。どのような場合にどの処分になるのか、だいたいのところを把握しておけばよい。なお、宅建業者の「免許取消処分」は免許権者だけ、宅地建物取引士の「登録の消除処分」は登録知事だけが行える。監督処分の「公告」の出題も目立つ。宅建業者の「指示処分」は公告されない。宅地建物取引士についてはいずれの処分も公告されない。

だからこう解く!! 厳選要点★ここを押さえろ

宅建業者への監督処分

- 指示処分・業務の停止処分・免許の取消処分
- 免許の取消処分は、**免許権者**のみが行える
- 監督処分をするには、**公開による聴聞**が必要(指示処分も!!)
- 「業務停止処分」「免許の取消処分」はその旨を**公告**
- 「指示処分」は公告されない

指示処分(主なもの)

- 取引の関係者に損害
- 宅地建物取引士が監督処分を受けた場合で、宅建業者にも責任があるなど

業務停止(主なもの)1年以内の期間も定めて

- 指示処分に従わない
- 専任の取引士の設置義務違反
- 従業者名簿の設置
- 誇大広告の禁止
- 手付けの貸付け
- 重要事項の説明等、契約書面の交付

免許の取消(主なもの)

- 免許不可となる基準に該当
- 免許を受けてから1年以内に事業を開始せず
- 不正の手段により免許を受けた
- 業務の停止処分事由のいずれかに該当し、情状が特に重い
- 業務の停止処分に違反

宅地建物取引士への監督処分

- 指示処分・事務の禁止処分・登録の消除処分
- 登録の消除処分は、登録知事のみが行える
- 監督処分をするには、公開による聴聞が必要
- どの処分であっても公告されない

宅地建物取引士証の提出・返納

- 提出:事務の禁止処分を受けたとき。速やかに、交付を受けた知事に提出
- 返納:登録の消除処分を受けたとき。速やかに、交付を受けた知事に返納

問題

問106 **宅地建物取引業者A（甲県知事免許）に対する監督処分に関する次の記述のうち、宅地建物取引業法（以下この問において「法」という。）の規定によれば、正しいものはどれか。** 【平成28年 問26】

1　Aは、自らが売主となった分譲マンションの売買において、法第35条に規定する重要事項の説明を行わなかった。この場合、Aは、甲県知事から業務停止を命じられることがある。

2　Aは、乙県内で宅地建物取引業に関する業務において、著しく不当な行為を行った。この場合、乙県知事は、Aに対し、業務停止を命ずることはできない。

3　Aは、甲県知事から指示処分を受けたが、その指示処分に従わなかった。この場合、甲県知事は、Aに対し、1年を超える期間を定めて、業務停止を命ずることができる。

4　Aは、自ら所有している物件について、直接賃借人Bと賃貸借契約を締結するに当たり、法第35条に規定する重要事項の説明を行わなかった。この場合、Aは、甲県知事から業務停止を命じられることがある。

問107 **宅地建物取引業法の規定に基づく監督処分等に関する次の記述のうち、誤っているものはどれか。（法改正により選択肢1を修正している）** 【平成27年 問43】

1　宅地建物取引業者A（甲県知事免許）は、自ら売主となる乙県内に所在する中古住宅の売買の業務に関し、当該売買の契約においてその目的物が契約内容に適合しない場合における不適合を担保すべき責任を負わない旨の特約を付した。この場合、Aは、乙県知事から指示処分を受けることがある。

2　甲県に本店、乙県に支店を設置する宅地建物取引業者B（国土交通大臣免許）は、自ら売主となる乙県内におけるマンションの売買の業務に関し、乙県の支店において当該売買の契約を締結するに際して、代金の30%の手付金を受領した。この場合、Bは、甲県知事から著しく不当な行為をしたとして、業務停止の処分を受けることがある。

3　宅地建物取引業者C（甲県知事免許）は、乙県内に所在する土地の売買の媒介業務に関し、契約の相手方の自宅において相手を威迫し、契約締結を強要していたことが判明した。この場合、甲県知事は、情状が特に重いと判断したときは、Cの宅地建物取引業の免許を取り消さなければならない。

4　宅地建物取引業者D（国土交通大臣免許）は、甲県内に所在する事務所について、業務に関する帳簿を備えていないことが判明した。この場合、Dは、甲県知事から必要な報告を求められ、かつ、指導を受けることがある。

解説▶解答

問106　選択肢３。うっかり読み飛ばしちゃいそう。業務停止の期間は１年以内です。選択肢４は「自ら貸主」だよー。

1 ○ そりゃ命じられることがあるでしょ。Aが宅建業法に違反して重要事項の説明を行わなかった場合、甲県知事は、業務停止を命じることができる。

2 × えー、できるでしょ。乙県内で著しく不当な行為を行った場合、乙県知事は、業務停止を命じることができる。

3 × 指示処分を受けたにもかかわらず、その指示に従わないと「業務停止処分」の対象となるけど、業務停止の期間は「１年以内」だよー。「１年を超える期間」を定めての業務停止はできないのだ。

4 × おっと、選択肢の場合、宅建業者AはBに自己物件を「自ら賃貸」しているだけだから宅建業とはならない。なのでBに重要事項の説明をする必要もないし、業務停止処分にもならない。

問107　宅建業者ＡＢＣＤはみんな宅建業法違反。とんでもない連中です（笑）。指示処分などは業務地の知事もできるけど、免許取消処分は免許権者だけ。

1 ○ 「不適合を担保すべき責任を負わない旨の特約」をすることは宅建業法に違反で指示処分の対象となる。業務地の乙県知事から指示処分を受ける場合あり。

2 × 「代金の30%の手付金を受領」は宅建業法違反だけど、えーと、甲県知事から業務停止の処分を受けることはないでしょ。免許権者の国土交通大臣か、業務地の乙県知事からでしょ。

3 ○ 「相手を威迫し情状が特に重い」というC。怖ぇーよぉ〜。で、そんなCの免許は取り消さなければならない。免許の取消処分は免許権者である甲県知事しか行えない。

4 ○ 都道府県知事（甲県知事）は当該都道府県（甲県）の区域内で宅建業を営む宅建業者（D）に対して、宅建業の適正な運営を確保するため必要があるときは、その業務について必要な報告を求め、指導、助言及び勧告をすることができる。「業務に関する帳簿を備えていない」ことはもちろん宅建業法違反だよー。

正解	
問106　1	問107　2

問題

宅地建物取引業法（以下この問において「法」という。）の規定に基づく監督処分に関する次の記述のうち、誤っているものはいくつあるか。

【平成26年 問44】

ア　宅地建物取引業者Ａ（甲県知事免許）が乙県内において法第32条違反となる広告を行った。この場合、乙県知事から業務停止の処分を受けることがある。

イ　宅地建物取引業者Ｂ（甲県知事免許）は、法第50条第２項の届出をし、乙県内にマンション分譲の案内所を設置して業務を行っていたが、当該案内所について法第31条の３第１項に違反している事実が判明した。この場合、乙県知事から指示処分を受けることがある。

ウ　宅地建物取引業者Ｃ（甲県知事免許）の事務所の所在地を確知できないため、甲県知事は確知できない旨を公告した。この場合、その公告の日から30日以内にＣから申出がなければ、甲県知事は法第67条第１項により免許を取り消すことができる。

エ　宅地建物取引業者Ｄ（国土交通大臣免許）は、甲県知事から業務停止の処分を受けた。この場合、Ｄが当該処分に違反したとしても、国土交通大臣から免許を取り消されることはない。

１　一つ　　２　二つ　　３　三つ　　４　なし

甲県知事の宅地建物取引士資格登録（以下この問において「登録」という。）を受けている宅地建物取引士Ａへの監督処分に関する次の記述のうち、宅地建物取引業法の規定によれば、正しいものはどれか。

【平成25年 問42】

１　Ａは、乙県内の業務に関し、他人に自己の名義の使用を許し、当該他人がその名義を使用して宅地建物取引士である旨の表示をした場合、乙県知事から必要な指示を受けることはあるが、宅地建物取引士として行う事務の禁止の処分を受けることはない。

２　Ａは、乙県内において業務を行う際に提示した宅地建物取引士証が、不正の手段により交付を受けたものであるとしても、乙県知事から登録を消除されることはない。

３　Ａは、乙県内の業務に関し、乙県知事から宅地建物取引士として行う事務の禁止の処分を受け、当該処分に違反したとしても、甲県知事から登録を消除されることはない。

４　Ａは、乙県内の業務に関し、甲県知事又は乙県知事から報告を求められることはあるが、乙県知事から必要な指示を受けることはない。

解説▶解答

記述「ア」の「法第32条違反となる広告」とは誇大広告のこと。記述「イ」の「当該案内所について法第31条の3第1項に違反」とは専任の宅地建物取引士の設置義務違反のこと。と、コムズカシク書いてありますけど、産みの親(免許権者)じゃなくても指示処分や業務停止処分はできるよね。

ア ○ そのとおり。甲県知事免許の宅建業者Aが乙県内において誇大広告をした(法第32条違反)場合、乙県知事から業務停止の処分を受けることがある。

イ ○ 「法第31条の3第1項に違反」とは専任の宅地建物取引士の設置義務違反のこと。甲県知事免許の宅建業者Aが乙県内に設置した案内所に専任の宅地建物取引士を設置していない場合、乙県知事より指示処分を受けることがある。

ウ ○ そのとおり。甲県知事免許の宅建業者の事務所の所在地を確知できないため、甲県知事が公告をし、その公告の日から30日以内に申出がない場合、甲県知事は免許を取り消すことができる。この場合は「取り消すことができる」というオチ。

エ × 免許をした国土交通大臣・都道府県知事じゃなくても、業務停止処分をすることができる。で、宅建業者が業務停止処分に違反した場合、免許をした国土交通大臣は免許を取り消さなければならない。

誤っているものはエの「一つ」。選択肢1が正解となる。

指示処分や事務の禁止処分は、「よその親(業務地の都道府県知事)」もできるけど、宅地建物取引士の登録を消除することができるのは、産みの親(登録をしている知事)だけですよね。

1 × いやいや、業務地の乙県知事から指示処分や事務禁止処分を受けることがある。

2 ○ そのとおり。登録の消除処分をすることができるのは、登録している甲県知事のみ。乙県知事が登録を消除することはできない。

3 × 乙県知事からの事務の禁止処分であろうと、事務の禁止処分に違反したのであれば、甲県知事は登録を消除しなければならない。

4 × えーとですね、都道府県知事は、その登録を受けている宅建士のほか、当該都道府県の区域内で事務を行う宅建士に対して、報告を求めることができる。ということで、Aは甲県知事又は乙県知事から報告を求められることがあり、また、乙県知事から必要な指示を受けることもある。

正解	
問108 1	問109 2

問題

宅地建物取引業法の規定に基づく監督処分に関する次の記述のうち、誤っているものはどれか。 【平成23年 問44】

1　国土交通大臣は、すべての宅地建物取引業者に対して、宅地建物取引業の適正な運営を確保するため必要な指導、助言及び勧告をすることができる。

2　国土交通大臣又は都道府県知事は、宅地建物取引業者に対し、業務の停止を命じ、又は必要な指示をしようとするときは聴聞を行わなければならない。

3　宅地建物取引業者は、宅地建物取引業法に違反した場合に限り、監督処分の対象となる。

4　宅地建物取引業者は、宅地建物取引業法第31条の3に規定する専任の宅地建物取引士の設置要件を欠くこととなった場合、2週間以内に当該要件を満たす措置を執らなければ監督処分の対象となる。

法人である宅地建物取引業者A（甲県知事免許）に関する監督処分及び罰則に関する次の記述のうち、宅地建物取引業法の規定によれば、誤っているものはどれか。 【平成19年 問36】

1　Aが、建物の売買において、当該建物の将来の利用の制限について著しく事実と異なる内容の広告をした場合、Aは、甲県知事から指示処分を受けることがあり、その指示に従わなかったときは、業務停止処分を受けることがある。

2　Aが、乙県内で行う建物の売買に関し、取引の関係者に損害を与えるおそれが大であるときは、Aは、甲県知事から指示処分を受けることはあるが、乙県知事から指示処分を受けることはない。

3　Aが、正当な理由なく、その業務上取り扱ったことについて知り得た秘密を他人に漏らした場合、Aは、甲県知事から業務停止処分を受けることがあるほか、罰則の適用を受けることもある。

4　Aの従業者Bが、建物の売買の契約の締結について勧誘をするに際し、当該建物の利用の制限に関する事項で買主の判断に重要な影響を及ぼすものを故意に告げなかった場合、Aに対して1億円以下の罰金刑が科せられることがある。

解説▶解答

問110 監督処分の問題。「国土交通大臣は、すべての宅地建物取引業者に対して…」と、ほほぉ～、なんかえらそうですわね。ま、そりゃそうなんでしょうが。選択肢３の「×」はわかったかな？

1 ○ そうそう、そのとおりなんです。国土交通大臣には、そのような権限があり、必要があれば行政指導することができます！

2 ○ そのとおり。大臣や知事が宅建業者に対して、業務停止や必要な指示をするなどの不利益な処分を行うにあたっては、聴聞を行って、いわゆる「言い訳の場」を与えてあげなければいけません。

3 × 宅建業者に対する監督処分は、業務の運営の適正を欠く行為や取引の公正を害する行為に対して課される。なので、宅建業法に違反した場合だけではなく、その他不適正・不公正があった場合にも監督処分の対象となります。

4 ○ そのとおり。専任の宅地建物取引士が足りなくなってしまった場合、２週間以内に補充できなければ、宅建業法違反。監督処分の対象となります。

問111 しかし、選択肢２の「×」は楽勝ですなあ～。選択肢４は両罰規定。

1 ○ あはは。こりゃ誰でもわかるわな。誇大広告等の禁止規定に違反した場合、甲県知事から指示処分を受けることがあり、で、その指示処分に従わないってことになると、業務停止処分もあり得る。

2 × おっ、うれしい選択肢だねえ～。指示処分や業務停止処分は、免許権者以外の都道府県知事でもすることができます。楽勝でしたねえ～。

3 ○ そうそう。守秘義務違反として、行政処分としては業務停止。罰則として「50万円以下の罰金」に処せられる場合がある。

4 ○ 出たあ～、１億円。事実の不告知などの違反行為があった場合は、行為者本人のほか、宅建業者（法人）に対しても１億円以下の罰金刑が科されることがある。両罰規定っていうヤツです、はい。

正解			
問110	3	問111	2

住宅瑕疵担保履行法

2025年版
合格しようぜ！
宅建士 基本テキスト

➡ Part1 宅建業法
➡ 宅建業法-6
➡ Section5　住宅瑕疵担保履行法
➡ P208～P214

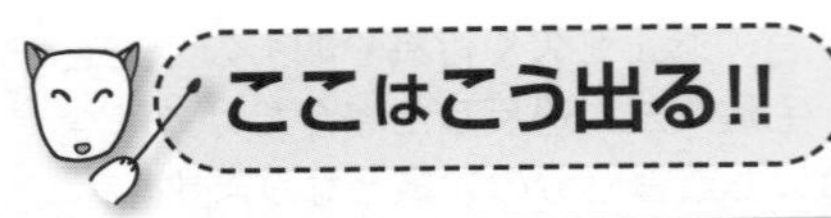

「住宅瑕疵担保履行法」は平成22年度からの出題。新築住宅の売主となる宅建業者に対して、その住宅に瑕疵があった場合の補修や、損害賠償の支払い・解除に伴う代金の返還などが確実に行えるよう、保険加入や住宅販売瑕疵担保保証金の供託（資力確保措置）を義務付けている。なお、資力確保措置が必要となってくるのは、売主が宅建業者で、買主が宅建業者以外（一般消費者など）となる新築住宅の売買だけ。出題ポイントは例年ほぼ同じ。その割には苦手意識をもつ受験生が多い。不思議だ。

だからこう解く!! 厳選要点☆ここを押さえろ

住宅瑕疵担保履行法

- **新築住宅**の**売主**となる**宅建業者**（だけ）に対し住宅に不具合があった場合などに確実に対応できるよう保険加入や保証金の供託を義務づけるもの
- 宅建業者が売主となって宅建業者以外の買主の間で新築住宅を売買する場合、売主業者は資力確保措置を講じなければならない

資力確保措置

①住宅販売瑕疵担保保証金の供託
- 額は過去10年間に引き渡した新築住宅の戸数に応じ算定
- 床面積が**55㎡以下**の住宅2戸で1戸と数える
- 売買契約を締結するまでに供託について**書面**を**交付**して説明

②住宅瑕疵担保責任保険契約の締結
- 期間は引渡しを受けた日から10年以上
- 保険料は宅建業者が支払う

届出など

- 宅建業者は、**毎年、基準日から3週間を経過する日まで**において算定された住宅瑕疵担保保証金の**供託**をしていなければならない
- 宅建業者は、**免許権者**に対し、基準日ごとに、基準日における「供託」及び「保険の締結」の状況についてを基準日から**3週間以内**に**届出**なければならない
- （届出を）していなければ**基準日の翌日**から起算して**50日を経過**した日以降においては、新たに自ら売主となる新築住宅の売買契約を締結してはならない

問題

問112 **宅地建物取引業者Ａが自ら売主として、宅地建物取引業者でない買主Ｂに新築住宅を販売する場合における次の記述のうち、特定住宅瑕疵担保責任の履行の確保等に関する法律の規定によれば、正しいものはどれか。**

【平成29年 問45】

1　Ａは、住宅販売瑕疵担保保証金の供託をする場合、Ｂに対し、当該住宅を引き渡すまでに、供託所の所在地等について記載した書面を交付して説明しなければならない。

2　自ら売主として新築住宅をＢに引き渡したＡが、住宅販売瑕疵担保保証金を供託する場合、その住宅の床面積が55㎡以下であるときは、新築住宅の合計戸数の算定に当たって、床面積55㎡以下の住宅２戸をもって１戸と数えることになる。

3　Ａは、基準日に係る住宅販売瑕疵担保保証金の供託及び住宅販売瑕疵担保責任保険契約の締結の状況についての届出をしなければ、当該基準日から１月を経過した日以後においては、新たに自ら売主となる新築住宅の売買契約を締結してはならない。

4　Ａは、住宅販売瑕疵担保責任保険契約の締結をした場合、当該住宅を引き渡した時から10年間、当該住宅の給水設備又はガス設備の瑕疵によって生じた損害について保険金の支払を受けることができる。

問113 **宅地建物取引業者Ａが、自ら売主として、宅地建物取引業者でないＢに新築住宅を販売する場合における次の記述のうち、特定住宅瑕疵担保責任の履行の確保等に関する法律の規定によれば、正しいものはどれか。**

【平成28年 問45】

1　Ａは、住宅販売瑕疵担保保証金を供託する場合、当該住宅の床面積が100㎡以下であるときは、新築住宅の合計戸数の算定に当たって、２戸をもって１戸と数えることになる。

2　Ａは、当該住宅をＢに引き渡した日から３週間以内に、住宅販売瑕疵担保保証金の供託又は住宅販売瑕疵担保責任保険契約の締結の状況について、宅地建物取引業の免許を受けた国土交通大臣又は都道府県知事に届け出なければならない。

3　Ａは、住宅販売瑕疵担保保証金の供託をする場合、Ｂに対し、当該住宅の売買契約を締結するまでに、供託所の所在地等について記載した書面を交付して説明しなければならない。

4　Ａは、住宅瑕疵担保責任保険法人と住宅販売瑕疵担保責任保険契約の締結をした場合、Ｂが住宅の引渡しを受けた時から10年以内に当該住宅を転売したときは、住宅瑕疵担保責任保険法人にその旨を申し出て、当該保険契約の解除をしなければならない。

解説▶解答

問112 この年の選択肢１と３。ほぼ毎年おなじ項目。出題者さま。愛してます。いつもほんとうにありがとうございます。あ、選択肢２もだ。

1 × 「供託所の所在地等について記載した書面を交付して説明」は、契約を締結するまでに。「住宅を引き渡すまでに」ではないです。まいどおなじみ。

2 ○ ゴーゴーニコイチ、チャッチャッチャチャチャ。新築住宅の合計戸数の算定に当たって、床面積55㎡以下の住宅２戸をもって１戸と数える。

3 × 「当該基準日から１月を経過した日以後」ではなくて、「基準日の翌日から起算して50日を経過した日以後」だよね。

4 × 「給水設備又はガス設備の瑕疵」は、「住宅の構造耐力上主要な部分等の隠れた瑕疵」とはならないんだよね。なので住宅販売瑕疵担保責任保険契約の対象にはならない。保険金の支払いは受けられない。

問113 ちょっと細かいところからの出題。むずかしかったかも。

1 × 「100㎡以下」じゃなくて「55㎡以下」です。販売新築住宅の合計戸数の算定につき、床面積が55㎡以下のものは、その２戸をもって１戸としています。じつはこんな規定もあったのでした。２戸でひとつ。いわゆる「にこいち」。「ゴーゴーニコイチ!!」という覚え方でどうでしょう。

2 × 「引き渡した日から３週間以内」からじゃなくて、「基準日から３週間以内」に、資力確保措置の状況について、その免許を受けた国土交通大臣又は都道府県知事に届け出なければならない。

3 ○ そのとおり。売買契約を締結するまでに、住宅販売瑕疵担保保証金の供託をしている供託所の所在地等について記載した書面を交付して説明しなければなりませーん。

4 × 住宅販売瑕疵担保責任保険契約は、買主が新築住宅の引渡しを受けた時から10年以上の期間にわたって有効なものでなければならない。転売されたとしても保険契約の解除はできない。

正解	
問112 ２	問113 ３

問題

問114

特定住宅瑕疵担保責任の履行の確保等に関する法律に基づく住宅販売瑕疵担保保証金の供託又は住宅販売瑕疵担保責任保険契約の締結に関する次の記述のうち、正しいものはどれか。 【平成27年 問45】

1　宅地建物取引業者は、自ら売主として宅地建物取引業者である買主との間で新築住宅の売買契約を締結し、その住宅を引き渡す場合、住宅販売瑕疵担保保証金の供託又は住宅販売瑕疵担保責任保険契約の締結を行う義務を負う。

2　自ら売主として新築住宅を販売する宅地建物取引業者は、住宅販売瑕疵担保保証金の供託をする場合、宅地建物取引業者でない買主へのその住宅の引渡しまでに、買主に対し、保証金を供託している供託所の所在地等について記載した書面を交付して説明しなければならない。

3　自ら売主として新築住宅を宅地建物取引業者でない買主に引き渡した宅地建物取引業者は、基準日に係る住宅販売瑕疵担保保証金の供託及び住宅販売瑕疵担保責任保険契約の締結の状況について届出をしなければ、当該基準日以後、新たに自ら売主となる新築住宅の売買契約を締結することができない。

4　住宅販売瑕疵担保責任保険契約を締結している宅地建物取引業者は、当該保険に係る新築住宅に、構造耐力上主要な部分及び雨水の浸入を防止する部分の隠れた瑕疵（構造耐力又は雨水の浸入に影響のないものを除く。）がある場合に、特定住宅販売瑕疵担保責任の履行によって生じた損害について保険金を請求することができる。

解説▶解答

問114 選択肢1～3はまいどおなじみの出題内容。選択肢4は一瞬「？」となるかもしれないけど、消去法（1～3は「×」）でいけたらうれしい。

1 × 買主が宅建業者だったら、資力確保措置を講じる必要なし。「住宅販売瑕疵担保保証金の供託又は住宅販売瑕疵担保責任保険契約の締結を行う義務」はありませーん。

2 × 供託所の所在地等について記載した書面を交付しての説明は「その住宅の引渡しまでに」だと遅い。「売買契約を締結するまでに」だよ。

3 × 新たに自ら売主となる新築住宅の売買契約を締結することができなくなるのは、「当該基準日以後」じゃなくて「基準日の翌日から起算して50日を経過した日以降」だよ。

4 ○ 「構造耐力上主要な部分及び雨水の浸入を防止する部分の隠れた瑕疵」が特定住宅販売瑕疵担保責任の対象。宅建業者は、特定住宅販売瑕疵担保責任の履行によって生じた損害について保険金を請求することができます。なお、売主業者が特定住宅販売瑕疵担保責任の履行をしない場合は、買主が保険金を請求できます。

正　解	
問 114	4

問題

問115　特定住宅瑕疵担保責任の履行の確保等に関する法律に基づく住宅販売瑕疵担保保証金の供託又は住宅販売瑕疵担保責任保険契約の締結に関する次の記述のうち、正しいものはどれか。　【平成26年 問45】

1　自ら売主として新築住宅を宅地建物取引業者でない買主に引き渡した宅地建物取引業者は、基準日に係る住宅販売瑕疵担保保証金の供託及び住宅販売瑕疵担保責任保険契約の締結の状況について届出をしなければ、当該基準日から起算して50日を経過した日以後、新たに自ら売主となる新築住宅の売買契約を締結してはならない。

2　宅地建物取引業者は、自ら売主として新築住宅を販売する場合だけでなく、新築住宅の売買の媒介をする場合においても、住宅販売瑕疵担保保証金の供託又は住宅販売瑕疵担保責任保険契約の締結を行う義務を負う。

3　住宅販売瑕疵担保責任保険契約は、新築住宅の買主が保険料を支払うことを約し、住宅瑕疵担保責任保険法人と締結する保険契約である。

4　自ら売主として新築住宅を販売する宅地建物取引業者は、住宅販売瑕疵担保保証金の供託をする場合、当該新築住宅の売買契約を締結するまでに、当該新築住宅の買主に対し、当該供託をしている供託所の所在地、供託所の表示等について記載した書面を交付して説明しなければならない。

解説▶解答

問115 選択肢１は「基準日の翌日から起算」、性格がワルい出題者でした(笑)。

1 × 「基準日から起算して50日を経過した日以後」じゃなくて「基準日の翌日から起算して50日を経過した日以後」です。なんだかなー、いいんだろうかこんな選択肢で。文章が長いクセにたいした内容じゃなく、出題者にかわりまして、おわび申しあげます。

2 × 住宅販売瑕疵担保保証金の供託などの資力確保措置は、自ら売主として新築住宅を販売する宅建業者が講じるものであり、媒介業者は講じる必要はない。

3 × 住宅販売瑕疵担保責任保険契約の保険料は「新築住宅の買主」ではなく新築住宅の売主となる宅建業者が支払うべきものである。

4 ○ そのとおり。新築住宅の売買契約を締結するまでに、当該新築住宅の買主に対し、書面を交付して説明しなければならない。

正解	
問115	4

都市計画法：都市計画全般

2025年版
合格しようぜ！
宅建士 基本テキスト

➡ Part2 法令上の制限
➡ 法令上の制限-1、2
➡ P216〜260

まずは「都市計画区域」の指定。その「都市計画区域内」に各種の「都市計画」を定めていく。次に「市街化区域・市街化調整区域」の「区域区分」。「市街化区域」には「用途地域」を定め、「市街化調整区域」には原則として「用途地域」を定めない。また「用途地域」のほか各種の「地域地区」があり必要なものを定めていく。大きさの概念として〈区域＞地域＞地区〉という並びがわかっていると楽。また実際に都市施設を建設していくための段取りなども出題される。慣れが必要かもしれない。

だからこう解く!! 厳選要点★ここを押さえろ

都市計画区域

・**都道府県**が指定
・二以上の都府県にまたがる場合は国土交通大臣
・市町村の行政区域に**とらわれない**

準都市計画区域

・定めることができるもの
　用途地域、特別用途地区、**高度地区**、特定用途制限地域など
・定めることができないもの
　市街化区域・市街化調整区域、高度利用地区、市街地開発事業など

区域区分

・市街化区域と市街化調整区域に分けること
・区域区分は選択制（原則）
・大都市などについては区域区分する
＊すべての都市計画区域で区域区分するは〈誤〉

用途地域

・市街化区域には少なくとも用途地域を定める
・市街化調整区域には原則として定めない

地区計画の区域内

・地区計画は**市町村**が定める
・用途地域が定められていないところでも定めることができる
・地区計画の区域内での建築等については、**市町村長**に**届出**
・届出は行為に着手する**30日前**まで

都市計画施設等の区域内

・都市計画施設等の区域内での**建築**については**都道府県知事**（市長）の**許可**
・木造2階などで容易に移転除却できる場合は許可が出る
・**非常災害**の応急措置などであれば許可不要
＊土地の形質変更については対象外（許可**不要**）

事業地内

・事業地内での建築や土地の形質変更については都道府県知事（市長）の許可
・非常災害の応急措置などであっても許可が必要
＊「木造2階だったら許可が出る」というような制度はない

問題

都市計画法に関する次の記述のうち、正しいものはどれか。

【平成23年 問16】

1　都市計画区域は、市又は人口、就業者数その他の要件に該当する町村の中心の市街地を含み、かつ、自然的及び社会的条件並びに人口、土地利用、交通量その他の現況及び推移を勘案して、一体の都市として総合的に整備し、開発し、及び保全する必要がある区域を当該市町村の区域の区域内に限り指定するものとされている。

2　準都市計画区域については、都市計画に、高度地区を定めることはできるが、高度利用地区を定めることはできないものとされている。

3　都市計画区域については、区域内のすべての区域において、都市計画に、用途地域を定めるとともに、その他の地域地区で必要なものを定めるものとされている。

4　都市計画区域については、無秩序な市街化を防止し、計画的な市街化を図るため、都市計画に必ず市街化区域と市街化調整区域との区分を定めなければならない。

都市計画法に関する次の記述のうち、正しいものはどれか。（法改正により選択肢3を修正している）

【平成22年 問16】

1　市街化区域については、少なくとも用途地域を定めるものとし、市街化調整区域については、原則として用途地域を定めないものとされている。

2　準都市計画区域は、都市計画区域外の区域のうち、新たに住居都市、工業都市その他の都市として開発し、及び保全する必要がある区域に指定するものとされている。

3　区域区分は、指定都市、中核市の区域の全部又は一部を含む都市計画区域には必ず定めるものとされている。

4　特定用途制限地域は、用途地域内の一定の区域における当該区域の特性にふさわしい土地利用の増進、環境の保護等の特別の目的の実現を図るため当該用途地域の指定を補完して定めるものとされている。

解説▶解答

問116

「都市計画区域」を話題の中心にもってきた問題。準都市計画区域なんかも登場してます。選択肢４はまいどおなじみの「×」パターンでした。

1 × なんか途中までそれらしいんだけど、「当該市町村の区域の区域内に限り」っていうところが誤り。都市計画区域はですね、必要があるときは市町村の区域にとらわれることなく指定できまっせ。

2 ○ おっと準都市計画区域。高度地区は定めることができるけど、高度利用地区はねぇ…。定めることはできません。

3 × 「都市計画区域のすべての区域に用途地域を定める」ってことはない。区域区分の定のない都市計画区域なんかだと、必要なところに必要な程度を定めています。市街化区域内とのヒッカケなのかな。

4 × よく出題されている「×」パターン。市街化区域・市街化調整区域の区域区分は三大都市圏だと必ず定めなければならないけど、そうじゃないところは任意。選択性です。

問117

それにしても選択肢１。なんでこんなにカンタンな問題を出すんだよぉ〜。

1 ○ 市街化区域については、少なくとも用途地域を定めるものとし、市街化調整区域については、原則として用途地域を定めないものとされています。出題者さん、ありがとう。

2 × えーと、この「新たに住居都市、工業都市その他の都市として開発し、及び保全する必要がある区域」というフレーズは準都市計画区域の能書きじゃなくて、都市計画区域（ニュータウン型）の能書き。

3 × おっと「必ず」。ご注意あれ。区域区分は「指定都市の区域の全部又は一部を含む都市計画区域」には定めなければならないけど、それよりも規模が小さくなる中核市を含む都市計画区域にあっては「必ず」ではありません。

4 × 「特定用途制限地域」はどこに指定するかというと「用途地域が定められていない土地の区域（市街化調整区域を除く）」です。

正解			
問116	2	問117	1

問題

問118 都市計画法に関する次の記述のうち、誤っているものはどれか。

【平成30年 問16】

1　田園住居地域内の農地の区域内において、土地の形質の変更を行おうとする者は、一定の場合を除き、市町村長の許可を受けなければならない。

2　風致地区内における建築物の建築については、一定の基準に従い、地方公共団体の条例で、都市の風致を維持するため必要な規制をすることができる。

3　市街化区域については、少なくとも用途地域を定めるものとし、市街化調整区域については、原則として用途地域を定めないものとする。

4　準都市計画区域については、無秩序な市街化を防止し、計画的な市街化を図るため、都市計画に市街化区域と市街化調整区域との区分を定めなければならない。

問119 都市計画法に関する次の記述のうち、正しいものの組合せはどれか。

【平成29年 問16】

ア　都市計画施設の区域又は市街地開発事業の施行区域内において建築物の建築をしようとする者は、一定の場合を除き、都道府県知事（市の区域内にあっては、当該市の長）の許可を受けなければならない。

イ　地区整備計画が定められている地区計画の区域内において、建築物の建築を行おうとする者は、都道府県知事（市の区域内にあっては、当該市の長）の許可を受けなければならない。

ウ　都市計画事業の認可の告示があった後、当該認可に係る事業地内において、当該都市計画事業の施行の障害となるおそれがある土地の形質の変更を行おうとする者は、都道府県知事（市の区域内にあっては、当該市の長）の許可を受けなければならない。

エ　都市計画事業の認可の告示があった後、当該認可に係る事業地内の土地建物等を有償で譲り渡そうとする者は、当該事業の施行者の許可を受けなければならない。

1　ア、ウ　　2　ア、エ　　3　イ、ウ　　4　イ、エ

解説▶解答

問118 フツーに取り組んでいれば、選択肢4が速攻で「×」だよね。田園住居地域内の農地については、土地の形質の変更などにつき制限あり。

1 ○ 田園住居地域内の農地。農地としてキープしていきたい。なので、土地の形質の変更などを行うときは、市町村長の許可が必要となります。

2 ○ 都市の風致を維持したいわけだから、風致地区内では勝手な建築行為はできない。地方公共団体の条例で規制(例：知事の許可)しています。

3 ○ なんでまたこんな基本的な内容を出題したんだろ(笑)。市街化区域については、少なくとも用途地域を定めるものとし、市街化調整区域については、原則として用途地域を定めないものとする。

4 × 準都市計画区域には「市街化区域・市街化調整区域(区域区分)」を定めることはできない。そもそも準都市計画区域は、積極的に都市を建設していく区域じゃないもんね。

問119 記述「イ」。「地区計画の区域内」で「都道府県知事の許可」だってさ。速攻で「×」。市町村長への届出だよね。

ア ○ 「都市計画施設の区域又は市街地開発事業の施行区域内」での「建築物の建築」については、都道府県知事の許可を受けねばならぬ。

イ × だから市町村長の届出だってば。都市計画施設の区域だ、市街地開発事業の施行区域だ、地区計画の区域だと並べてのヒッカケといえば、これ。ド定番です。

ウ ○ 「事業地内」での「土地の形質の変更」については、都道府県知事の許可を受けねばならぬ。

エ × 「事業地内」での「土地建物等を有償譲渡」は、施行者への届出だよね。許可じゃないよー。

正しい組み合わせは「ア、ウ」。選択肢1が正解となる。

正解			
問118	4	問119	1

問題

問120 都市計画法に関する次の記述のうち、誤っているものはどれか。

【平成26年 問15】

1　都市計画区域については、用途地域が定められていない土地の区域であっても、一定の場合には、都市計画に、地区計画を定めることができる。

2　高度利用地区は、市街地における土地の合理的かつ健全な高度利用と都市機能の更新とを図るため定められる地区であり、用途地域内において定めることができる。

3　準都市計画区域においても、用途地域が定められている土地の区域については、市街地開発事業を定めることができる。

4　高層住居誘導地区は、住居と住居以外の用途とを適正に配分し、利便性の高い高層住宅の建設を誘導するために定められる地区であり、近隣商業地域及び準工業地域においても定めることができる。

問121 都市計画法に関する次の記述のうち、正しいものはどれか。

【令和5年 問15】

1　市街化調整区域は、土地利用を整序し、又は環境を保全するための措置を講ずることなく放置すれば、将来における一体の都市としての整備に支障が生じるおそれがある区域とされている。

2　高度利用地区は、土地の合理的かつ健全な高度利用と都市機能の更新とを図るため、都市計画に、建築物の高さの最低限度を定める地区とされている。

3　特定用途制限地域は、用途地域が定められている土地の区域内において、都市計画に、制限すべき特定の建築物等の用途の概要を定める地域とされている。

4　地区計画は、用途地域が定められている土地の区域のほか、一定の場合には、用途地域が定められていない土地の区域にも定めることができる。

解説▶解答

問120

準都市計画区域にも用途地域を定めることができるけど、でもなー、積極的に開発していこうというエリアじゃないから、市街地開発事業は定めることはできないんだよなー。

1 ○ そのとおり。地区計画は、都市計画区域内であれば、用途地域が定められていない区域にも定めることができます。一定の条件がありますけど。

2 ○ そのとおり。高度利用地区のキーワードは高度利用と都市機能の更新です。用途地域内において定めることができる。

3 × 準都市計画区域には市街地開発事業を定めることはできない。だって、積極的に整備開発保全していこうという区域じゃないもんね。

4 ○ そのとおり。高層住居誘導地区は第一種住居地域、第二種住居地域、準住居地域、近隣商業地域、準工業地域で、都市計画で容積率が10分の40（400%）又は10分の50（500%）とされているところで定めることができる。

問121

出題者さんどうもありがとう。ド定番。いつもとおなじ解説なので書くもの読むのも飽きますが。選択肢１のデタラメっぷりは見事。選択肢２～４がわからないという人はなにもわかっていないということがわかる。

1 × 市街化調整区域は、市街化を抑制すべき区域だ。「土地利用を整序し、又は環境を保全するための措置を講ずることなく放置すれば」というフレーズは「準都市計画区域」だ。

2 × これが分からないということは過去問を１回も解いていないということですか。「建築物の高さの最高限度・最低限度」を定めるのは高度地区。高度利用地区は「建築物の容積率、建築物の建蔽率の最高限度及び建築物の敷地面積の最低限度」を定める地区だよね。

3 × 出た定番。特定用途制限地域は「用途地域が定められていない土地の区域（市街化調整区域を除く。）内」において定める地域っすよね。

4 ○ 地区計画は、用途地域が定められていない土地の区域にも定めることができるもんね。

正解	
問120 3	問121 4

問題

問122 都市計画法に関する次の記述のうち、正しいものはどれか。

【令和2年12月 問15】

1　市街化区域及び区域区分が定められていない都市計画区域については、少なくとも道路、病院及び下水道を定めるものとされている。

2　市街化調整区域内においては、都市計画に、市街地開発事業を定めることができないこととされている。

3　都市計画区域は、市町村が、市町村都市計画審議会の意見を聴くとともに、都道府県知事に協議し、その同意を得て指定する。

4　準都市計画区域については、都市計画に、高度地区を定めることができないこととされている。

問123 都市計画法に関する次の記述のうち、誤っているものはどれか。

【令和4年 問15】

1　市街化区域については、都市計画に、少なくとも用途地域を定めるものとされている。

2　準都市計画区域については、都市計画に、特別用途地区を定めることができる。

3　高度地区については、都市計画に、建築物の容積率の最高限度又は最低限度を定めるものとされている。

4　工業地域は、主として工業の利便を増進するため定める地域とされている。

解説▶解答

問122 選択肢１。たしかに「病院」を定めるでもいいかなと。がしかし、法律上は「道路・公園・下水道」なんだよね。

1 × おっと「病院」ヒッカケ。市街化区域及び区域区分が定められていない都市計画区域については、少なくとも道路、公園及び下水道を定めるものとされてます。

2 ○ そりゃそうだよね。市街地開発事業は、市街化区域又は区域区分が定められていない都市計画区域内において、一体的に開発し、又は整備する必要がある土地の区域について定めることとされてます。

3 × 都市計画区域の指定は「市町村」じゃなくて「都道府県」だよね。で、「関係市町村及び都道府県都市計画審議会の意見を聴くとともに、国土交通大臣に協議し、その同意を得なければならない」という段取り。

4 × 準都市計画区域については、都市計画に、高度地区は定めることはできるよ。再開発系の「高度利用地区」は定めることはできないけどね。

問123 選択肢１。これがわからなかったという人は、なにもわかっていなかったということがわかる。選択肢２が「ん？」と思うかもしれないが、選択肢３が定番の「×」で、はい楽勝。いえーい＼(^o^)／

1 ○ なんでいまさらこんなカンタンなのを出すんだろ（笑）。そのとおりだよん。

2 ○ 特別用途地区は準都市計画区域でもOK。ちなみに前提として、特別用途地区は用途地域が指定されているところに重ねての指定だよね。

3 × 出た～（笑）。高度地区については、都市計画に、建築物の高さの最高限度又は最低限度を定めるものとされている。「建築物の容積率最高限度又は最低限度」は高度利用地区だね。

4 ○ これがわからなかったという人は、なにもわかっていなかったということがわかる。念のためだが、工業地域だから「主として」が入る。工業専用地域だったら「主として」が入らない。

正解	
問122 2	問123 3

都市計画法：開発許可

2025年版
合格しようぜ！
宅建士 基本テキスト

➡ Part2 法令上の制限
➡ 法令上の制限-3
➡ P262〜P282

都市計画法の「開発許可」は毎年1問の出題。いわゆる「やれば取れる項目」なのだが逃げる受験生が目立つ。法令上の制限編は全8問の出題で、うち6点は取りたいところ。この「開発許可」が取れないと厳しくなる。全力で向かってほしい。まずは市街化区域と市街化調整区域での考え方のちがいを理解すること。市街化区域は市街化を図るべき区域であることから、一定の要件を満たしていれば開発許可は出る。一方、市街化調整区域は市街化を抑制したいがゆえ、原則として開発許可は出ない。

だからこう解く!! 厳選要点★ここを押さえろ

開発行為

・開発行為をしようとする者は、あらかじめ**都道府県知事**の**許可**が必要
・建築物の建築のための土地の区画形質の変更
・特定工作物の建設のための土地の区画形質の変更
＊駐車場用地などの場合は開発行為にならない

特定工作物

・コンクリートプラントなど
・ゴルフコース
・**1ヘクタール（10,000㎡）以上**の野球場、庭球場、遊園地など

開発許可が不要の場合

・**図書館**、**公民館**、**変電所**など
・都市計画事業の施行
・**非常災害**のための応急措置
＊区域を問わず、面積を問わず、開発許可不要
＊病院や学校は開発許可の対象となる

公共施設との関連

・公共施設の管理者と協議・同意
・設置された公共施設は原則として市町村の管理
＊他の法律や事前協議で管理者を定める場合は別

開発行為の廃止

・**遅滞なく、**知事（一定の市長）に届出が必要

工事完了の公告前

・建築物は建築できない
・「仮設建築物」「知事が認めたとき」は建築できる
・開発行為に**同意していない者**が権利の行使として建築

工事完了の公告後

・**予定建築物**を建築する
・知事が許可したときは変更OK
・用途地域が定められているときは変更OK

市街化調整区域での建築許可

「市街化調整区域のうち開発許可を受けた開発区域以外の区域」での建築は**知事**の**許可**を受ける。
＊農林漁業系や公益上必要な建築物は許可不要

問題

問124

都市計画法に関する次の記述のうち、正しいものはどれか。ただし、許可を要する開発行為の面積について、条例による定めはないものとし、この問において「都道府県知事」とは、地方自治法に基づく指定都市、中核市にあってはその長をいうものとする。

【平成29年 問17】

1　準都市計画区域内において、工場の建築の用に供する目的で1,000㎡の土地の区画形質の変更を行おうとする者は、あらかじめ、都道府県知事の許可を受けなければならない。

2　市街化区域内において、農業を営む者の居住の用に供する建築物の建築の用に供する目的で1,000㎡の土地の区画形質の変更を行おうとする者は、あらかじめ、都道府県知事の許可を受けなければならない。

3　都市計画区域及び準都市計画区域外の区域内において、変電所の建築の用に供する目的で1,000㎡の土地の区画形質の変更を行おうとする者は、あらかじめ、都道府県知事の許可を受けなければならない。

4　区域区分の定めのない都市計画区域内において、遊園地の建設の用に供する目的で3,000㎡の土地の区画形質の変更を行おうとする者は、あらかじめ、都道府県知事の許可を受けなければならない。

問125

都市計画法に関する次の記述のうち、正しいものはどれか。なお、この問において「都道府県知事」とは、地方自治法に基づく指定都市、中核市にあってはその長をいうものとする。

【平成28年 問17】

1　開発許可を受けた者は、開発行為に関する工事を廃止するときは、都道府県知事の許可を受けなければならない。

2　二以上の都府県にまたがる開発行為は、国土交通大臣の許可を受けなければならない。

3　開発許可を受けた者から当該開発区域内の土地の所有権を取得した者は、都道府県知事の承認を受けることなく、当該開発許可を受けた者が有していた当該開発許可に基づく地位を承継することができる。

4　都道府県知事は、用途地域の定められていない土地の区域における開発行為について開発許可をする場合において必要があると認めるときは、当該開発区域内の土地について、建築物の敷地、構造及び設備に関する制限を定めることができる。

解説▶解答

問124 市街化区域内だと「農業うんぬん」でも1,000㎡以上だったら開発許可が必要だよね〜。

1 × 「工場の建築の用に供する目的で1,000㎡の土地の区画形質の変更」は開発行為となるけど、面積が1,000㎡じゃね。開発許可は不要。「準都市計画区域内」だと「3,000㎡以上」の開発行為が開発許可の対象だよね。

2 ○ 出ました。まいどおなじみの「市街化区域内」での「農業を営む者の居住の用に供する建築物」の開発行為。1,000㎡以上であれば開発許可を受けないとね。

3 × 「変電所の建築の用に供する目的」の開発行為については、区域を問わず、面積を問わず、開発許可は不要だよね。

4 × 出ました。10,000㎡未満の遊園地。第二種特定工作物にはならないよね。なので「遊園地の建設の用に供する目的で3,000㎡の土地の区画形質の変更」はそもそも開発行為にはならないので、開発許可なんていらないよー。

問125 選択肢2が「そうかも」と思わせる。二以上の都府県にまたがる都市計画区域は国土交通大臣の指定だけど、そのあたりとのヒッカケでしょうか。

1 × 許可じゃないよねー。開発許可を受けた者は、開発行為に関する工事を廃止したときは、遅滞なく、その旨を都道府県知事に届け出なければならない。

2 × 開発行為の許可をするのは、あくまで都道府県知事だよー。二以上の都府県にまたがる場合であっても「国土交通大臣の許可」とはならない。それぞれの都府県で都道府県知事の許可を受けてね。

3 × 開発許可を受けた者から土地の所有権を取得した者は、都道府県知事の承認を受けて、開発許可に基づく地位を承継することができる。承認を受けないと承継できない。

4 ○ そのとおり。都道府県知事は、用途地域の定められていない土地の区域における開発行為について開発許可をする場合において必要があると認めるときは、当該開発区域内の土地について、建築物の建蔽率、建築物の高さ、壁面の位置その他建築物の敷地、構造及び設備に関する制限を定めることができる。

正解	
問124 2	問125 4

問題

都市計画法に関する次の記述のうち、正しいものはどれか。なお、この問において「都道府県知事」とは、地方自治法に基づく指定都市、中核市にあってはその長をいうものとする。【平成27年 問15】

1　市街化区域内において開発許可を受けた者が、開発区域の規模を100㎡に縮小しようとする場合においては、都道府県知事の許可を受けなければならない。

2　開発許可を受けた開発区域内の土地において、当該開発許可に係る予定建築物を建築しようとする者は、当該建築行為に着手する日の30日前までに、一定の事項を都道府県知事に届け出なければならない。

3　開発許可を受けた開発区域内において、開発行為に関する工事の完了の公告があるまでの間に、当該開発区域内に土地所有権を有する者のうち、当該開発行為に関して同意をしていない者がその権利の行使として建築物を建築する場合については、都道府県知事が支障がないと認めたときでなければ、当該建築物を建築することはできない。

4　何人も、市街化調整区域のうち開発許可を受けた開発区域以外の区域内において、都道府県知事の許可を受けることなく、仮設建築物を新築することができる。

次のアからウまでの記述のうち、都市計画法による開発許可を受ける必要のある、又は同法第34条の２の規定に基づき協議する必要のある開発行為の組合せとして、正しいものはどれか。ただし、開発許可を受ける必要のある、又は協議する必要のある開発行為の面積については、条例による定めはないものとする。【平成26年 問16】

ア　市街化調整区域において、国が設置する医療法に規定する病院の用に供する施設である建築物の建築の用に供する目的で行われる1,500㎡の開発行為

イ　市街化区域において、農林漁業を営む者の居住の用に供する建築物の建築の用に供する目的で行われる1,200㎡の開発行為

ウ　区域区分が定められていない都市計画区域において、社会教育法に規定する公民館の用に供する施設である建築物の建築の用に供する目的で行われる4,000㎡の開発行為

1　ア、イ　　2　ア、ウ　　3　イ、ウ　　4　ア、イ、ウ

解説▶解答

問126 選択肢の１の「×」ができたかなー。とりあえず選択肢４まで読めば、なんとか得点できるんじゃないでしょうか。

1 × 開発許可を受けた後、開発区域の区域や位置、規模について変更する場合は変更の許可が必要となるんだけど、開発許可不要となるもの（例：市街化区域内で1,000㎡未満の開発行為）への変更である場合には許可を受ける必要なし。

2 × 開発許可を受けた開発区域内の土地において、工事完了公告後、予定建築物等以外の建築物を建築するとなると都道府県知事の許可などの段取りがあるけど、予定建築物の建築については特に規定なし。たぶんこの選択肢は、地区計画の区域での「建築」→「建築行為に着手する日の30日前までに届出」とのヒッカケかな。手が込んでます。やるな出題者!!!

3 × 開発行為に同意をしていない者が、権利の行使として建築物を建築するなどの場合、どうぞ好き勝手に。「都道府県知事が支障がないと認めたとき」というような規定なし。

4 ○ 市街化調整区域のうち開発許可を受けた開発区域以外の区域内では、都道府県知事の許可がなければ建築物の新築などはできないけど、仮設建築物の新築はどうぞご自由に。許可の対象外。

問127 「公民館」がうれしい。公民館を建築するための開発行為は開発許可不要だもんね。これを速攻で読み取って、「ウ」が入っている選択肢を消す。となると、選択肢１の「ア、イ」しか残らない。

ア 協議する必要あり　病院は開発許可が不要となる建築物にはならず、市街化調整区域ということであれば、面積にかかわらず開発許可が必要となる。で、国が行う開発行為については、当該国の機関と都道府県知事等との協議が成立することをもって開発許可があったものとされる。

イ 開発許可を受けなければならない　市街化調整区域内であれば、農林漁業を営む者の居住の用に供する建築物の建築の用に供する目的で行われる開発行為については開発許可は不要だけど、市街化区域内だと、1,000㎡以上であれば開発許可が必要となる。

ウ 開発許可を受ける必要はない　公民館の用に供する施設である建築物の建築の用に供する目的で行われる開発行為については、その面積やどこで開発行為をするかを問わず、開発許可は不要。

開発許可・協議する必要がある開発行為の組合せは、「ア、イ」。選択肢１が正解となる。

正解	
問126　4	問127　1

問題

都市計画法に関する次の記述のうち、正しいものはどれか。

【平成25年 問16】

1　開発行為とは、主として建築物の建築の用に供する目的で行う土地の区画形質の変更を指し、特定工作物の建設の用に供する目的で行う土地の区画形質の変更は開発行為には該当しない。

2　市街化調整区域において行う開発行為で、その規模が300㎡であるものについては、常に開発許可は不要である。

3　市街化区域において行う開発行為で、市町村が設置する医療法に規定する診療所の建築の用に供する目的で行うものであって、当該開発行為の規模が1,500㎡であるものについては開発許可は必要である。

4　非常災害のため必要な応急措置として行う開発行為であっても、当該開発行為が市街化調整区域において行われるものであって、当該開発行為の規模が3,000㎡以上である場合には開発許可が必要である。

次の記述のうち、都市計画法による許可を受ける必要のある開発行為の組合せとして、正しいものはどれか。ただし、許可を要する開発行為の面積については、条例による定めはないものとする。

【平成24年 問17】

ア　市街化調整区域において、図書館法に規定する図書館の建築の用に供する目的で行われる3,000㎡の開発行為

イ　準都市計画区域において、医療法に規定する病院の建築の用に供する目的で行われる4,000㎡の開発行為

ウ　市街化区域内において、農業を営む者の居住の用に供する建築物の建築の用に供する目的で行われる1,500㎡の開発行為

1　ア、イ　　2　ア、ウ　　3　イ、ウ　　4　ア、イ、ウ

解説▶解答

問128 選択肢３の「診療所」でちょっと迷ったかも。開発許可が要らないような感じだしなぁ～。

1 × おっと、特定工作物の建設目的で行う土地の区画形質の変更も、開発行為に該当するでしょ。

2 × 規模が300㎡だったとしてもね～。市街化調整区域だと「面積が小さいと開発行為は許可不要」というルールはない。

3 ○ そのとおり。診療所は「公益上必要な建築物」に該当しない。なので、市街化区域での1,000㎡以上の開発行為となりまして、市町村が設置するものであっても開発許可が必要です。

4 × 「非常災害のために必要な応急措置」としての開発行為。これってさ、規模や面積を問わず、どこで行うとしても開発許可は不要だよね。

問129 「ア」の図書館。場所や面積にかかわらず開発許可は「不要」だっていうのがすぐわかるはず。となると「ア」が入っている組み合わせを消去すると、あらま選択肢３しか残らない。ラッキー。

ア 開発許可は不要　図書館の建築のための開発行為については、開発許可は不要でーす。

イ 開発許可が必要　病院だと許可不要とはなりません。準都市計画区域で3,000㎡以上の開発行為となり開発許可が必要。

ウ 開発許可が必要　出ましたぁー市街化区域内の「農業を営む者の居住用住宅」ヒッカケ。市街化調整区域内だったら開発許可は不要だけど、市街化区域内だと1,000㎡以上であれば開発許可が必要でーす。

開発許可を受ける必要のある開発行為の組合せは「イ、ウ」。選択肢３が正解となる。

正解			
問128	3	問129	3

問題

問130 **都市計画法に関する次の記述のうち、正しいものはどれか。なお、この問における都道府県知事とは、地方自治法に基づく指定都市、中核市にあってはその長をいうものとする。**

【平成23年 問17】

1　開発許可を申請しようとする者は、あらかじめ、開発行為に関係がある公共施設の管理者と協議しなければならないが、常にその同意を得ることを求められるものではない。

2　市街化調整区域内において生産される農産物の貯蔵に必要な建築物の建築を目的とする当該市街化調整区域内における土地の区画形質の変更は、都道府県知事の許可を受けなくてよい。

3　都市計画法第33条に規定する開発許可の基準のうち、排水施設の構造及び能力についての基準は、主として自己の居住の用に供する住宅の建築の用に供する目的で行う開発行為に対しては適用されない。

4　非常災害のため必要な応急措置として行う開発行為は、当該開発行為が市街化調整区域内において行われるものであっても都道府県知事の許可を受けなくてよい。

問131 **都市計画法に関する次の記述のうち、誤っているものはどれか。ただし、この問において「都道府県知事」とは、地方自治法に基づく指定都市、中核市及び施行時特例市にあってはその長をいうものとする。**

【令和3年12月 問16】

1　開発許可を受けようとする者は、開発行為に関する工事の請負人又は請負契約によらないで自らその工事を施行する者を記載した申請書を都道府県知事に提出しなければならない。

2　開発許可を受けた者は、開発行為に関する国土交通省令で定める軽微な変更をしたときは、遅滞なく、その旨を都道府県知事に届け出なければならない。

3　開発許可を受けた者は、開発行為に関する工事の廃止をしようとするときは、都道府県知事の許可を受けなければならない。

4　開発行為に同意していない土地の所有者は、当該開発行為に関する工事完了の公告前に、当該開発許可を受けた開発区域内において、その権利の行使として自己の土地に建築物を建築することができる。

解説▶解答

問130 「開発許可の基準」を軸に作ってきた問題。選択肢２のヒッカケがニクいですねー、このこのっ!!

1 × ダメでしょ。開発許可を申請しようとする者は、あらかじめ開発行為に関係がある公共施設の管理者と「協議」し、「同意」を得なければなりませんがな。

2 × おっとヒッカケ。市街化調整区域内での「農林漁業の生産資材の貯蔵または保管用の建築物を建築するための開発行為」であれば開発許可は不要となるけど、「農産物の貯蔵に必要な建築物の建築を目的とする開発行為」は、市街化調整区域内での開発許可を受けることができる基準を満たしているに過ぎない。許可が出る可能性は高いけど、だからといって開発許可が不要となるわけではない。

3 × えーとですね、主として自己の居住の用に供する住宅の建築の用に供する目的で行う開発行為であっても、排水施設の構造及び能力についての基準は適用される。ちゃんと下水道に接続させてね!!

4 ○ はいそのとおり。非常災害のため必要な応急措置として行う開発行為についてはどこであっても開発許可は不要です。

問131 選択肢３。「廃止は不許可だ、死んでもやれ」。許可がなければ開発行為を廃止できないなんて・・・。なので許可のワケないでしょ(笑)。

1 ○ 開発許可の申請書には、工事施行者を記載するんだけど、工事施行者とは、開発行為に関する工事の請負人又は請負契約によらないで自らその工事を施行する者だ。

2 ○ 「軽微な変更」だもんね。開発許可を受けた内容につき「軽微な変更」をしたときは、遅滞なく、その旨を都道府県知事に届け出なければならない。

3 × 開発行為に関する工事を廃止したときは、遅滞なく、国土交通省令で定めるところにより、その旨を都道府県知事に届け出なければならない。事後届出でよいのだ。

4 ○ 開発行為に同意していないんだもんね。オレの土地を勝手に開発区域に入れて開発許可を取りやがって、という怒りにまかせて、当該開発行為に関する工事完了の公告前だろうだなんだろうが、バカスカ好きにやっちゃってください。

正解			
問130	4	問131	3

問題

都市計画法に関する次の記述のうち、正しいものはどれか。ただし、この問において条例による特別の定めはないものとし、「都道府県知事」とは、地方自治法に基づく指定都市又は中核市及び施行時特例市にあってはその長をいうものとする。 【令和5年 問16】

1　開発許可を申請しようとする者は、あらかじめ、開発行為に関係がある公共施設の管理者と協議し、その同意を得なければならない。

2　開発許可を受けた者は、当該許可を受ける際に申請書に記載した事項を変更しようとする場合においては、都道府県知事に届け出なければならないが、当該変更が国土交通省令で定める軽微な変更に当たるときは、届け出なくてよい。

3　開発許可を受けた者は、当該開発行為に関する工事が完了し、都道府県知事から検査済証を交付されたときは、遅滞なく、当該工事が完了した旨を公告しなければならない。

4　市街化調整区域のうち開発許可を受けた開発区域以外の区域内において、自己の居住用の住宅を新築しようとする全ての者は、当該建築が開発行為を伴わない場合であれば、都道府県知事の許可を受けなくてよい。

都市計画法に関する次の記述のうち、正しいものはどれか。ただし、許可を要する開発行為の面積については、条例による定めはないものとし、この問において「都道府県知事」とは、地方自治法に基づく指定都市、中核市にあってはその長をいうものとする。 【令和元年 問16】

1　準都市計画区域において、店舗の建築を目的とした4,000㎡の土地の区画形質の変更を行おうとする者は、あらかじめ、都道府県知事の許可を受けなければならない。

2　市街化区域において、農業を営む者の居住の用に供する建築物の建築を目的とした1,500㎡の土地の区画形質の変更を行おうとする者は、都道府県知事の許可を受けなくてよい。

3　市街化調整区域において、野球場の建設を目的とした8,000㎡の土地の区画形質の変更を行おうとする者は、あらかじめ、都道府県知事の許可を受けなければならない。

4　市街化調整区域において、医療法に規定する病院の建築を目的とした1,000㎡の土地の区画形質の変更を行おうとする者は、都道府県知事の許可を受けなくてよい。

解説▶解答

問132

選択肢１が笑っちゃうほど、なんの変哲もない「○」。かえって怪しんだかも。選択肢４の「自己の居住用の住宅を新築」というヒッカケがにくい。

1 ○ 解説の書きようがないけど、いちおう書くと「開発許可を申請しようとする者は、あらかじめ、開発行為に関係がある公共施設の管理者と協議し、その同意を得なければならない」です。

2 × 届け出なくてよい、じゃないよね。開発許可の申請書に記載した事項を変更しようとする場合においては、都道府県知事の「許可」を受けなければならず、「軽微な変更」をしたときは、遅滞なく、その旨を都道府県知事に届け出なければならない。

3 × 公告は都道府県知事がやるよね。「都道府県知事は、検査済証を交付したときは、遅滞なく、当該工事が完了した旨を公告しなければならない」だ。

4 × 「市街化調整区域のうち開発許可を受けた開発区域内」での新築は都道府県知事の許可が必要。自己の居住用の住宅であってもおなじ。

問133

選択肢４つとも、どこかで見たような選択肢。またなんでこんなカンタンな問題を出すかな〜、と思ったが、できない人はできないんだろうなぁ〜(遠い目)。

1 ○ 準都市計画区域だと、3,000㎡以上の開発行為については開発許可が必要だよね。「店舗の建築を目的とした4,000㎡の土地の区画形質の変更」ということなので、都道府県知事の許可(開発許可)を受けねばならぬ。

2 × 出ましたまいどおなじみのヒッカケ。いや、もうヒッカケともいえないか。市街化区域なので、「農業を営む者の居住の用に供する建築物の建築を目的とする土地の区画形質の変更(開発行為)」だとしても、1,000㎡以上だったら都道府県知事の許可(開発許可)を受けねばならぬ。

3 × 野球場かぁ〜。この野球場が第二種特定工作物になるかどうか。で、「野球場の建設を目的とした8,000㎡の土地の区画形質の変更」ということで、あらまザンネン、「10,000㎡以上」じゃないから開発行為とはならないよね〜。開発行為とはならないので開発許可も不要。

4 × そして病院の登場。「医療法に規定する病院の建築を目的とした1,000㎡の土地の区画形質の変更」は、いわゆる「公益上のうんぬん」で開発許可が不要となる開発行為じゃないよね。市街化調整区域とあるので、その規模を問わず都道府県知事の許可(開発許可)を受けねばならぬ。

正解			
問132	1	問133	1

建築基準法

2025年版
合格しようぜ！
宅建士 基本テキスト

➡ Part2 法令上の制限
➡ 法令上の制限-4、5
➡ P284～P339

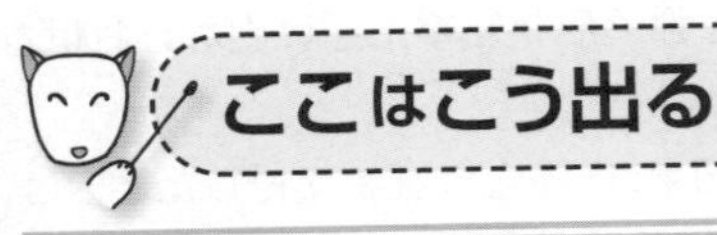

建築基準法は2問の出題。「都市計画法：開発許可」や「農地法」のようにどこか特定の項目からの出題というよりも、建築基準法全体を選択肢8つに振り分けて聞いてくるパターンが多い。そのため選択肢ごとに正誤の判断という、いわば一問一答のような形になりやすい。とはいえ、聞いてくる内容は「基本的な内容の繰り返し」となっているので、基本テキストで確認しつつ「道路」「用途地域での用途制限」「建蔽率」「容積率」「防火・準防火」「建築協定」「建築確認」などを理解しておく。

だからこう解く!! 厳選要点★ここを押さえろ

単体規定

- **屋上**、**2階以上**のバルコニーには高さ1.1m以上の手すり壁や柵、金網を
- 高さ**20m**を超える建築物には**避雷設備**を
- 高さ**31メートル**を超える建築物には**非常用昇降機**を
- 居室の天井は**平均**2.1m以上に

道路・接道義務

- 幅員**4m以上**が「道路」となる
- 幅員4m未満の道「みなし道路」もある(特定行政庁の指定が必要)
- みなし道路の場合セットバックあり
- 敷地は道路に**2m以上**接していなければならない
- 地盤面下の建築物は道路内(地下部分)に建築できる

建蔽率・容積率

- 建蔽率の適用除外
  - ・建蔽率**80%**指定+**防火**地域内+**耐火**建築物
- 容積率の前面道路制限(幅員**12m**未満)
  - ・幅員に一定の数値を乗じて、指定容積率と比較し、小さいほうの数値

建築確認の対象建築物

- 特殊建築物:延べ面積200㎡超
- 木造:階数3以上、延べ面積500㎡超、高さ13m超、軒の高さ9m超
- 木造以外:階数2以上、延べ面積200㎡超

建築確認が必要な場合

- 新築、増築、改築、移転
- 大規模の修繕・模様替え
- 特殊建築物への用途変更

問題

問134 建築基準法に関する次の記述のうち、誤っているものはどれか。

【平成28年 問19】

1　特定行政庁が許可した場合、第一種低層住居専用地域内においても飲食店を建築することができる。

2　前面道路の幅員による容積率制限は、前面道路の幅員が12m以上ある場合は適用されない。

3　公園内にある建築物で特定行政庁が安全上、防火上及び衛生上支障がないと認めて許可したものについては、建蔽率の制限は適用されない。

4　第一種住居地域内における建築物の外壁又はこれに代わる柱の面から敷地境界線までの距離は、当該地域に関する都市計画においてその限度が定められた場合には、当該限度以上でなければならない。

問135 建築基準法に関する次の記述のうち、正しいものはどれか。（法改正により選択肢3、４を修正している）

【平成28年 問18】

1　防火地域にある建築物で、外壁が耐火構造のものについては、その外壁を隣地境界線に接して設けることができる。

2　高さ30mの建築物には、原則として非常用の昇降機を設けなければならない。

3　準防火地域内においては、その建築物の外壁の開口部などにつき、延焼防止をするための措置を講じる必要はない。

4　延べ面積が1,000㎡を超える耐火建築物は、防火上有効な構造の防火壁又は防火床によって有効に区画し、かつ、各区画の床面積の合計をそれぞれ1,000㎡以内としなければならない。

解説▶解答

問134

選択肢１の「特定行政庁の許可」はちょっとマニアックかな。選択肢４は「第一種住居地域」だよ。「第一種・第二種低層住居専用地域」と読み間違えないでね。

1 ○ 第一種低層住居専用地域内には、たしかに飲食店を建築することはできないんだけど、特定行政庁の許可を受ければ話は別。建築オッケー。

2 ○ 前面道路の幅員が12m以上あれば、前面道路の幅員による容積率制限は適用されない。12m未満だったら適用あり。

3 ○ 公園や広場などの内にある建築物で特定行政庁が安全上、防火上及び衛生上支障がないと認めて許可したものについては、建蔽率の制限が適用されません。

4 × 外壁の後退距離の限度が定められるのは、第一種・第二種低層住居専用地域と田園住居地域内に限られる。「第一種住居地域内」で定められることはないです。

問135

選択肢１は速攻で「○」を。選択肢2はちょっと細かいヒッカケか。

1 ○ 防火地域又は準防火地域内にある建築物で、外壁が耐火構造のものについては、その外壁を隣地境界線に接して設けることができるよー！

2 × おっと、非常用の昇降機を設けなければならないのは「高さ30m」じゃなくて「高さ31m」を超える建築物にだよー！

3 × 防火地域・準防火地域内にある建築物は、その外壁の開口部で延焼のおそれのある部分に防火戸を設け、かつ、壁、柱、床などについても、一定の技術的基準に適当するものなどとしなければならない。

4 × 延べ面積が1,000㎡を超える建築物は、防火壁又は防火床で区画し、各区画の床面積の合計をそれぞれ1,000㎡以内としなければならないんだけど、建築物が耐火建築物・準耐火建築物の場合は例外で、防火壁又は防火床で区画する必要はないよー。

正解	
問134 4	問135 1

問題

問136 建築基準法に関する次の記述のうち、誤っているものはどれか。

【平成27年 問18】

1　建築物の容積率の算定の基礎となる延べ面積には、エレベーターの昇降路の部分又は共同住宅の共用の廊下若しくは階段の用に供する部分の床面積は、一定の場合を除き、算入しない。

2　建築物の敷地が建蔽率に関する制限を受ける地域又は区域の２以上にわたる場合においては、当該建築物の建蔽率は、当該各地域又は区域内の建築物の建蔽率の限度の合計の２分の１以下でなければならない。

3　地盤面下に設ける建築物については、道路内に建築することができる。

4　建築協定の目的となっている建築物に関する基準が建築物の借主の権限に係る場合においては、その建築協定については、当該建築物の借主は、土地の所有者等とみなす。

問137 建築基準法に関する次の記述のうち、誤っているものはどれか。

【平成27年 問17】

1　防火地域及び準防火地域外において建築物を改築する場合で、その改築に係る部分の床面積の合計が10㎡以内であるときは、建築確認は不要である。

2　都市計画区域外において高さ12m、階数が３階の木造建築物を新築する場合、建築確認が必要である。

3　事務所の用途に供する建築物をホテル（その用途に供する部分の床面積の合計が500㎡）に用途変更する場合、建築確認は不要である。

4　映画館の用途に供する建築物で、その用途に供する部分の床面積の合計が300㎡であるものの改築をしようとする場合、建築確認が必要である。

解説▶解答

問136 容積率、建蔽率、道路、建築協定をまんべんなく出題。復習するのにお手軽な問題です。

1 ○ 容積率の算定の基礎となる延べ面積には、エレベーター（昇降機）の昇降路の部分又は共同住宅の共用の廊下や階段の用に供する部分の床面積は算入しませーん。

2 × 「当該各地域又は区域内の建築物の建蔽率の限度の合計の２分の１以下」ではなくて、それぞれの地域に属する敷地の割合に応じて按分計算により算出された数値が建蔽率の限度となる。

3 ○ 建築物は道路内に建築できないけど、地盤面下に設ける建築物については、道路内に建築することができます。

4 ○ 本来、建築物の借主は「土地の所有者等」じゃないんだけど、建物の壁に広告を出すな、というようなことが建築協定の内容に含まれているときは、その建築協定については、当該建築物の借主は、土地の所有者等とみなす。

問137 建築確認からの出題。オーソドックスな内容。これは得点したい問題です。

1 ○ 防火地域及び準防火地域外なので、10㎡以内の増改築・移転については建築確認は不要でしょ。

2 ○ 「階数が３階の木造建築物」を新築する場合、都市計画区域の内外を問わず、建築確認が必要となりまーす。

3 × 一般の建築物（事務所）を床面積200㎡超の特殊建築物（ホテル）へ用途変更する場合、建築確認が必要となるでしょ。

4 ○ 床面積200㎡超の特殊建築物（映画館）の改築については、建築確認が必要となりまーす。

正解			
問136	2	問137	3

問題

問138

建築基準法（以下この問において「法」という。）に関する次の記述のうち、誤っているものはどれか。 【平成26年 問18】

1　店舗の用途に供する建築物で当該用途に供する部分の床面積の合計が10,000㎡を超えるものは、原則として工業地域内では建築することができない。

2　学校を新築しようとする場合には、法第48条の規定による用途制限に適合するとともに、都市計画により敷地の位置が決定されていなければ新築することができない。

3　特別用途地区内においては、地方公共団体は、国土交通大臣の承認を得て、条例で、法第48条の規定による建築物の用途制限を緩和することができる。

4　都市計画において定められた建蔽率の限度が10分の８とされている地域外で、かつ、防火地域内にある耐火建築物の建蔽率については、都市計画において定められた建蔽率の数値に10分の１を加えた数値が限度となる。

問139

建築基準法に関する次の記述のうち、正しいものはどれか。 【平成26年 問17】

1　住宅の地上階における居住のための居室には、採光のための窓その他の開口部を設け、その採光に有効な部分の面積は、その居室の床面積に対して７分の１以上としなければならない。

2　建築確認の対象となり得る工事は、建築物の建築、大規模の修繕及び大規模の模様替であり、建築物の移転は対象外である。

3　高さ15mの建築物には、周囲の状況によって安全上支障がない場合を除き、有効に避雷設備を設けなければならない。

4　準防火地域内において建築物の屋上に看板を設ける場合は、その主要な部分を不燃材料で造り、又は覆わなければならない。

解説▶解答

問138 **選択肢２の学校。学校の新築については用途地域による制限はあるけど。選択肢３の特別用途地区の用途制限の緩和、選択肢４の建蔽率はできてほしいところです。**

1 ○ そのとおり。店舗の用途に供する建築物で当該用途に供する部分の床面積の合計が10,000㎡を超えるものは、近隣商業地域、商業地域、準工業地域以外の用途地域には、原則として建築することができない。

2 × 学校の新築については「都市計画による敷地の位置決定」という規定はありません。これって、火葬場とか卸売り市場とかを新設するときのお話だよねー。

3 ○ そのとおり。特別用途地区内においては、地方公共団体は、国土交通大臣の承認を得て、条例で、法第48条の規定による建築物の用途制限を緩和することができる。

4 ○ そのとおり。防火地域内にある耐火建築物の建蔽率については、都市計画において定められた建蔽率の数値に10分の１を加えた数値が限度となる。ちなみに建蔽率が10分の８と定められているところだったら建蔽率制限の適用はなし。

問139 **選択肢１と３は単体規定からの出題。「数値」を聞いてきました。ちょっと細かいかなー。選択肢４の「燃えない看板ルール」は防火地域内のみ。ヒッカケ問題だぁ～。うっかり「○」にしそうでしょ。**

1 ○ そのとおり。居室には、採光のための窓その他の開口部を設け、その採光に有効な部分の面積は、その居室の床面積に対して７分の１以上としなければならない。

2 × 建築確認の対象となるのは「建築物の建築（新築・増築・改築・移転）」「大規模の修繕」「大規模の模様替え」。ということで、建築物の移転工事であっても、建築確認の対象でーす。

3 × おっと避雷設備。15mではなく、高さが20mを超える建築物には、周囲の状況によって安全上支障がない場合を除き、有効に避雷設備を設けなければならない。あちゃー、覚えてたかな。

4 × 準防火地域には「燃えない看板」ルールはありませーん。ちなみに防火地域内だったら、看板、広告塔、装飾塔その他これらに類する工作物で、建築物の屋上に設けるもの又は高さ３メートルを超えるものは、その主要な部分を不燃材料で造り、又は覆わなければならない。

正解	
問138　2	問139　1

問題

建築基準法に関する次の記述のうち、誤っているものはいくつあるか。　【平成25年 問17】

ア　一室の居室で天井の高さが異なる部分がある場合、室の床面から天井の一番低い部分までの高さが2.1m以上でなければならない。

イ　3階建ての共同住宅の各階のバルコニーには、安全上必要な高さが1.1m以上の手すり壁、さく又は金網を設けなければならない。

ウ　石綿以外の物質で居室内において衛生上の支障を生ずるおそれがあるものとして政令で定める物質は、ホルムアルデヒドのみである。

エ　高さが20mを超える建築物には原則として非常用の昇降機を設けなければならない。

1　一つ　　2　二つ　　3　三つ　　4　四つ

建築基準法（以下この問において「法」という。）に関する次の記述のうち、誤っているものはどれか。　【平成25年 問18】

1　地方公共団体は、延べ面積が1,000㎡を超える建築物の敷地が接しなければならない道路の幅員について、条例で、避難又は通行の安全の目的を達するために必要な制限を付加することができる。

2　建蔽率の限度が10分の8とされている地域内で、かつ、防火地域内にある耐火建築物については、建蔽率の制限は適用されない。

3　建築物が第二種中高層住居専用地域及び近隣商業地域にわたって存する場合で、当該建築物の過半が近隣商業地域に存する場合には、当該建築物に対して法第56条第1項第3号の規定（北側斜線制限）は適用されない。

4　建築物の敷地が第一種低層住居専用地域及び準住居地域にわたる場合で、当該敷地の過半が準住居地域に存する場合には、作業場の床面積の合計が100㎡の自動車修理工場は建築可能である。

解説▶解答

問140 いわゆる建築基準法の「単体規定」と呼ばれる規定群からの出題。たまに出題されます。とりあえず解説をご参照くだされ。

ア × おっと、「一番低い部分」じゃなくて「平均の高さ」です。居室の天井の高さは、2.1m以上でなければならないんだけど、天井の高さの異なる部分がある場合においては、その平均の高さによる。

イ × うわ、あのですね「各階のバルコニー」じゃないんですわ。「屋上広場」又は「2階以上の階」にあるバルコニーには、安全上必要な高さが1.1m以上の手すり壁、さく又は金網を設けなければならない。「1階のバルコニー」には手すりを設置する義務はない。そりゃそうだよね。

ウ × ゲゲっ、えーとですね「ホルムアルデヒドのみ」じゃないのよ。石綿等以外の物質でその居室内において衛生上の支障を生ずるおそれがあるものとして政令で定める物質は、「クロルピリホス(有機リン系の殺虫剤の一種)」及び「ホルムアルデヒド」です。

エ × なんとこれも×。非常用の昇降機を設置することが義務付けられるのは、高さが31mを超える建築物。「高さ20mを超える建築物」じゃないんだよね。

誤っているものはア・イ・ウ・エの「四つ」。選択肢4が正解となる。

問141 選択肢3と4。建築物や敷地が2つの用途地域にまたがる場合をテーマにしてますね。斜線制限はそれぞれで見ればよく、建築物の用途制限は過半主義。ちょっとそのあたりを確認しといてね。

1 ○ はいそのとおり。条例で、必要な制限を付加することができまぁーす。

2 ○ そうそう。建蔽率の限度が10分の8とされている地域内で、かつ、防火地域内にある耐火建築物だもんね。建蔽率の制限は適用されませぇ～ん。

3 × おっと北側斜線制限。建物の過半が近隣商業地域にあるからといって、全体的に適用されないっていうワケじゃない。第二種中高層住居専用地域の建物部分については北側斜線制限が適用される。

4 ○ 建築物の敷地が異なる用途地域にまたがる場合は敷地の過半が属する地域の用途制限に従う。準住居地域には作業場の床面積の合計が150㎡を超えない自動車修理工場を建築することができるよん。

正解			
問140	4	問141	3

問題

問142 建築基準法に関する次の記述のうち、正しいものはどれか。

【平成24年 問19】

1　街区の角にある敷地又はこれに準ずる敷地内にある建築物の建蔽率については、特定行政庁の指定がなくとも都市計画において定められた建蔽率の数値に10分の1を加えた数値が限度となる。

2　第一種低層住居専用地域又は第二種低層住居専用地域内においては、建築物の高さは、12m又は15mのうち、当該地域に関する都市計画において定められた建築物の高さの限度を超えてはならない。

3　用途地域に関する都市計画において建築物の敷地面積の最低限度を定める場合においては、その最低限度は200㎡を超えてはならない。

4　建築協定区域内の土地の所有者等は、特定行政庁から認可を受けた建築協定を変更又は廃止しようとする場合においては、土地所有者等の過半数の合意をもってその旨を定め、特定行政庁の認可を受けなければならない。

問143 建築基準法に関する次の記述のうち、正しいものはどれか。

【令和２年10月 問17】

1　階数が２で延べ面積が200㎡の鉄骨造の共同住宅の大規模の修繕をしようとする場合、建築主は、当該工事に着手する前に、確認済証の交付を受けなければならない。

2　居室の天井の高さは、一室で天井の高さの異なる部分がある場合、室の床面から天井の最も低い部分までの高さを2.1m以上としなければならない。

3　延べ面積が1,000㎡を超える準耐火建築物は、防火上有効な構造の防火壁又は防火床によって有効に区画し、かつ、各区画の床面積の合計をそれぞれ1,000㎡以内としなければならない。

4　高さ30mの建築物には、非常用の昇降機を設けなければならない。

解説▶解答

問142 **選択肢1の「特定行政庁の指定がなくても」とか、わ、なんかマニアック。選択肢4の建築協定。「変更」と「廃止」の取り扱いのちがいをいまいちどご確認ください。**

1 × 建蔽率が緩和される角敷地。えーとですね、「特定行政庁の指定」が必要でした、はい。

2 × 第一種低層住居専用地域又は第二種低層住居専用地域内、田園住居地域の建築物の高さの絶対制限。「12m又は15m」ではなく「10m又は12m」でした、はい。

3 ○ そのとおり。都市計画で建築物の敷地面積の最低限度を定める場合、その最低限度は「200㎡を超えてはならない」でした、はい。

4 × できたかなぁー。建築協定の「廃止」については「土地所有者等の過半数」でいいんですけど、「変更」については過半数ではなく「全員の合意」が必要でした、はい。

問143 **選択肢1の「共同住宅（特殊建築物）」は延べ面積が200㎡超ではないけれど、そもそも鉄骨造ですもんね。2階建てということだから建築確認（確認済証の交付）が必要。選択肢2、3、4は、あちゃー細かいヒッカケ。やだね～!!!!**

1 ○ 鉄骨造（木造以外の建築物）で2以上の階数を有する建築物に大規模の修繕を行う場合、建築主は、当該工事に着手する前に建築確認を受け、確認済証の交付を受けなければならない。

2 × 「2.1m以上」は「2.1m以上」なんだけど「室の床面から天井の最も低い部分まで」じゃないんですよね。「一室で天井の高さの異なる部分がある場合においては、その平均の高さ」でした。

3 × 準耐火建築物や耐火建築物だったら、この「防火上有効な構造の防火壁又は防火床によって有効に区画し、かつ、各区画の床面積の合計をそれぞれ1,000㎡以内」とする旨の規定は適用なし。

4 × 「高さ31mを超える」建築物だったら、非常用の昇降機を設けなければならないんだけど、うわ、「高さ30mの建築物」だってさ。

正解			
問142	3	問143	1

問題

建築基準法（以下この問において「法」という。）に関する次の記述のうち、正しいものはどれか。ただし、他の地域地区等の指定及び特定行政庁の許可については考慮しないものとする。

【平成23年 問19】

1　第二種住居地域内において、工場に併設した倉庫であれば倉庫業を営む倉庫の用途に供してもよい。

2　法が施行された時点で現に建築物が立ち並んでいる幅員4m未満の道路は、特定行政庁の指定がなくとも法上の道路となる。

3　容積率の制限は、都市計画において定められた数値によるが、建築物の前面道路（前面道路が二以上あるときは、その幅員の最大のもの。）の幅員が12m未満である場合には、当該前面道路の幅員のメートルの数値に法第52条第2項各号に定められた数値を乗じたもの以下でなければならない。

4　建蔽率の限度が10分の8とされている地域内で、かつ、防火地域内にある耐火建築物については建蔽率の限度が10分の9に緩和される。

建築物の用途規制に関する次の記述のうち、建築基準法の規定によれば、誤っているものはどれか。ただし、用途地域以外の地域地区等の指定及び特定行政庁の許可は考慮しないものとする。

【平成22年 問19】

1　建築物の敷地が工業地域と工業専用地域にわたる場合において、当該敷地の過半が工業地域内であるときは、共同住宅を建築することができる。

2　準住居地域内においては、原動機を使用する自動車修理工場で作業場の床面積の合計が150㎡を超えないものを建築することができる。

3　近隣商業地域内において映画館を建築する場合は、客席の部分の床面積の合計が200㎡未満となるようにしなければならない。

4　第一種低層住居専用地域内においては、高等学校を建築することはできるが、高等専門学校を建築することはできない。

解説▶解答

問144 選択肢２の幅員４m未満の道路ヒッカケがあるけど、なんとか得点できる問題じゃないかな。道路と容積率、建蔽率とオーソドックスな項目で組んできています。

1 × 倉庫業を営む倉庫は準住居地域から。「合格しようぜ!　宅建士」でのゴロ(覚え方)⇒「純情な子(じゅんじゅうきょ)どこ、そこ(そうこ)」。

2 × おっと「みなし道路」ヒッカケ。えーとですね、特定行政庁の指定がないとですね、道路とはみなされません。ただ建築物が立ち並んでいりゃいいってもんでもないです。

3 ○ はいそのとおり。容積率の数値は前面道路の幅員により影響を受けますもんね。

4 × えーと、建蔽率が80%とされている地域で、そこに防火地域の指定もあって、かつ、耐火建築物という場合だったら、建蔽率は100%となりまーす。

問145 丸々１問、選択肢４つとも「用途制限」というのは、近年では珍しいパターン。

1 ○ えーと「敷地の過半が工業地域内」ということだから、工業地域として扱われる。ということで、工業地域には住宅の建築は可能です。工業専用地域だったら住宅は建築できないけどね。

2 ○ そのとおり。準住居地域内においては、原動機を使用する自動車修理工場で作業場の床面積の合計が150㎡を超えないものを建築することができる。

3 × 以前は「近隣商業地域内において映画館を建築する場合は、客席の部分の床面積の合計が200㎡未満」でなければならなかったけど、改正により床面積制限はなくなりました。どどぉーんと巨大な映画館をおつくりください。

4 ○ そうなのよね。第一種低層住居専用地域内でも高等学校は建築できるけど、大学とおなじ扱いとなる高等専門学校は建築できません。

正解	
問144　3	問145　3

問題

次の記述のうち、建築基準法(以下この問において「法」という。)の規定によれば、正しいものはどれか。 【令和4年 問18】

1　第一種低層住居専用地域内においては、神社、寺院、教会を建築することはできない。

2　その敷地内に一定の空地を有し、かつ、その敷地面積が一定規模以上である建築物で、特定行政庁が交通上、安全上、防火上及び衛生上支障がなく、かつ、その建蔽率、容積率及び各部分の高さについて総合的な配慮がなされていることにより市街地の環境の整備改善に資すると認めて許可したものの建蔽率、容積率又は各部分の高さは、その許可の範囲内において、関係規定による限度を超えるものとすることができる。

3　法第３章の規定が適用されるに至った際、現に建築物が立ち並んでいる幅員1.8m未満の道で、あらかじめ、建築審査会の同意を得て特定行政庁が指定したものは、同章の規定における道路とみなされる。

4　第一種住居地域内においては、建築物の高さは、10m又は12mのうち当該地域に関する都市計画において定められた建築物の高さの限度を超えてはならない。

建築基準法に関する次の記述のうち、正しいものはどれか。 【令和２年10月 問18】

1　公衆便所及び巡査派出所については、特定行政庁の許可を得ないで、道路に突き出して建築することができる。

2　近隣商業地域内において、客席の部分の床面積の合計が200㎡以上の映画館は建築することができない。

3　建築物の容積率の算定の基礎となる延べ面積には、老人ホームの共用の廊下又は階段の用に供する部分の床面積は、算入しないものとされている。

4　日影による中高層の建築物の高さの制限に係る日影時間の測定は、夏至日の真太陽時の午前８時から午後４時までの間について行われる。

解説▶解答

問146 **選択肢２は「総合設計制度」というヤツです。都市計画法の特定街区と同じく、広めの敷地にドドーンと高層建築物を建てさせちゃう制度。特定街区だと都市計画決定というウザいプロセスが必要だけど、こちらは「設計」ごとに緩和できるので機動的。じつは街中でよく見かける。なお昭和61年以来の出題で、個人的には懐かしかった。**

1 × 神社、寺院、教会はどの用途地域でも建築OK。基本テキストには覚え方として「バチが当たるから」と書いといた（笑）。

2 × 広めの敷地で安全上などにつき「総合的な配慮」がなされている設計だったら、本来の容積率や建築物の各部分の高さを「許可の範囲」で超えちゃってよい（緩和）。でもね、公共的な空地や空間を確保しつつということなので「建蔽率」は緩和しない。

3 ○ 「幅員1.8m未満の道」で悩んだかも。でもみなし道路になるよ。で、その段取りは「特定行政庁は、幅員1.8m未満の道を指定する場合においては、あらかじめ、建築審査会の同意を得なければならない」となる。

4 × 「第一種住居地域」じゃないよね。「建築物の高さは、10m又は12mのうち当該地域に関する都市計画において定められた建築物の高さの限度を超えてはならない」という規定が適用されるのは第一種・第二種低層住居専用地域、田園住居地域内だよね。

問147 **選択肢１の公衆便所と巡査派出所。許可不要で建築できそうだ。ヒッカケだ。選択肢４はよく読むと「夏至日」だって。「冬至日」だよね。**

1 × 公衆便所及び巡査派出所などの公益上必要な建築物については、特定行政庁が通行上支障がないと認めて建築審査会の同意を得て「許可」したものであれば、道路に突き出して建築することができる。

2 × 近隣商業地域においては、その客席部分の床面積を問わず、映画館を建築することができる。

3 ○ 老人ホームの共用の廊下または階段の用に供する部分の床面積は、建築物の容積率の算定の基礎となる延べ面積には算入されない。

4 × 日影による中高層の建築物の高さの制限に係る日影時間の測定は、「夏至日」ではなく「冬至日」の真太陽時の午前８時から午後４時までの間について行われる。

正解	
問146 ３	問147 ３

宅地造成及び特定盛土等規制法

※法改正により問題を修正している

2025年版
合格しようぜ！
宅建士 基本テキスト

➡ Part2 法令上の制限
➡ 法令上の制限-6
➡ Section1　宅地造成及び特定盛土等規制法
➡ P342〜P350

ここはこう出る!!

宅地造成及び特定盛土等規制法は、傾斜地での宅地造成など（切土・盛土）を規制している。粗悪な工事に伴うがけ崩れ・土砂の流出による災害防止のための必要な規制を行うことによって、国民の生命・財産を保護することを目的とする。毎年1問の出題。「宅地造成等工事規制区域」を指定し、そこでの「宅地造成等に関する工事」については都道府県知事の許可が必要。許可を受ける必要がない場合でも「届出」をしなければならないことがある。そのほか、「特定盛土等規制区域」「造成宅地防災区域」での規制もある。

だからこう解く!! 厳選要点★ここを押さえろ

宅地造成等工事規制区域

- 宅地造成等工事規制区域は**都道府県知事**が指定
- 宅地造成等工事規制区域内での「宅地造成等に関する工事」については**都道府県知事**の**許可**が必要

宅地造成等に関する工事

- 宅地造成：**宅地以外の土地を宅地**にするための盛土など
- 特定盛土等：宅地又は農地等において行う盛土など

宅地造成等に関する工事となる規模（例）

- **切土**：高さ**2m超**のがけ発生
- **盛土**：高さ**1m超**のがけ発生
- 切土と盛土：あわせて2m超のがけ発生
- 切土や盛土をする面積が500㎡超

届出制度

- **21日以内**：宅地造成等工事規制区域指定の際、すでに宅地造成等に関する工事が行われていた場合（事後届出）
- **14日前**：宅地造成等工事規制区域内で「**2mを超える擁壁**」や「**排水施設**」を除却する工事を行おうとする場合（事前届出）
- 14日以内：宅地造成等工事規制区域内の公共施設用地を宅地又は農地等に転用した場合（事後届出）

宅地の保全等

- 宅地造成等工事規制区域内の土地の所有者などは土地を常時安全な状態に維持するよう**努めなければならない**
- 都道府県知事は、災害防止のため必要があるときは、所有者などに**勧告する**ことができる

造成宅地防災区域

- 宅地造成等工事規制区域**外**で指定
- 宅地造成等に伴う災害で相当数の居住者などに危害を生ずるものの発生のおそれが大きい一団の造成宅地が指定の対象

特定盛土等規制区域

- 宅地造成等工事規制区域**外**で指定
- 特定盛土等又は土石の堆積に伴う災害により居住者等の生命又は身体に危害を生ずるおそれが特に大きいと認められる区域が指定の対象

問題

問148

宅地造成及び特定盛土等規制法（以下この問において「法」という。）に関する次の記述のうち、誤っているものはどれか。なお、この問において「都道府県知事」とは、地方自治法に基づく指定都市又は中核市にあってはその長をいうものとする。 【平成28年 問20】

1　宅地造成等工事規制区域外に盛土によって造成された一団の造成宅地の区域において、造成された盛土の高さが５ｍ未満の場合は、都道府県知事は、当該区域を造成宅地防災区域として指定することができない。

2　宅地造成等工事規制区域内において、切土又は盛土をする土地の面積が600㎡である場合、その土地における排水施設は、政令で定める資格を有する者によって設計される必要はない。

3　宅地造成等工事規制区域内の土地において、高さが２ｍを超える擁壁を除却する工事を行おうとする者は、一定の場合を除き、その工事に着手する日の14日前までにその旨を都道府県知事に届け出なければならない。

4　宅地造成等工事規制区域内において、公共施設用地を宅地又は農地等に転用した者は、一定の場合を除き、その転用した日から14日以内にその旨を都道府県知事に届け出なければならない。

問149

宅地造成及び特定盛土等規制法に関する次の記述のうち、誤っているものはどれか。なお、この問において「都道府県知事」とは、地方自治法に基づく指定都市又は中核市にあってはその長をいうものとする。 【平成27年 問19】

1　都道府県知事は、宅地造成等工事規制区域内の土地について、宅地造成等に伴う災害を防止するために必要があると認める場合には、その土地の所有者に対して、擁壁等の設置等の措置をとることを勧告することができる。

2　宅地造成等工事規制区域の指定の際に、当該宅地造成等工事規制区域内において宅地造成等に関する工事を行っている者は、当該工事について改めて都道府県知事の許可を受けなければならない。

3　宅地造成等に関する工事の許可を受けた者が、工事施行者を変更する場合には、遅滞なくその旨を都道府県知事に届け出ればよく、改めて許可を受ける必要はない。

4　宅地造成等工事規制区域内において、宅地以外の土地を宅地にするために切土をする土地の面積が500㎡であって盛土が生じない場合、切土をした部分に生じる崖の高さが1.5ｍであれば、都道府県知事の許可は必要ない。

解説▶解答

問148 選択肢２の「600㎡」がニクい。「お、500㎡超じゃないか」との勘違いを狙ったヒッカケか。

1 × ５m未満であったとしても「造成宅地防災区域として指定することができない」とは限らない。なお、造成宅地防災区域としての指定基準として「盛土をした土地の面積が3,000㎡以上」とか「盛土をする前の地盤面が水平面に対し20度以上の角度をなし、かつ、盛土の高さが５m以上」などの基準があることはある。

2 ○ 600㎡だったら有資格者の設計でなくてもオッケー。「高さが５mを超える擁壁の設置」か「切土又は盛土をする土地の面積1,500㎡を超える土地における排水施設の設置」だったら有資格者の設計でなければならない。

3 ○ 「高さが２mを超える擁壁を除却する工事」だと、その工事に着手する日の「14日前」までに、都道府県知事に届出だよねー。

4 ○ 「公共施設用地を宅地又は農地等に転用」だと、その転用した日から「14日以内」に、都道府県知事に届出だよねー。

問149 宅地造成及び特定盛土等規制法は、毎年こんな感じの出題。オーソドックスな内容なので、この問題は正解してほしいと思います。

1 ○ その土地の所有者に対して、擁壁等の設置等の措置をとることを勧告することができます。

2 × この場合は宅地造成等工事規制区域の指定の日から21日以内での届出でオッケー。許可は受けない。

3 ○ 「工事施行者の変更」は軽微な変更となり、その旨の届出でオッケー。

4 ○ ジャスト500㎡の切土で、ガケの高さは1.5m。面積が500㎡超でもないし、ガケの高さも２m超でもない。となると、この切土につき宅地造成及び特定盛土等規制法上の許可は不要。

正解	
問148　1	問149　2

問題

問150

宅地造成及び特定盛土等規制法に関する次の記述のうち、誤っているものはどれか。なお、この問において「都道府県知事」とは、地方自治法に基づく指定都市又は中核市にあってはその長をいうものとする。

【平成26年 問19】

1　宅地造成等工事規制区域内において、宅地を宅地以外の土地にするために行われる切土であって、当該切土をする土地の面積が600㎡で、かつ、高さ3mの崖を生ずることとなるものに関する工事については、都道府県知事の許可は必要ない。

2　都道府県知事は、宅地造成等工事規制区域内において行われる宅地造成等に関する工事の許可に付した条件に違反した者に対して、その許可を取り消すことができる。

3　土地の占有者は、都道府県知事又はその命じた者若しくは委任した者が、宅地造成等工事規制区域の指定のために当該土地に立ち入って測量又は調査を行う場合、正当な理由がない限り、立入りを拒み、又は妨げてはならない。

4　宅地造成等工事規制区域内において行われる宅地造成等に関する工事の許可を受けた者は、国土交通省令で定める軽微な変更を除き、当該工事の計画を変更しようとするときは、遅滞なく、その旨を都道府県知事に届け出なければならない。

問151

宅地造成及び特定盛土等規制法に関する次の記述のうち、誤っているものはどれか。なお、この問において「都道府県知事」とは、地方自治法に基づく指定都市又は中核市にあってはその長をいうものとする。

【平成24年 問20】

1　宅地造成等工事規制区域内において行われる宅地造成等に関する工事が完了した場合、工事主は、都道府県知事の検査を申請しなければならない。

2　宅地造成等工事規制区域内において行われる宅地造成等に関する工事について許可をする都道府県知事は、当該許可に、工事の施行に伴う災害を防止するために必要な条件を付すことができる。

3　都道府県知事は、宅地造成等工事規制区域内における土地の所有者、管理者又は占有者に対して、当該土地又は当該土地において行われている工事の状況について報告を求めることができる。

4　都道府県知事は、宅地造成等工事規制区域内で、宅地造成等に伴う災害で相当数の居住者その他の者に危害を生ずるものの発生のおそれが大きい一団の造成宅地の区域であって一定の基準に該当するものを、造成宅地防災区域として指定することができる。

解説▶解答

問150 選択肢１の「宅地を宅地以外」を読み飛ばさなければ、なんとかなったんじゃないでしょうか。選択肢４については都道府県知事の許可（変更の許可）が必要です。

1 ○ 出たぁ～「宅地を宅地以外」。この場合は宅地造成には該当しないので、許可もへったくれもないでしょ。

2 ○ そのとおり。宅地造成等に関する工事の許可に付した条件に違反した者に対して、その許可を取り消すことができる。

3 ○ そのとおり。土地の占有者又は所有者は、正当な理由がない限り、立入りを拒み、又は妨げてはならない。

4 × 宅地造成等に関する工事の計画を変更しようとするときは、都道府県知事の許可（変更の許可）を受けなければならない。ただし軽微な変更であれば届出で足りる。この選択肢は「軽微な変更を除き」っていうことだから、許可を受けないとね。

問151 基本的な選択肢が並んでいます。復習するのにちょうどいいです。選択肢４の「造成宅地防災区域」は、宅地造成等工事規制区域に指定されていないところでの指定だったでしょ!!　楽勝で「×」、できたかな。

1 ○ はいそうです。宅地造成等に関する工事が完了した場合、工事主は、都道府県知事の検査を申請しなければなりません。

2 ○ そうそう。都道府県知事は、宅地造成等に関する工事の許可に、工事の施行に伴う災害を防止するために必要な条件を付すことができます。

3 ○ そのとおり。都道府県知事は、宅地造成等工事規制区域内における土地の所有者らに工事の状況について報告を求めることができます。

4 × だから「造成宅地防災区域」は「宅地造成等工事規制区域」には指定しないんだってばっ。

正解	
問150　4	問151　4

問題

問152 **宅地造成及び特定盛土等規制法（以下「法」という。）に関する次の記述のうち、誤っているものはどれか。なお、この問における都道府県知事とは、地方自治法に基づく指定都市又は中核市にあってはその長をいうものとする。**【平成20年 問22】

1　宅地造成等工事規制区域内において、森林を宅地にするために行う切土であって、高さ３ｍのがけを生ずることとなるものに関する工事を行う場合には、工事主は、都市計画法第29条第１項又は第２項の許可を受けて行われる当該許可の内容に適合した工事を除き、工事に着手する前に、都道府県知事の許可を受けなければならない。

2　宅地造成等工事規制区域内の土地において、高さが３ｍの擁壁の除却工事を行う場合には、法に基づく都道府県知事の許可が必要な場合を除き、あらかじめ都道府県知事に届け出なければならず、届出の期限は工事に着手する日の前日までとされている。

3　都道府県知事又はその命じた者若しくは委任した者は、宅地造成等工事規制区域又は造成宅地防災区域の指定のため測量又は調査を行う必要がある場合においては、その必要の限度において、他人の占有する土地に立ち入ることができる。

4　都道府県知事は、造成宅地防災区域内の造成宅地について、宅地造成等に伴う災害で、相当数の居住者その他の者に危害を生ずるものの防止のため必要があると認める場合は、その造成宅地の所有者のみならず、管理者や占有者に対しても、擁壁等の設置等の措置をとることを勧告することができる。

解説▶解答

選択肢１の「都市計画法第29条第１項又は第２項の許可を受けて行われる当該許可の内容に適合した工事」というのは、都市計画法上の開発許可を受けた工事という意味。

1 ○ 「森林⇒宅地」で切土で高さ２ｍ超のガケ。となればアンタ、工事主は、開発許可を受けている場合を除き、工事に着手する前に、都道府県知事の許可を受けなければいけませんがな。

2 × 選択肢の工事についての届出の期限はですね、工事に着手する日の14日前まで。「前日まで」じゃないんだなこれが。

3 ○ はいはい。選択肢のとおりです。

4 ○ 「造成宅地防災区域」とは、いうなれば「昔に造成された危ないエリア」です。都道府県知事は、所有者のみならず、管理者や占有者に対しても勧告することができる。ま、そりゃそうでしょ。

正　解	
問 152	2

問題

問153 **宅地造成及び特定盛土等規制法に関する次の記述のうち、誤っているものはどれか。なお、この問における都道府県知事とは、地方自治法に基づく指定都市又は中核市にあってはその長をいうものとする。**

【平成19年 問23】

1　都道府県知事は、宅地造成等工事規制区域内においても、宅地造成等に伴う災害で相当数の居住者に危害を生ずるもの（以下この問において「災害」という。）の発生のおそれが大きい一団の造成宅地の区域を造成宅地防災区域に指定することができる。

2　都道府県知事は、造成宅地防災区域について、当該区域の指定の事由がなくなったと認めるときは、その指定を解除することができる。

3　造成宅地防災区域内の造成宅地の所有者等は、災害が生じないよう、その造成宅地について擁壁の設置等の措置を講ずるよう努めなければならない。

4　都道府県知事は、造成宅地防災区域内の造成宅地について、災害の防止のため必要があると認める場合は、当該造成宅地の所有者等に対し、擁壁の設置等の措置をとることを勧告することができる。

解説▶解答

問153 「造成宅地防災区域」をメインで出題。

1 × 「造成宅地防災区域」は宅地造成等工事規制区域内の土地を除いて指定されます。

2 ○ そりゃそうでしょ。造成宅地防災区域なんだけど、指定の事由がなくなれば指定は解除されます。

3 ○ そう。この努力義務を怠っていると、勧告される。

4 ○ はい、そのとおりです。災害防止のため、宅地の所有者らに対し「擁壁を設置しなさい」などの勧告をすることができる。

正解	
問153	1

国土利用計画法

2025年版
合格しようぜ！
宅建士 基本テキスト

➡ Part2 法令上の制限
➡ 法令上の制限-6
➡ Section1　国土利用計画法
➡ P351～P362

「国土利用計画法」が出題されればぜひ得点してほしい。過去に出題された内容での「繰り返し」が多い。がしかし、平成29年度・26年度・25年度では丸々1問の出題ではなく、「その他法令制限」として選択肢の1つとしての出題に留まった。そもそもは「地価高騰の抑制を図る」ための法律であり、土地売買等の契約につき「事前届出制度」や「許可制度」を用意し、目に余る投機的取引に対し、取引の中止などを勧告するというしくみだったが、近年の状況をふまえ、改正により「事後届出制度」が導入されるに至った。試験での出題も「事後届出制度」が主流。

だからこう解く!! 厳選要点★ここを押さえろ

土地売買等の契約

- 売買契約、**売買の予約**、停止条件付の売買契約、**交換**など
- **権利金**の授受のある土地賃貸借契約（借地契約）

土地売買等の契約にならないもの

- 贈与、相続、時効取得、抵当権の設定など
- 権利金の授受がない土地賃貸借契約

事後届出制度

- **権利取得者**（買主など）が契約後**2週間以内**に届出
- 届出先は**都道府県知事**
- 届出しない、虚偽の届出には**罰則**有

届出対象面積

- 市街化区域：**2,000㎡**以上
- 市街化調整区域など：**5,000㎡**以上
- 都市計画区域外：**10,000㎡**以上

事後届出が不要となる場合

- **国**や**都道府県**などが相手の場合
- 農地の取引（農地法第3条の許可対象）
- 抵当権の実行（競売）など

事後届出の届出事項

- 当事者の氏名・住所
- 契約締結した年月日
- 土地の所在・面積
- 土地売買等の契約に係る土地に関する権利の種別及び内容
- 土地の利用目的
- **対価の額**

都道府県知事の勧告

- 「**土地の利用目的**」につき変更すべきなどの勧告をすることができる
- 事後届出があった日から「3週間以内」にしなければならない
- 勧告を受けた者が勧告に従わないときは、その旨及びその勧告の内容を公表することができる

問題

問154 国土利用計画法第23条に規定する届出（以下この問において「事後届出」という。）に関する次の記述のうち、正しいものはどれか。

【平成28年 問15】

1　市街化区域内の土地（面積2,500㎡）を購入する契約を締結した者は、その契約を締結した日から起算して３週間以内に事後届出を行わなければならない。

2　Ａが所有する監視区域内の土地（面積10,000㎡）をＢが購入する契約を締結した場合、Ａ及びＢは事後届出を行わなければならない。

3　都市計画区域外に所在し、一団の土地である甲土地（面積6,000㎡）と乙土地（面積5,000㎡）を購入する契約を締結した者は、事後届出を行わなければならない。

4　市街化区域内の甲土地（面積3,000㎡）を購入する契約を締結した者が、その契約締結の１月後に甲土地と一団の土地である乙土地（面積4,000㎡）を購入することとしている場合においては、甲土地の事後届出は、乙土地の契約締結後に乙土地の事後届出と併せて行うことができる。

問155 国土利用計画法第23条の事後届出（以下この問において「事後届出」という。）に関する次の記述のうち、正しいものはどれか。

【平成27年 問21】

1　都市計画区域外においてＡが所有する面積12,000㎡の土地について、Ａの死亡により当該土地を相続したＢは、事後届出を行う必要はない。

2　市街化区域においてＡが所有する面積3,000㎡の土地について、Ｂが購入した場合、Ａ及びＢは事後届出を行わなければならない。

3　市街化調整区域に所在する農地法第３条第１項の許可を受けた面積6,000㎡の農地を購入したＡは、事後届出を行わなければならない。

4　市街化区域に所在する一団の土地である甲土地（面積1,500㎡）と乙土地（面積1,500㎡）について、甲土地については売買によって所有権を取得し、乙土地については対価の授受を伴わず賃借権の設定を受けたＡは、事後届出を行わなければならない。

解説▶解答

問154 選択肢4がおもしろい。両方あわせての事後届出でもよさそうな雰囲気。上手なヒッカケ。

1 × 市街化区域で2,000㎡以上の土地だから、事後届出が必要なんだけど、3週間以内じゃないよねー。2週間以内だよねー。

2 × ひさびさに登場の「監視区域」だけど、監視区域内での土地売買等の契約については事後届出じゃないよねー。事前届出だよねー。

3 ○ 都市計画区域外では10,000㎡以上の土地について、事後届出が必要。で、甲土地（6,000㎡）と乙土地（5,000㎡）は一団の土地（買いの一団）となり、合計面積が11,000㎡なので、事後届出が必要だよねー。

4 × 市街化区域内で2,000㎡以上の土地を購入しているんだから、契約締結後2週間以内に事後届出が必要。1月後に乙土地と併せての事後届出では遅いよねー。

問155 選択肢1の相続。まいどおなじみでこれが正解肢。選択肢3は農地法第3条の許可、選択肢4は権利金のない借地契約。いずれも届出不要。

1 ○ まいどおなじみの相続。相続は土地売買等の契約に該当しないので、事後届出を行う必要なし。

2 × 市街化区域で3,000㎡の土地の売買なので事後届出の対象となるんだけど、事後届出をしなければならないのは権利取得者であるB。Aはカンケーなし。

3 × おっと農地法第3条の許可。市街化調整区域で6,000㎡の売買だから事後届出の対象となるんだけど、農地法第3条の許可を受けた場合は届出不要。

4 × 「対価の授受を伴わず賃借権の設定（権利金のない借地契約）」は土地売買等の契約に該当しないでしょ。なので事後届出は不要。甲土地の面積が2,000㎡未満なので、こちらは売買ですけど事後届出は不要。

正解	
問154 3	問155 1

問題

問156

国土利用計画法第23条の都道府県知事への届出（以下この問において「事後届出」という。）に関する次の記述のうち、正しいものはどれか。

【平成22年 問15】

1　宅地建物取引業者Ａが、自ら所有する市街化区域内の5,000㎡の土地について、宅地建物取引業者Ｂに売却する契約を締結した場合、Ｂが契約締結日から起算して２週間以内に事後届出を行わなかったときは、Ａ及びＢは６月以下の懲役又は100万円以下の罰金に処せられる場合がある。

2　事後届出に係る土地の利用目的について、甲県知事から勧告を受けた宅地建物取引業者Ｃは、甲県知事に対し、当該土地に関する権利を買い取るべきことを請求することができる。

3　乙市が所有する市街化調整区域内の10,000㎡の土地と丙市が所有する市街化区域内の2,500㎡の土地について、宅地建物取引業者Ｄが購入する契約を締結した場合、Ｄは事後届出を行う必要はない。

4　事後届出に係る土地の利用目的について、丁県知事から勧告を受けた宅地建物取引業者Ｅが勧告に従わなかった場合、丁県知事は、その旨及びその勧告の内容を公表しなければならない。

問157

国土利用計画法第23条に基づく都道府県知事への届出（以下この問において「事後届出」という。）に関する次の記述のうち、正しいものはどれか。

【平成20年 問17】

1　宅地建物取引業者Ａが所有する市街化区域内の1,500㎡の土地について、宅地建物取引業者Ｂが購入する契約を締結した場合、Ｂは、その契約を締結した日から起算して２週間以内に事後届出を行わなければならない。

2　甲市が所有する市街化調整区域内の12,000㎡の土地について、宅地建物取引業者Ｃが購入する契約を締結した場合、Ｃは、その契約を締結した日から起算して２週間以内に事後届出を行わなければならない。

3　個人Ｄが所有する市街化調整区域内の6,000㎡の土地について、宅地建物取引業者Ｅが購入する契約を締結した場合、Ｅは、その契約を締結した日から起算して２週間以内に事後届出を行わなければならない。

4　個人Ｆが所有する都市計画区域外の30,000㎡の土地について、その子Ｇが相続した場合、Ｇは、相続した日から起算して２週間以内に事後届出を行わなければならない。

解説▶解答

問156 選択肢１はよく読まないとＡを読み飛ばすかも。

1 × えーとですね、そもそも事後届出は権利を取得したほう（Ｂ）が、契約締結日から起算して２週間以内に事後届出を行わなければならないもんでしょ。で、それをＢが怠った場合、Ｂは６月以下の懲役又は100万円以下の罰金に処せられる場合があるけど、Ａは罰則を受けません。

2 × 事後届出をして勧告を受けたとしても、都道府県知事への権利の買取請求などできません。

3 ○ そのとおり。当事者の一方又は双方が国、地方公共団体である場合、事後届出は不要です。

4 × 「公表することができる」です。「公表しなければならない」ではありません。

問157 ま、フツーに勉強していれば楽勝の問題。出題者さん、ありがとう。受験勉強の仕上げとして、復習するのにちょうどいい問題ですね。

1 × 市街化区域内においては、2,000㎡未満の土地について土地売買等の契約を締結したとしても、事後届出は不要です。事後届出が必要となる土地の面積は、市街化区域では2,000㎡以上、市街化調整区域や区域区分の定めのない都市計画区域では5,000㎡以上、準都市計画区域や都市計画区域外では10,000㎡以上。数字のアタマをとってのゴロあわせ「にごじゅう」で覚えておいてくださいねー。

2 × これも楽勝。まいどありがとうございます。土地売買等の契約を締結した当事者の一方または双方が国、地方公共団体などである場合には、事後届出は不要で〜す。

3 ○ えーと、「市街化調整区域」ですと、5,000㎡以上の土地について土地売買等の契約を締結した場合、買主はですね、事後届出をしなきゃいけません。で、いつまでに届け出るかというと、２週間以内。

4 × 都市計画区域外で30,000㎡ときたかぁ〜。たしかに10,000㎡以上だぁ〜。でもね、相続の場合はですね、「土地売買等の契約」には該当しませんので事後届出は不要です。

正解			
問156	3	問157	3

第1章 宅建業法
第2章 法令上の制限
第3章 権利関係
第4章 その他

問題

問158

国土利用計画法第23条の届出（以下この問において「事後届出」という。）に関する次の記述のうち、正しいものはどれか。なお、この問において「都道府県知事」とは、地方自治法に基づく指定都市にあってはその長をいうものとする。 【令和4年 問22】

1　都市計画区域外において、A市が所有する面積15,000㎡の土地を宅地建物取引業者Bが購入した場合、Bは事後届出を行わなければならない。

2　事後届出において、土地売買等の契約に係る土地の土地に関する権利の移転又は設定の対価の額については届出事項ではない。

3　市街化区域を除く都市計画区域内において、一団の土地である甲土地（C所有、面積3,500㎡）と乙土地（D所有、面積2,500㎡）を宅地建物取引業者Eが購入した場合、Eは事後届出を行わなければならない。

4　都道府県知事は、土地利用審査会の意見を聴いて、事後届出をした者に対し、当該事後届出に係る土地の利用目的について必要な変更をすべきことを勧告することができ、勧告を受けた者がその勧告に従わない場合、その勧告に反する土地売買等の契約を取り消すことができる。

問159

国土利用計画法第23条の届出（以下この問において「事後届出」という。）に関する次の記述のうち、正しいものはどれか。 【令和元年 問22】

1　宅地建物取引業者Aが、自己の所有する市街化区域内の2,000㎡の土地を、個人B、個人Cに1,000㎡ずつに分割して売却した場合、B、Cは事後届出を行わなければならない。

2　個人Dが所有する市街化区域内の3,000㎡の土地を、個人Eが相続により取得した場合、Eは事後届出を行わなければならない。

3　宅地建物取引業者Fが所有する市街化調整区域内の6,000㎡の一団の土地を、宅地建物取引業者Gが一定の計画に従って、3,000㎡ずつに分割して購入した場合、Gは事後届出を行わなければならない。

4　甲市が所有する市街化調整区域内の12,000㎡の土地を、宅地建物取引業者Hが購入した場合、Hは事後届出を行わなければならない。

解説▶解答

問158 相変わらずの、意味があるんだかないんだかよくわからん国土利用計画法の事後届出。対価の額も届出事項だし、勧告に従わないからといって土地売買等の契約を取り消すことなんかできやしない。出題内容はどうしてもくだらなくなるけど、得点できるから国土利用計画法は出題し続けてくださいね〜。

1 × 売主がA市だもんね。当事者の一方又は双方が国等だったら、事後届出は不要だ。

2 × 「対価の額」も届出事項だ。「事後届出」だから対価の額なんて届け出ても意味ないと思うんだけどね。

3 ○ 「市街化区域を除く都市計画区域内」だから一団の土地の面積が5,000㎡以上となるんだったら事後届出だ。一団の土地となる甲土地3,500㎡と乙土地2,500㎡を購入ということだから、事後届出が必要だ。

4 × 土地の利用目的に関する勧告に従わなかった場合、都道府県知事はなにができるかというと「その旨及びその勧告の内容を公表することができる」に留まる。

問159 「市街化区域」「相続」「一団の土地（買いの一団）」「甲市」と、いずれもどこかで見たような選択肢。国土利用計画法は、もはや誰がどうやっても新鮮味は出せない…（涙）。

1 × 市街化区域内だと「2,000㎡以上」で事後届出が必要。BもCも1,000㎡だから、事後届出を行う必要なし。

2 × 相続は土地売買等の契約に該当しないので、事後届出を行う必要なし。

3 ○ 市街化調整区域では5,000㎡以上の土地について、事後届出が必要。で、「一定の計画に従って、3,000㎡ずつに分割して購入」となると一団の土地（買いの一団）となり、合計面積が6,000㎡なので、事後届出が必要となるよねー。

4 × 甲市が売主。当事者の一方が市（国等）であるため、事後届出を行う必要なし。

正解	
問158 3	問159 3

土地区画整理法

2025年版
合格しようぜ！
宅建士 基本テキスト

➡ Part2 法令上の制限
➡ 法令上の制限-7
➡ Section1　土地区画整理法
➡ P364～P377

ここはこう出る!!

「土地区画整理法」は毎年1問の出題。土地区画整理事業とは、都市計画区域内の土地について、公共施設の整備改善と宅地の利用の増進を図るため、土地区画整理法の定めるところに従って行われる事業をいう。土地の区画形質の変更（区画整理）と道路や公園などの公共施設の新設・変更により良好な市街地を形成していくことを目的としており、「土地区画整理組合」「減歩」「保留地」「換地計画」「仮換地」「換地処分」などの専門用語が登場するが、基本パターンの繰り返しの出題が多い。

だからこう解く!! 厳選要点★ここを押さえろ

施行者

- 民間施行：個人施行者、**土地区画整理組合**など→**都市計画区域内**ならどこでも施行できる
- 公的施行：地方公共団体、都市再生機構など

*公的施行の場合、「土地区画整理審議会」が設置される

土地区画整理組合

- 設立：宅地の所有者・借地権者の**7人**以上共同して、定款・事業計画を定める
- 認可：設立について都道府県知事の**認可**を受けなければならない。解散についても**認可**がいる
- 組合員：施行地区内の宅地について所有権・借地権を有する者はすべて**組合員**となる

都道府県知事の許可

土地区画整理事業の施行地区内において

- 土地の形質の変更
- 建築物・工作物の新築、改築、増築
- 重量5トンを超える物件（移動の容易でない物件）の設置、堆積

*都道府県知事のほか、国土交通大臣、市長が許可する場合もある

仮換地の指定

- 従前の宅地は使用収益できない
- 指定された**仮換地**を使用収益する

*権利関係は換地処分で確定

換地処分

- 関係権利者に**通知**してする
- 土地区画整理組合などの施行者は、都道府県知事に届け出なければならない
- 都道府県知事は、換地処分の届出があったときは、換地処分の公告をする

換地処分の公告があった翌日

- 換地が従前の宅地とみなされる（仮換地が換地となる）
- 清算金が確定する（徴収・交付が行われる）
- **施行者**が**保留地**を取得する
- 新設された公共施設は、原則として**市町村**の管理に属する
- 新設された公共施設用地は、管理者に帰属する
- 従前の宅地について存した地役権以外の権利（抵当権や借地権など）は、換地に移行する

問題

問160

土地区画整理法に関する次の記述のうち、誤っているものはどれか。なお、この問において「組合」とは、土地区画整理組合をいう。

【平成29年 問21】

1　組合は、事業の完成により解散しようとする場合においては、都道府県知事の認可を受けなければならない。

2　施行地区内の宅地について組合員の有する所有権の全部又は一部を承継した者がある場合においては、その組合員がその所有権の全部又は一部について組合に対して有する権利義務は、その承継した者に移転する。

3　組合を設立しようとする者は、事業計画の決定に先立って組合を設立する必要があると認める場合においては、7人以上共同して、定款及び事業基本方針を定め、その組合の設立について都道府県知事の認可を受けることができる。

4　組合が施行する土地区画整理事業に係る施行地区内の宅地について借地権のみを有する者は、その組合の組合員とはならない。

問161

土地区画整理法に関する次の記述のうち、誤っているものはどれか。

【平成28年 問21】

1　施行者は、換地処分を行う前において、換地計画に基づき換地処分を行うため必要がある場合においては、施行地区内の宅地について仮換地を指定することができる。

2　仮換地が指定された場合においては、従前の宅地について権原に基づき使用し、又は収益することができる者は、仮換地の指定の効力発生の日から換地処分の公告がある日まで、仮換地について、従前の宅地について有する権利の内容である使用又は収益と同じ使用又は収益をすることができる。

3　施行者は、仮換地を指定した場合において、特別の事情があるときは、その仮換地について使用又は収益を開始することができる日を仮換地の指定の効力発生日と別に定めることができる。

4　土地区画整理組合の設立の認可の公告があった日後、換地処分の公告がある日までは、施行地区内において、土地区画整理事業の施行の障害となるおそれがある土地の形質の変更を行おうとする者は、当該土地区画整理組合の許可を受けなければならない。

解説▶解答

問160 この土地区画整理法は得点して欲しいな〜。選択肢３は解説をご参照ください。

1 ○ 事業の完成のほか、総会の議決や定款で定めた解散事由の発生などにより組合を解散させる場合、都道府県知事の認可が必要でーす。

2 ○ 施行地区内の宅地の所有権の全部又は一部を承継したら、おなじく権利義務も承継しまーす。

3 ○ 組合を設立しようとする者は、7人以上共同して、定款及び「事業計画」を定め、その組合の設立について都道府県知事の認可を受けなければならない。で、「事業計画」の決定に先立って組合を設立する必要があると認める場合においては、定款及び「事業基本方針」を定め、その組合の設立について都道府県知事の認可を受けることができる。

4 × 施行地区内の宅地の所有者だけではなく、借地権者も組合員となるよー。

問161 選択肢４の「土地区画整理組合の許可」。速攻で「×」を!!

1 ○ そうそう。土地区画整理事業の施行者は、換地処分を行う前において、必要がある場合には、仮換地を指定することができまぁーす。

2 ○ これもそうだよね。指定された仮換地を使用又は収益することになりまーす。

3 ○ 仮換地に使用・収益の障害となる物件が存するなどの特別な事情があるときは、仮換地について使用・収益を開始することができる日を別に定めることができる。

4 × 「都道府県知事の許可」でーす。「土地区画整理組合の許可」じゃありませーん。

正解			
問160	4	問161	4

問題

問162 土地区画整理法に関する次の記述のうち、誤っているものはどれか。

【平成27年 問20】

1　仮換地の指定は、その仮換地となるべき土地の所有者及び従前の宅地の所有者に対し、仮換地の位置及び地積並びに仮換地の指定の効力発生の日を通知してする。

2　施行地区内の宅地について存する地役権は、土地区画整理事業の施行により行使する利益がなくなった場合を除き、換地処分があった旨の公告があった日の翌日以後においても、なお従前の宅地の上に存する。

3　換地計画において定められた保留地は、換地処分があった旨の公告があった日の翌日において、施行者が取得する。

4　土地区画整理事業の施行により生じた公共施設の用に供する土地は、換地処分があった旨の公告があった日の翌日において、すべて市町村に帰属する。

問163 土地区画整理法に関する次の記述のうち、正しいものはどれか。

【平成26年 問20】

1　施行者は、宅地の所有者の申出又は同意があった場合においては、その宅地を使用し、又は収益することができる権利を有する者に補償をすれば、換地計画において、その宅地の全部又は一部について換地を定めないことができる。

2　施行者は、施行地区内の宅地について換地処分を行うため、換地計画を定めなければならない。この場合において、当該施行者が土地区画整理組合であるときは、その換地計画について市町村長の認可を受けなければならない。

3　関係権利者は、換地処分があった旨の公告があった日以降いつでも、施行地区内の土地及び建物に関する登記を行うことができる。

4　土地区画整理事業の施行により公共施設が設置された場合においては、その公共施設は、換地処分があった旨の公告があった日の翌日において、原則としてその公共施設の所在する市町村の管理に属することになる。

解説▶解答

問162 選択肢４は、たぶん一瞬、「○」だと思ってしまう。選択肢１～３は、そこそこオーソドックスな内容でありました。

1 ○ 「仮換地となるべき土地の所有者及び従前の宅地の所有者に対し、仮換地の位置及び地積並びに仮換地の指定の効力発生の日を通知」という段取り。

2 ○ 施行地区内の宅地について存する地役権は、換地処分があった旨の公告があった日の翌日以後においても、なお従前の宅地の上に存する。なお、土地区画整理事業の施行により行使する利益がなくなった場合は消滅。

3 ○ 保留地は、換地処分があった旨の公告があった日の翌日において、施行者が取得しまーす。

4 × 公共施設の用に供する土地は、換地処分があった旨の公告があった日の翌日において、その公共施設を管理すべき者に帰属する。必ずしも市町村に帰属するとは限りませーん。

問163 選択肢２の「市町村長の認可」っていうのがちょっと違和感あるでしょ。

1 × 宅地の所有者の申出又は同意があった場合、換地計画において、その宅地の全部又は一部について換地を定めないことができるんだけど、「換地を定めない宅地」を使用収益している借地権者などの権利者がいるときは、彼らから、換地を定めないことについての「同意」を得なければならない。単に補償すればよいということじゃないです。

2 × 土地区画整理組合は、その換地計画について都道府県知事の認可を受けなければならない。「市町村長の認可」じゃないです。

3 × 施行地区内の土地及び建物に関する登記は関係権利者じゃなくて施行者が行う。施行者は、換地処分の公告があった場合において、施行地区内の土地及び建物について土地区画整理事業の施行により変動があったときは、遅滞なく、その変動に係る登記を申請し、又は嘱託しなければならない。

4 ○ そのとおり。土地区画整理事業の施行により設置された公共施設は、原則として、換地処分があった旨の公告があった日の翌日において、その公共施設の所在する市町村の管理に属する。

正解	
問162 4	問163 4

問題

土地区画整理法における土地区画整理組合に関する次の記述のうち、誤っているものはどれか。　【平成24年 問21】

1　土地区画整理組合は、総会の議決により解散しようとする場合において、その解散について、認可権者の認可を受けなければならない。

2　土地区画整理組合は、土地区画整理事業について都市計画に定められた施行区域外において、土地区画整理事業を施行することはできない。

3　土地区画整理組合が施行する土地区画整理事業の換地計画においては、土地区画整理事業の施行の費用に充てるため、一定の土地を換地と定めないで、その土地を保留地として定めることができる。

4　土地区画整理組合が施行する土地区画整理事業に係る施行地区内の宅地について所有権又は借地権を有する者は、すべてその組合の組合員とする。

土地区画整理法に関する次の記述のうち、誤っているものはどれか。　【平成21年 問21】

1　土地区画整理事業の施行者は、換地処分を行う前において、換地計画に基づき換地処分を行うため必要がある場合においては、施行地区内の宅地について仮換地を指定することができる。

2　仮換地が指定された場合においては、従前の宅地について権原に基づき使用し、又は収益することができる者は、仮換地の指定の効力発生の日から換地処分の公告がある日まで、仮換地について、従前の宅地について有する権利の内容である使用又は収益と同じ使用又は収益をすることができる。

3　土地区画整理事業の施行者は、施行地区内の宅地について換地処分を行うため、換地計画を定めなければならない。この場合において、当該施行者が土地区画整理組合であるときは、その換地計画について都道府県知事及び市町村長の認可を受けなければならない。

4　換地処分の公告があった場合においては、換地計画において定められた換地は、その公告があった日の翌日から従前の宅地とみなされ、換地計画において換地を定めなかった従前の宅地について存する権利は、その公告があった日が終了した時において消滅する。

解説▶解答

問164 選択肢１の組合の解散。解散についても認可が必要です。

1 ○ 土地区画整理組合を解散する場合も手続きが必要で、「総会の議決」で解散しようとする場合は都道府県知事（認可権者）の認可が必要。「勝手に解散しちゃおうぜ」みたいなことはできない。

2 × 地方公共団体などの施行（公的施行）の場合は、都市計画決定した施行区域でなければ土地区画整理事業はできないんだけど、土地区画整理組合などの民間施行であれば、施行区域外でも土地区画整理事業を施行することができます。

3 ○ そのとおり。土地区画整理事業の費用に充てるため、保留地を定めることができます。みなさん買ってくださぁーい。高く売れるといーなぁー。

4 ○ そうそう。みんな組合員。土地区画整理組合が施行する土地区画整理事業にあっては、施行地区内の宅地の所有者又は借地権者はすべて組合員となりまぁーす。

問165 たまに変なところから出題してくる土地区画整理法ですが、今回はまともなところからの出題でなにより。っていうか、選択肢１、２、４は定番中の定番ですが。

1 ○ そのとおり。換地処分を行う前に、仮換地を指定することができまぁーす。

2 ○ そうそう。仮換地のほうを使ってねぇー。

3 × 施行者は、施行地区内の宅地について換地処分を行うため、換地計画を定めなければならないんだけど、施行者が土地区画整理組合であるときは、その換地計画について都道府県知事の認可を受けなければならない。市町村長はお呼びでない。

4 ○ はいそのとおり。換地処分の公告があると、いろんなことが確定しまぁーす。

正解	
問164 2	問165 3

問題

土地区画整理法における仮換地指定に関する次の記述のうち、誤っているものはどれか。【平成20年 問23】

1　土地区画整理事業の施行者である土地区画整理組合が、施行地区内の宅地について仮換地を指定する場合、あらかじめ、土地区画整理審議会の意見を聴かなければならない。

2　土地区画整理事業の施行者は、仮換地を指定した場合において、必要があると認めるときは、仮清算金を徴収し、又は交付することができる。

3　仮換地が指定された場合においては、従前の宅地について権原に基づき使用し、又は収益することができる者は、仮換地の指定の効力発生の日から換地処分の公告がある日まで、仮換地について、従前の宅地について有する権利の内容である使用又は収益と同じ使用又は収益をすることができる。

4　仮換地の指定を受けた場合、その処分により使用し、又は収益することができる者のなくなった従前の宅地は、当該処分により当該宅地を使用し、又は収益することができる者のなくなった時から、換地処分の公告がある日までは、施行者が管理するものとされている。

次の記述のうち、土地区画整理法の規定及び判例によれば、誤っているものはどれか。【令和4年 問20】

1　土地区画整理組合の設立の認可の公告があった日以後、換地処分の公告がある日までは、施行地区内において、土地区画整理事業の施行の障害となるおそれがある建築物の新築を行おうとする者は、土地区画整理組合の許可を受けなければならない。

2　土地区画整理組合は、定款に別段の定めがある場合においては、換地計画に係る区域の全部について工事が完了する以前においても換地処分をすることができる。

3　仮換地を指定したことにより、使用し、又は収益することができる者のなくなった従前の宅地については、当該宅地を使用し、又は収益することができる者のなくなった時から換地処分の公告がある日までは、施行者が当該宅地を管理する。

4　清算金の徴収又は交付に関する権利義務は、換地処分の公告によって換地についての所有権が確定することと併せて、施行者と換地処分時点の換地所有者との間に確定的に発生するものであり、換地処分後に行われた当該換地の所有権の移転に伴い当然に移転する性質を有するものではない。

解説▶解答

問166 **そこそこいい問題じゃないでしょうか。選択肢1。土地区画整理組合(民間施行)だから、土地区画整理審議会は出てこないもんね。**

1 × 土地区画整理組合が仮換地を指定する場合はですね、総会(部会・総代会)の同意を得なければなりません。民間施行なので、土地区画整理審議会うんぬんはカンケーなし。

2 ○ 仮換地を指定した場合、仮清算金を徴収し、または交付することができます。

3 ○ そのとおり。仮換地が指定されましたら、これからは仮換地のほうをお使いください。

4 ○ 仮換地の指定に伴い、「使用収益することができる者のなくなった従前の宅地」が発生したときは、「換地処分の公告がある日までは、施行者が管理する」。

問167 **選択肢1。はいはいどうもありがとうございます。これが「誤」で正解肢。全員正解しちゃうね～(笑)。選択肢4。清算金の徴収又は交付に関する権利義務の帰属先。たとえば「誰に清算金が交付されるのか」とか。「換地処分時点の換地所有者との間で確定」というのが判例。**

1 × だから国土交通大臣か都道府県知事等の許可でしょ(笑)。民間人のおっさんたち(所有者とか借地権者)が作った土地区画整理組合が法的な許可を出すなんて、変だろ。

2 ○ 規準、規約、定款などに別段の定めがある場合にあれば、換地計画に係る区域の全部について工事が完了する以前においても換地処分をすることができる。

3 ○ 仮換地に指定されない土地。まぁ誰かが管理しなきゃね。換地処分の公告がある日までは、施行者が当該宅地を管理する。

4 ○ 「換地処分後に行われた当該換地の所有権の移転」という局面もあろうが、清算金の徴収又は交付に関する権利義務は「換地処分時点の換地所有者との間で確定」だ。

正解	
問166 1	問167 1

第1章 宅建業法
第2章 法令上の制限
第3章 権利関係
第4章 その他

農地法

2025年版
合格しようぜ！
宅建士 基本テキスト

➡ Part2 法令上の制限
➡ 法令上の制限-7
➡ Section2　農地法
➡ P378～P386

ここはこう出る!!

「農地法」は得点源とすべき。農地法第3条の許可（農地を耕作目的で売買）、第4条の許可（農地を自己転用）、農地法第5条の許可（農地を転用目的で売買）が繰り返し出題されている。転用系（第4条と第5条）の場合、市街化区域内の農地であれば農業委員会への届出で足りる。農地の定義もよく出題される。登記簿上の地目が原野や山林などであっても、耕作されていれば農地となる。現況で判断する。また、農地に抵当権を設定する場合は許可不要だが、落札にあたっては許可が必要となる。

だからこう解く!! 厳選要点★ここを押さえろ

農地の定義

- 登記簿上の地目は関係しない
- 現に耕作されていれば農地

農地法第3条の許可

- 農地を農地として売買・賃貸など
- 採草放牧地を採草放牧地として売買・賃貸など
- **農業委員会**の許可
- 市街化区域内の農地であっても許可(届出ではない)
- 農地や採草放牧地のすべてを効率的に利用して耕作や養畜の事業を行うと認められない場合は不許可になる
- 農地所有適格法人以外の法人が所有権を取得しようとする場合は不許可となる(貸借はOK)
- 競売は許可必要
- 抵当権設定は許可不要

農地法第4条の許可

- 農地を自己転用(売買などではない)
- **都道府県知事等**の許可
- **市街化区域内**の農地であれば、農業委員会への届出でOK

＊農地のみ許可制度の対象。採草放牧地の自己転用は対象外

農地法第5条の許可

- 農地を農地以外にするための売買・賃貸など
- 採草放牧地を採草放牧地以外にするための売買・賃貸など
- **都道府県知事等**の許可
- **市街化区域内**の農地・採草放牧地であれば、農業委員会の届出でOK
- 一時使用でも許可が必要

相続により農地(採草放牧地)を取得した場合

- 農地法第3条の許可は**不要**
- 相続で取得したことにつき**農業委員会**への**届出**が必要

＊農業委員会は、農地(採草放牧地)が適正かつ効率的な利用が図られないおそれがあると認めるときは、所有権の移転などのあっせんその他の措置を講ずる

問題

問168　農地に関する次の記述のうち、農地法（以下この問において「法」という。）の規定によれば、正しいものはどれか。　【平成29年 問15】

1　市街化区域内の農地を耕作のために借り入れる場合、あらかじめ農業委員会に届出をすれば、法第３条第１項の許可を受ける必要はない。

2　市街化調整区域内の４ヘクタールを超える農地について、これを転用するために所有権を取得する場合、農林水産大臣の許可を受ける必要がある。

3　銀行から500万円を借り入れるために農地に抵当権を設定する場合、法第３条第１項又は第５条第１項の許可を受ける必要がある。

4　相続により農地の所有権を取得した者は、遅滞なく、その農地の存する市町村の農業委員会にその旨を届け出なければならない。

問169　農地に関する次の記述のうち、農地法（以下この問において「法」という。）の規定によれば、正しいものはどれか。　【平成28年 問22】

1　相続により農地を取得する場合は、法第３条第１項の許可を要しないが、相続人に該当しない者に対する特定遺贈により農地を取得する場合も、同項の許可を受ける必要はない。

2　法第２条第３項の農地所有適格法人の要件を満たしていない株式会社は、耕作目的で農地を借り入れることはできない。

3　法第３条第１項又は法第５条第１項の許可が必要な農地の売買について、これらの許可を受けずに売買契約を締結しても、その所有権の移転の効力は生じない。

4　農業者が、市街化調整区域内の耕作しておらず遊休化している自己の農地を、自己の住宅用地に転用する場合、あらかじめ農業委員会へ届出をすれば、法第４条第１項の許可を受ける必要がない。

解説▶解答

問168 この農地法は得点してほしいなー。選択肢1とか、ヒッカケだけどだいじょうぶでしょ。

1 × 出ましたヒッカケ。農地を耕作目的での借り入れ。市街化区域であっても農地法第3条の許可でしょ。届出じゃないよね。

2 × 市街化調整区域の農地を転用目的で取得。農地法第5条の許可。面積にかかわりなく都道府県知事等の許可だよね。農林水産大臣じゃないです。

3 × おっと抵当権。抵当権の設定については、農地法上の許可はいらないでしょ。

4 ○ 相続で農地の所有権を取得。この場合、農地法第3条の許可はいらないけど、「相続で取得しましたよ」という意味合いの届出が必要。農業委員会に届け出てくださいねー。

問169 選択肢4。「耕作しておらず遊休化している」としても「農地」と書いてあるので、農地法上の農地として考えるべし。

1 × うわ、まちがえそう。「相続人に対する特定遺贈（例：この農地を遺贈します）」だったら農地法第3条の許可は不要なんだけど、「相続人に該当しない者に対する特定遺贈」だと農地法第3条の許可が必要なのよ。

2 × 農地所有適格法人以外の株式会社でも、農地を借り入れることはできまーす。農地の所有は認められていませんが。

3 ○ そのとおり。農地法第3条や第5条の許可を受けずにした売買契約は無効だよ。なので所有権移転の効力は生じませーん。

4 × 「市街化区域内」じゃなくて「市街化調整区域」だもんね。農地法第4条の許可が必要でーす。市街化区域内だったら農業委員会への届出でオッケーなんだけどね。

正解	
問168 4	問169 3

問題

農地に関する次の記述のうち、農地法(以下この問において「法」という。)の規定によれば、正しいものはどれか。 【平成27年 問22】

1　市街化区域内の農地を耕作目的で取得する場合には、あらかじめ農業委員会に届け出れば、法第3条第1項の許可を受ける必要はない。

2　農業者が自己所有の市街化区域外の農地に賃貸住宅を建設するため転用する場合は、法第4条第1項の許可を受ける必要はない。

3　農業者が自己所有の市街化区域外の農地に自己の居住用の住宅を建設するため転用する場合は、法第4条第1項の許可を受ける必要はない。

4　農業者が住宅の改築に必要な資金を銀行から借りるため、市街化区域外の農地に抵当権の設定が行われ、その後、返済が滞ったため当該抵当権に基づき競売が行われ第三者が当該農地を取得する場合であっても、法第3条第1項又は法第5条第1項の許可を受ける必要がある。

農地法(以下この問において「法」という。)に関する次の記述のうち、正しいものはどれか。 【平成26年 問21】

1　農地について法第3条第1項の許可があったときは所有権が移転する旨の停止条件付売買契約を締結し、それを登記原因とする所有権移転の仮登記を申請する場合には、その買受人は農業委員会に届出をしなければならない。

2　市街化区域内の農地について、耕作の目的に供するために競売により所有権を取得しようとする場合には、その買受人は法第3条第1項の許可を受ける必要はない。

3　農業者が住宅の改築に必要な資金を銀行から借りるために、自己所有の農地に抵当権を設定する場合には、法第3条第1項の許可を受ける必要はない。

4　山林を開墾し現に農地として耕作している土地であっても、土地登記簿上の地目が山林であれば、法の適用を受ける農地とはならない。

解説▶解答

問170 選択肢２と３。市街化区域外の「外」を見落とさないように。いずれの選択肢もまいどおなじみの出題。農地法での定番。

1 × 市街化区域であろうとなかろうと、農地を耕作目的で取得する場合には農地法第３条の許可が必要。農業委員会への届出という制度なし。市街化区域の農地を転用ということになると、農業委員会への届出でオッケー。

2 ×「自己所有の市街化区域外の農地に賃貸住宅を建設するため転用」ということだから、農地法第４条の許可が必要。市街化区域内だったら農業委員会への届出でオッケー（許可不要）だけどね。

3 ×「自己所有の市街化区域外の農地に自己の居住用の住宅を建設するため転用」ということだから、農地法第４条の許可が必要。建物の用途は問わない。市街化区域内だったら農業委員会への届出でオッケー。

4 ○ 競売で農地を取得する場合でも、農地法３条または５条の許可が必要でーす。

問171 選択肢１は意味がわかりにくいけど、選択肢２の市街化区域内の農地、選択肢３の抵当権設定、選択肢４の現況が農地と、「出題するんだったらここでしょ」というような選択肢が並んでおりました。できたかな。

1 ×「農地法第３条の許可があったときは所有権が移転する」という「停止条件（不許可だったら所有権は移転しない）」が付いている売買契約を締結し、その条件が成就するかどうかわかんないけど、とりあえず所有権移転の仮登記（首尾よくいけば本登記にする）を申請するという状況。この場合、農地の売買契約を締結するにあたり農業委員会に農地法第３条の許可申請をしておかなければならないけど、「仮登記の申請」につき「農業委員会に届出」というような規定はありません。

2 × 市街化区域であっても、耕作目的で農地を取得する場合、農地法第３条の許可が必要。競売による所有権移転の場合であってもいっしょ。入札前に「買受適格証明書」が必要になりますが。

3 ○ おっと抵当権の設定。農地に抵当権を設定する場合、農地法上の許可は不要です。

4 × 土地登記簿上の地目にかかわらず、現況が農地であれば農地法上の農地となるよー。

正解			
問170	4	問171	3

第1章 宅建業法
第2章 法令上の制限
第3章 権利関係
第4章 その他

問題

問172

農地法（以下この問において「法」という。）に関する次の記述のうち、正しいものはどれか。（法改正により選択肢3を修正している）

【平成25年 問21】

1　農地の賃貸借について法第３条第１項の許可を得て農地の引渡しを受けても、土地登記簿に登記をしなかった場合、その後、その農地について所有権を取得した第三者に対抗することができない。

2　雑種地を開墾し、現に畑として耕作されている土地であっても、土地登記簿上の地目が雑種地である限り、法の適用を受ける農地には当たらない。

3　国又は都道府県等が市街化調整区域内の農地（１ヘクタール）を取得して学校を建設する場合、都道府県知事等との協議が成立しても法第５条第１項の許可を受ける必要がある。

4　農業者が相続により取得した市街化調整区域内の農地を自己の住宅用地として転用する場合でも、法第４条第１項の許可を受ける必要がある。

問173

農地法（以下この問において「法」という。）に関する次の記述のうち、誤っているものはどれか。

【平成24年 問22】

1　登記簿上の地目が山林となっている土地であっても、現に耕作の目的に供されている場合には、法に規定する農地に該当する。

2　法第３条第１項又は第５条第１項の許可が必要な農地の売買について、これらの許可を受けずに売買契約を締結しても、その所有権は移転しない。

3　市街化区域内の農地について、あらかじめ農業委員会に届け出てその所有者が自ら駐車場に転用する場合には、法第４条第１項の許可を受ける必要はない。

4　砂利採取法による認可を受けた砂利採取計画に従って砂利を採取するために農地を一時的に貸し付ける場合には、法第５条第１項の許可を受ける必要はない。

解説▶解答

問172 農地・採草放牧地の賃貸借は、引渡しを受けていれば対抗力あり。

1 × えーとですね、農地・採草放牧地の賃貸借は、その登記がなくても、農地・採草放牧地の引渡しを受けていれば対抗力あり。

2 × 土地登記簿上の地目が雑種地だったとしても、現に耕作の目的に供されているんだったら「農地」になるよ。

3 × 国又は都道府県等と都道府県知事等との協議が成立したんだったら農地法5条の許可を受ける必要はありませぇ〜ん。

4 ○ 相続により農地を取得する場合、農地法3条の許可は不要で、まぁこれはこれとして、その後に農地を自己の住宅用地に転用するっていうんだったら、そりゃやっぱり農地法4条の許可を受ける必要があるでしょ。

問173 選択肢4の「×」。砂利採取法でビビらなければいいんだけどなぁー。

1 ○ 登記簿上の地目にかかわらず、現に耕作の目的に供されていれば農地となります。

2 ○ そうそう。農地法3条又は5条の許可を受けずに売買契約した場合、そりゃやっぱり契約は無効。所有権移転の効力は発生しません。

3 ○ 出題者さん、わかりやすい選択肢でありがとうございます。市街化区域内の農地転用については、農業委員会への届出でオッケー。4条の許可は不要でーす。

4 × 「砂利採取法」でビビりませんよーに。一時的であっても農地以外にするために賃貸借をする場合には、農地法5条の許可が必要でーす。

正解	
問172 4	問173 4

民法 制限行為能力者

2025年版
合格しようぜ！
宅建士 基本テキスト

➡ Part3 権利関係
➡ 権利関係-1
➡ Section1　権利関係ってなに？
　Section2　制限行為能力者制度
➡ P394〜P410

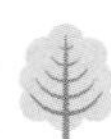

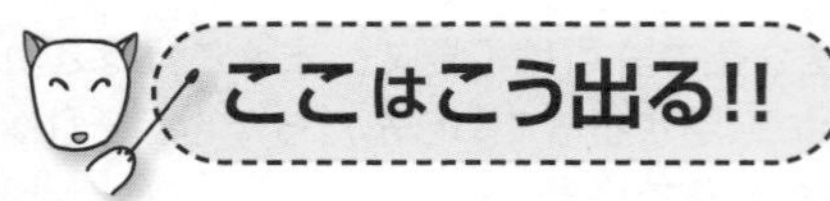

大前提は「意思無能力者の行為」は無効。意思能力がないとはいい切れない人たちを保護していく制度として「制限行為能力者」があり、彼らの行為は取り消すことができるとなっている。制限行為能力者には未成年者、成年被後見人、被保佐人、被補助人の4タイプあり。保護者を付け、保護者が彼らの契約をサポートする。彼らが単独でした行為を取り消すことができるとした。なお能力に応じて「単独でできる行為=取り消せない行為」が少しずつ異なる。そのあたりを押さえておけばだいじょうぶ。

だからこう解く!! 厳選要点★ここを押さえろ

意思無能力者

- 意思無能力者の行為は**無効**

未成年者

- 法定代理人の同意を得ずに行った行為は**取り消すことができる**
- 単に権利を得る・義務を免れる行為などは単独でできる

成年被後見人

- 成年被後見人の行為は**取り消すことができる**
- 成年後見人がすべて**代理**する
- 日用品の購入などは単独でできる

*未成年者などとは異なり「同意」はない

被保佐人

- 保佐人の同意を得ないで行った「**重要な財産上の行為**」は取り消すことができる
  - ・不動産の売買(権利の得喪)
  - ・他人に物を贈与
  - ・新築、改築、増築、大修繕　など
- 「重要な財産上の行為以外」「日用品の購入」などは単独でできる

被補助人

- 補助人の**同意**を得ないで行った特定の行為は**取り消すことができる**
- 「特定の行為以外」「日用品の購入」などは単独でできる

*「特定の行為(同意の対象となる行為)」は、「重要な財産上の行為」の範囲内で定める(家庭裁判所)

詐術

制限行為能力者が行為能力者であることを信じさせるため詐術(同意を得たと欺く場合も含む)を用いたときは、その行為を**取り消すことができない**。

問題

制限行為能力者に関する次の記述のうち、民法の規定及び判例によれば、正しいものはどれか。 【平成28年 問2】

1　古着の仕入販売に関する営業を許された未成年者は、成年者と同一の行為能力を有するので、法定代理人の同意を得ないで、自己が居住するために建物を第三者から購入したとしても、その法定代理人は当該売買契約を取り消すことができない。

2　被保佐人が、不動産を売却する場合には、保佐人の同意が必要であるが、贈与の申し出を拒絶する場合には、保佐人の同意は不要である。

3　成年後見人が、成年被後見人に代わって、成年被後見人が居住している建物を売却する際、後見監督人がいる場合には、後見監督人の許可があれば足り、家庭裁判所の許可は不要である。

4　被補助人が、補助人の同意を得なければならない行為について、同意を得ていないにもかかわらず、詐術を用いて相手方に補助人の同意を得たと信じさせていたときは、被補助人は当該行為を取り消すことができない。

制限行為能力者に関する次の記述のうち、民法の規定によれば、正しいものはどれか。（法改正により選択肢1を修正している） 【平成22年 問1】

1　土地を売却すると、土地の管理義務を免れることになるので、未成年者が土地を売却するに当たっては、その法定代理人の同意は必要ない。

2　成年後見人が、成年被後見人に代わって、成年被後見人が居住している建物を売却するためには、家庭裁判所の許可が必要である。

3　被保佐人については、不動産を売却する場合だけではなく、日用品を購入する場合も、保佐人の同意が必要である。

4　被補助人が法律行為を行うためには、常に補助人の同意が必要である。

解説▶解答

問174 選択肢4は、制限行為能力者のだましのテクニック。

1 × 「古着の仕入販売に関する営業」の許可を受けた未成年者は、その営業の範囲だけ「成年者と同一の行為能力を有する未成年者」となる。その他の場面では単なる未成年者。なので選択肢の場合、法定代理人は売買契約を取り消すことができる。

2 × 被保佐人が不動産を売却する場合にも贈与の申し出を拒絶する場合にも、保佐人の同意が必要だよ。

3 × 成年後見人が、成年被後見人に代わって、その居住用建物を売却するには、後見監督人ではなく家庭裁判所の許可を得なければならない。

4 ○ そのとおり。「行為能力者である」と詐術を用いた場合、当該行為を取り消すことはできませーん。判例によると、「補助人の同意を得たと信じさせていた」も立派な詐術になりまぁーす。

問175 選択肢2。許可を得ないで成年後見人が成年被後見人の住居を売ったりすると無効になる。

1 × たしかに「土地を売却すると、土地の管理義務を免れる」ことになるけどさ、でも、だからといって未成年者が土地を売却するに当たっては、その法定代理人の同意は必要ない」とはならないでしょ。

2 ○ そのとおり。家庭裁判所の許可を得なければなりませぇ～ん。

3 × えーとですね、日用品の購入については、同意は不要で単独でできるよん。

4 × 被補助人が補助人の同意で助けてもらう法律行為（取引）は、被保佐人がフォローしてもらう「重要な財産上の行為」のなかから選択することになってるわけだ。だから「常に」ということじゃないよね。日用品の購入とかも同意不要で単独でできます。

正解	
問174 4	問175 2

問題

問176 自己所有の土地を売却するAの売買契約の相手方に関する次の記述のうち、民法の規定及び判例によれば、正しいものはどれか。（法改正により選択肢4を修正している）
【平成17年 問1】

1　買主Bが被保佐人であり、保佐人の同意を得ずにAとの間で売買契約を締結した場合、当該売買契約は当初から無効である。

2　買主Cが意思無能力者であった場合、Cは、Aとの間で締結した売買契約を取り消せば、当該契約を無効にできる。

3　買主である団体Dが法律の規定に基づかずに成立した権利能力を有しない任意の団体であった場合、DがAとの間で売買契約を締結しても、当該土地の所有権はDに帰属しない。

4　買主Eが未成年者であり、法定代理人の同意を得てAとの間で売買契約を締結していたとしても、Eは未成年者であることを理由に当該売買契約を取り消すことができる。

問177 意思無能力者又は制限行為能力者に関する次の記述のうち、民法の規定及び判例によれば、正しいものはどれか。（法改正により選択肢2を修正している）
【平成15年 問1】

1　意思能力を欠いている者が土地を売却する意思表示を行った場合、その親族が当該意思表示を取り消せば、取消しの時点から将来に向かって無効となる。

2　未成年者が土地を売却する意思表示を行った場合、その未成年者が成年者と同一の行為能力を有するとしても、当該意思表示を取り消せば、意思表示の時点に遡って無効となる。

3　成年被後見人が成年後見人の事前の同意を得て土地を売却する意思表示を行った場合、成年後見人は、当該意思表示を取り消すことができる。

4　被保佐人が保佐人の事前の同意を得て土地を売却する意思表示を行った場合、保佐人は、当該意思表示を取り消すことができる。

解説▶解答

問176 被保佐人の契約は「無効」じゃないけど、意思無能力者の契約は「無効」だよね。

1 × 保佐人の同意を得ずに行った売買契約は「取り消せる」のであって、当初から無効という扱いではありませーん。

2 × お、意思無能力者。例えば泥酔状態とか。そんな状態での契約は取り消しを待つまでもなく当初から無効。「取り消せば無効にできる」じゃないよ。

3 ○ 出ましたねぇ～「権利能力」。ひらたくいうと「その生物や団体を人として扱うかどうか」ということ。設問の団体は権利能力を有しないっていうんだから土地を所有することなどできない。

4 × そんなアホな（笑）。法定代理人の同意を得ているので取消しなんかできるわけねーだろ。

問177 選択肢１に「意思能力を欠いている者」が登場。泥酔者などをイメージされたし。

1 × そもそも「意思能力を欠いている者」の意思表示は無効。取り消すとかという騒ぎではない。“親族”などをもっともらしく出してくるなんて、ニクいヒッカケだね。

2 × 成年者と同一の行為能力を有する未成年者であるため、取消しなどできるわけがない。

3 ○ 「成年後見人の事前の同意を得て」というのは、法律上なんら意味がない。そもそも成年被後見人が同意を得て行える行為はない。ということで、成年後見人は、当該意思表示を取り消すことができる。

4 × たしかに「土地を売却する」というのは「重要な財産上の行為」となるわけなんだけど、「保佐人の事前の同意を得て」ということだから、そもそもの被保佐人の行為は確定的に有効となる。取消しなどできるわけがない。

正解	
問176　3	問177　3

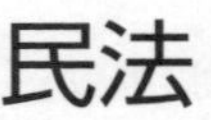

民法 意思表示

2025年版
合格しようぜ！
宅建士 基本テキスト

➡ Part3 権利関係
➡ 権利関係-2
➡ Section1　意思表示。その言葉ホント？
➡ P412～P421

ここはこう出る!!

契約は意思表示の合致により成立。「意思」と「表示」が一致していることを前提とするが、ここで取り上げる5パターンは意思と表示が一致していないケース。①心裡留保→【有効】、②（通謀）虚偽表示→【無効】、③錯誤→【取消し】、④詐欺→【取消し】、⑤強迫→【取消し】となる。それぞれの特徴を理解するとともに、試験での出題パターンにぜひ慣れてもらいたい。登場人物が多くなることもあり、図解をしながら考えることをおすすめしたい。「善意の第三者」の取扱いを特に注意されたし。

だからこう解く!! 厳選要点★ここを押さえろ

心裡留保

ウソや冗談を本人が知っていながらする意思表示（真意ではない意思表示）は**有効**。ただし、「相手方が知っていた」「過失により知らなかった」場合は**無効**

（通謀）虚偽表示

仮装の売買（相手方と通謀してするでっちあげの意思表示）は当事者間では**無効**。ただし、**善意**の**第三者**には「無効」を対抗できない

＊第三者は善意であればよく、登記の有無は問わない

＊目的物が第三者から転得者に移っている場合、転得者が善意だったら保護される

＊第三者が善意であれば善意確定。転得者が悪意の場合でも保護される

錯誤

勘違いや思い違い（本心とは異なる意思表示）は①②に掲げる錯誤に基づくものであって、その錯誤が法律行為の目的及び取引上の社会通念に照らして重要なものであるときは**取り消すことができる**

① 表示の錯誤（意思表示に対応する意思を欠く錯誤）

② 動機の錯誤（認識が真実に反する錯誤）

- 「動機の錯誤」による意思表示の取消しは、その事情が「法律行為の基礎とされていること」が表示されていたときに限り、することができる
- 錯誤が表意者の重大な過失によるものであった場合、原則として、その意思表示を取り消すことができない

＊**善意無過失**の第三者には「取消し」を対抗できない

詐欺

他人からだまされてしてしまった意思表示は**取り消すことができる。**ただし、**善意無過失**の**第三者**には「取消し」を対抗できない

強迫

他人におどされてしてしまった意思表示は**取り消すことができる**（誰に対しても）

問題

Aは、その所有する甲土地を譲渡する意思がないのに、Bと通謀して、Aを売主、Bを買主とする甲土地の仮装の売買契約を締結した。この場合に関する次の記述のうち、民法の規定及び判例によれば、誤っているものはどれか。なお、この問において「善意」又は「悪意」とは、虚偽表示の事実についての善意又は悪意とする。

【平成27年 問2】

1　善意のCがBから甲土地を買い受けた場合、Cがいまだ登記を備えていなくても、AはAB間の売買契約の無効をCに主張することができない。

2　善意のCが、Bとの間で、Bが甲土地上に建てた乙建物の賃貸借契約（貸主B、借主C）を締結した場合、AはAB間の売買契約の無効をCに主張することができない。

3　Bの債権者である善意のCが、甲土地を差し押さえた場合、AはAB間の売買契約の無効をCに主張することができない。

4　甲土地がBから悪意のCへ、Cから善意のDへと譲渡された場合、AはAB間の売買契約の無効をDに主張することができない。

A所有の甲土地につき、AとBとの間で売買契約が締結された場合における次の記述のうち、民法の規定及び判例によれば、正しいものはどれか。

【平成23年 問1】

1　Bは、甲土地は将来地価が高騰すると勝手に思い込んで売買契約を締結したところ、実際には高騰しなかった場合、動機の錯誤を理由に本件売買契約を取り消すことができる。

2　Bは、第三者であるCから甲土地がリゾート開発される地域内になるとだまされて売買契約を締結した場合、AがCによる詐欺の事実を知っていたとしても、Bは本件売買契約を詐欺を理由に取り消すことはできない。

3　AがBにだまされたとして詐欺を理由にAB間の売買契約を取り消した後、Bが甲土地をAに返還せずにDに転売してDが所有権移転登記を備えても、AはDから甲土地を取り戻すことができる。

4　BがEに甲土地を転売した後に、AがBの強迫を理由にAB間の売買契約を取り消した場合には、EがBによる強迫につき知らなかったときであっても、AはEから甲土地を取り戻すことができる。

解説▶解答

問178 通謀虚偽表示による契約(仮装の売買契約)の無効は、善意の第三者に主張することができません。それが基本!!

1 ○ 第三者は善意であればオッケー。登記を備えている必要はありません。Aは、Cに対して売買契約の無効を主張することができません。

2 × 仮装売買の買主Bが土地上に建てた建物を借りているCは「第三者」には該当しないそうです(判例)。AはAB間の売買契約の無効をCに主張することができます。

3 ○ 通謀虚偽表示の目的物を差し押さえた債権者は「第三者」に該当するそうです(判例)。Cが善意であるためAは無効を主張することができません。

4 ○ Cが悪意であっても転得者Dが善意であれば、Aは、Dに対して所有権を主張することができません。

問179 錯誤、詐欺、強迫と、まいどおなじみの意思表示からの出題。

1 × そっかぁ〜。「勝手に思い込んで」いたのね。動機の錯誤による意思表示の取消しは、それが表示されていたときに限り、することができる。

2 × 第三者Cからだまされたのね。で、相手方Aが「Cによる詐欺の事実を知っていた」っていうんだから、契約は取り消すことができるでしょ!!

3 × 出たぁ〜。売買契約を取り消した後に現れたDと、元々のAとは対抗関係になりまぁ〜す。「Dが所有権移転登記を備え」ちゃったらAは所有権を主張できなくなる。取り戻すことはできない。

4 ○ ということで強迫。強迫を理由とする取消しは誰にでも主張できるわけでして。EがBによる強迫につき知らなかったとき(善意)であっても、AはEから甲土地を取り戻すことができます。

正解	
問178 2	問179 4

問題

Ａ所有の甲土地についてのＡＢ間の売買契約に関する次の記述のうち、民法の規定及び判例によれば、正しいものはどれか。

【平成19年 問１】

1　Ａは甲土地を「1,000万円で売却する」という意思表示を行ったが当該意思表示はＡの真意ではなく、Ｂもその旨を知っていた。この場合、Ｂが「1,000万円で購入する」という意思表示をすれば、ＡＢ間の売買契約は有効に成立する。

2　ＡＢ間の売買契約が、ＡとＢとで意を通じた仮装のものであったとしても、Ａの売買契約の動機が債権者からの差押えを逃れるというものであることをＢが知っていた場合には、ＡＢ間の売買契約は有効に成立する。

3　Ａが第三者Ｃの強迫によりＢとの間で売買契約を締結した場合、Ｂがその強迫の事実を知っていたか否かにかかわらず、ＡはＡＢ間の売買契約に関する意思表示を取り消すことができる。

4　ＡＢ間の売買契約が、Ａが泥酔して意思無能力である間になされたものである場合、Ａは、酔いから覚めて売買契約を追認するまではいつでも売買契約を取り消すことができ、追認を拒絶すれば、その時点から売買契約は無効となる。

Ａが、その所有地について、債権者Ｂの差押えを免れるため、Ｃと通謀して、登記名義をＣに移転したところ、Ｃは、その土地をＤに譲渡した。この場合、民法の規定及び判例によれば、次の記述のうち正しいものはどれか。

【平成5年 問３】

1　ＡＣ間の契約は無効であるから、Ａは、Ｄが善意であっても、Ｄに対し所有権を主張することができる。

2　Ｄが善意であっても、Ｂが善意であれば、Ｂは、Ｄに対して売買契約の無効を主張することができる。

3　Ｄが善意であっても、Ｄが所有権移転の登記をしていないときは、Ａは、Ｄに対し所有権を主張することができる。

4　Ｄがその土地をＥに譲渡した場合、Ｅは、Ｄの善意悪意にかかわらず、Ｅが善意であれば、Ａに対し所有権を主張することができる。

解説▶解答

問180 心裡留保、通謀虚偽表示、強迫、意思無能力。まさにオールスター。復習するのにちょうどいい。

1 × 心裡留保による意思表示。「……当該意思表示はAの真意ではなく、Bもその旨を知っていた」ということなので、そりゃあんた、Aの意思表示は無効。

2 × 「AとBとで意を通じた仮装のものであった」ということで、まさに定番の通謀虚偽表示。Aの動機をBが知っていたとしても、だからどうした、AB間の売買契約が有効となるワケねーだろっ。

3 ○ 第三者の強迫による意思表示は、相手方が強迫の事実を知らなかったとしても取り消せます。

4 × 出たぁ〜泥酔。宅建試験史上、おそらく初の“泥酔者”。まさに意思無能力状態。そんな状態での意思表示は無効っす。なので売買契約も無効。取り消すまで有効だ、なんてご冗談でしょ。

問181 「通謀虚偽表示」にまつわるエトセトラをまとめて出題してみましたぁ〜、という感じ。これは復習するのにちょうどいい。知識の整理にぜひ、トライ！

1 × あのですねぇ〜、この選択肢がわからなかったとなると、結局、通謀虚偽表示のことがなにもわかっていなかった、ということがわかる。通謀虚偽表示による無効は、善意の第三者には対抗できない。AはDに対して所有権を主張できない。

2 × 第三者Dが善意である場合、AはDに売買契約の無効を主張できない。Aが無効を主張することができない以上、Aの債権者Bが、Aに代わって（債権者代位権を行使して）無効を主張することもできない。Bが善意であってもね。

3 × こんどは「Dが所有権移転の登記をしていない」ときたかっ！　さて、あなただったらどーする？　判例のスタンスは「善意の第三者として保護されるには、単に善意だったらよい」というもので、登記がなくても、また過失があっても、完全に保護されます。

4 ○ さて、こんどはDがEに転売しましたよ。「通謀虚偽表示の無効は善意の第三者には対抗できない」という“第三者”には、Eのような転得者も含まれます（判例）。で、Eが善意っていうことですから、そりゃ所有権を主張できます。ちなみに、「第三者が善意であれば、そこで“善意”は確定され、その後の転得者が悪意であっても、所有権を取得する」という判例もあります。善意の第三者を間にはさんだ、わら人形作戦とでもいいましょうか。

正解	
問180 3	問181 4

問題

問182 A所有の土地につき、AとBとの間で売買契約を締結し、Bが当該土地につき第三者との間で売買契約を締結していない場合に関する次の記述のうち、民法の規定によれば、正しいものはどれか。(法改正により選択肢3を修正している) 【平成16年 問1】

1　Aの売渡し申込みの意思は真意ではなく、BもAの意思が真意ではないことを知っていた場合、AとBとの意思は合致しているので、売買契約は有効である。

2　Aが、強制執行を逃れるために、実際には売り渡す意思はないのにBと通謀して売買契約の締結をしたかのように装った場合、売買契約は無効である。

3　Aが、Cの詐欺によってBとの間で売買契約を締結した場合、Cの詐欺をBが知っていても、Aは売買契約を取り消すことはできない。

4　Aが、Cの強迫によってBとの間で売買契約を締結した場合、Cの強迫をBが知らなければ、Aは売買契約を取り消すことができない。

問183 AとBとの間で令和２年７月１日に締結された売買契約に関する次の記述のうち、民法の規定によれば、売買契約締結後、AがBに対し、錯誤による取消しができるものはどれか。 【令和２年10月 問6】

1　Aは、自己所有の自動車を100万円で売却するつもりであったが、重大な過失によりBに対し「10万円で売却する」と言ってしまい、Bが過失なく「Aは本当に10万円で売るつもりだ」と信じて購入を申し込み、AB間に売買契約が成立した場合

2　Aは、自己所有の時価100万円の壺を10万円程度であると思い込み、Bに対し「手元にお金がないので、10万円で売却したい」と言ったところ、BはAの言葉を信じ「それなら10万円で購入する」と言って、AB間に売買契約が成立した場合

3　Aは、自己所有の時価100万円の名匠の絵画を贋作だと思い込み、Bに対し「贋作であるので、10万円で売却する」と言ったところ、Bも同様に贋作だと思い込み「贋作なら10万円で購入する」と言って、AB間に売買契約が成立した場合

4　Aは、自己所有の腕時計を100万円で外国人Bに売却する際、当日の正しい為替レート（１ドル100円）を重大な過失により１ドル125円で計算して「8,000ドルで売却する」と言ってしまい、Aの錯誤について過失なく知らなかったBが「8,000ドルなら買いたい」と言って、AB間に売買契約が成立した場合

解説▶解答

問182

心裡留保、虚偽表示、詐欺、強迫とオールスターの登場でございます。総じて「意思表示」の問題はおもしろい。出題者もいろいろ工夫を凝らしてきます。やるじゃん。

1 × 心裡留保。売主Aの意思は真意でなく、相手方Bも「Aの意思が真意ではないことを知っていた」という局面。で、その後の展開が爆笑。「AとBとの意思は合致している」だって。そりゃそうかもねぇ～あはは。でもさ、お互いウソを知っている、だからこそ無効なんでしょ。

2 ○ 虚偽表示。おっしゃるとおり無効となる。「実際に売り渡す意思はないのにBと通じて売買契約を締結したかのように装った」とごていねいに書いてくださっています。おっしゃるとおり無効でございます。

3 × Bが詐欺を知っている場合、Aは取消しを主張できる。

4 × 強迫の場合は、第三者の善意・悪意を問わず取消しを主張できる。このへんが詐欺の場合とちがいますね。

問183

錯誤による意思表示。表意者Aの「重大な過失」による場合は、Aは意思表示の取消しをすることはできないんだけど、相手方Bが「表意者に錯誤があることを知り、または重大な過失によって知らなかったとき」「相手方Bが表意者Aと同一の錯誤に陥っていたとき」はこの限りではない。

1 取消しはできない　Aの「重大な過失」による意思表示。で、相手方Bは「過失なく信じて」ということだから「錯誤による取消し」はできません。

2 取消しはできない　Aに「10万円程度(思い込み)」という動機の錯誤あり。動機の表示もなく、「BはAの言葉を信じ」ということなので「錯誤による取消し」はできません。

3 取消しができる　「贋作だ」と動機の錯誤。「贋作である」と動機も表示。さらにBも同一の錯誤に陥っているので、「錯誤による取消し」ができます。

4 取消しはできない　Aの「重大な過失」による意思表示。で、相手方(外国人)Bは「過失なく知らなかった」ということなので「錯誤による取消し」はできません。

正解	
問182 2	問183 3

民法 代理

2025年版
合格しようぜ！
宅建士 基本テキスト

➡ Part3 権利関係
➡ 権利関係-2
➡ Section2　代理制度。基本的なしくみ
➡ P422～P433

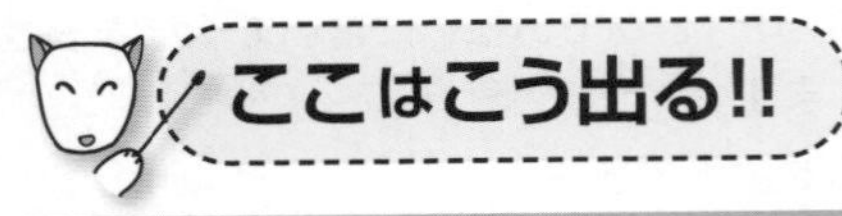

「代理」の場合、登場人物はどうしても「本人・代理人・相手方」の3人にはなる。慣れないうちは人間関係を図解しながら解くのがよいと思う。「未成年者が代理人」「復代理」「無権代理」「表見代理」あたりの出題が多い。特に「無権代理」と「表見代理」がややこしいが、本来は無権代理だが一定の要件に該当すると「表見代理」が成立し有効な代理行為になる（本人も責任を負う）と理解しておこう。「無権代理」と「表見代理」を乗り越えられれば、十分に得点源とすることができる項目だ。

だからこう解く!! 厳選要点☆ここを押さえろ

代理の要件

- 代理権があること
- 自分は代理人と示す
- 代理権の範囲内の代理行為（範囲外だと表見代理のおそれ）

＊代理権は「本人の死亡」「代理人が死亡、破産、成年被後見人になった」で消滅

代理人が詐欺を受けた場合など

- 取消権は本人に帰属
- 取消権の発生の有無は代理人を基準に考える

代理の種類

- 法定代理：未成年者の親権者や成年後見人など
- 任意代理：本人が代理人を選択し、代理権を授与

自己契約・双方代理の禁止

- 本人の承諾があればOK
- 債務の履行だったらOK（後処理）

復代理

- 法定代理：自己の責任で選任できる
- 任意代理：「本人の許諾」「やむを得ない」ときのみ

無権代理

- 追認：本人が追認しなければ効力は生じない（追認すれば契約の時に遡って有効）
- 催告権：相手方は、相当の期間を定めて、本人に催告できる
- 取消権：善意の相手方は、本人が追認しない間であれば取消OK

無権代理人の責任

- 相手方の選択に従い「相手方に対して履行」か「損害賠償の責任」を負う

表見代理3パターン

相手方が善意無過失だったら表見代理が成立する

①代理権授与の表示：
〈例〉ネットや広告に誤った情報のまま掲載

②代理権の権限外：
〈例〉抵当権設定の代理権だったが売却

③代理権消滅後：
〈例〉破産後も代理行為を続ける

問題

問184 代理に関する次の記述のうち、民法の規定及び判例によれば、誤っているものはどれか。

【平成24年 問２】

1　未成年者が代理人となって締結した契約の効果は、当該行為を行うにつき当該未成年者の法定代理人による同意がなければ、有効に本人に帰属しない。

2　法人について即時取得の成否が問題となる場合、当該法人の代表機関が代理人によって取引を行ったのであれば、即時取得の要件である善意・無過失の有無は、当該代理人を基準にして判断される。

3　不動産の売買契約に関して、同一人物が売主及び買主の双方の代理人となった場合であっても、売主及び買主の双方があらかじめ承諾をしているときには、当該売買契約の効果は両当事者に有効に帰属する。

4　法定代理人は、やむを得ない事由がなくとも、復代理人を選任することができる。

問185 Ａ所有の甲土地につき、Ａから売却に関する代理権を与えられていないＢが、Ａの代理人として、Ｃとの間で売買契約を締結した場合における次の記述のうち、民法の規定及び判例によれば、誤っているものはどれか。なお、表見代理は成立しないものとする。

【平成24年 問４】

1　Ｂの無権代理行為をＡが追認した場合には、ＡＣ間の売買契約は有効となる。

2　Ａの死亡により、ＢがＡの唯一の相続人として相続した場合、Ｂは、Ａの追認拒絶権を相続するので、自らの無権代理行為の追認を拒絶することができる。

3　Ｂの死亡により、ＡがＢの唯一の相続人として相続した場合、ＡがＢの無権代理行為の追認を拒絶しても信義則には反せず、ＡＣ間の売買契約が当然に有効になるわけではない。

4　Ａの死亡により、ＢがＤとともにＡを相続した場合、ＤがＢの無権代理行為を追認しない限り、Ｂの相続分に相当する部分においても、ＡＣ間の売買契約が当然に有効になるわけではない。

解説▶解答

問184 選択肢2が、なんかコムズカシクいってますけど、要は代理人が「善意無過失」だったかどうかで判断しよう、という話。

1 × 未成年者でも代理人になることができるでしょ。で、その代理人の代理行為につき、法定代理人の同意がなかったとしても、そのまま有効。本人と相手方との間で契約の効果あり。

2 ○ 即時取得とは「取引行為によって、平穏に、かつ、公然と動産の占有を始めた者は、善意であり、かつ、過失がないときは、即時にその動産について行使する権利を取得する」というもの。ひらたくいうと、たとえばAの動産を勝手にBがCに売ったとしても、CがBの動産でなかったことについて知らず、かつ、知らなかったことに過失がなかった場合、Cはその動産の所有権を取得できる。まさに即時取得。で、この即時取得に代理人がからんでいる場合は、「善意・無過失」だったかどうかは代理人を基準にして判断される。

3 ○ 原則として双方代理はダメなんだけど、売主及び買主の双方があらかじめ許諾した行為については双方代理オッケー。ということで、代理行為の効果は両当事者に有効に帰属する。

4 ○ はい、できます。法定代理人は、やむを得ない事由がなくとも自己の責任で復代理人を選任することができる。なお「やむを得ない事由」があってのことだったら「復代理人の選任及び監督」の責任のみ負う。

問185 本人を無権代理人が相続したパターンと、無権代理人を本人が相続したパターンとの取り扱いのちがいを、いまいちどご確認ください。

1 ○ そのとおり。本人Aが無権代理行為を追認した場合、AC間の売買契約は有効となる。

2 × 「本人Aが死亡して無権代理人BがAを単独で相続した」という場合、無権代理人だったんだろうけど「本人自ら法律行為をしたと同様に扱うべき」というのが考え方(判例)。なので追認を拒絶することはできません。はじめから有効な代理行為として取り扱われます。

3 ○ 本人が無権代理人を相続したというケース。この場合は、本人Aが無権代理行為の追認を拒絶しても信義則には反せず、当然に有効とはならない。

4 ○ 無権代理人Bが他の共同相続人Dと共同相続した場合、Dの追認がない限り、Bの無権代理行為は、Bの相続分に相当する部分においても、当然に有効とはならない。なお追認は、共同相続人BDが共同して行う必要あり。それがあってはじめて有効となる。

正解	
問184 1	問185 2

問題

問186

AがA所有の甲土地の売却に関する代理権をBに与えた場合における次の記述のうち、民法の規定によれば、正しいものはどれか。なお、表見代理は成立しないものとする。（法改正により選択肢3を修正している）

【平成22年 問2】

1　Aが死亡した後であっても、BがAの死亡の事実を知らず、かつ、知らないことにつき過失がない場合には、BはAの代理人として有効に甲土地を売却することができる。

2　Bが死亡しても、Bの相続人はAの代理人として有効に甲土地を売却することができる。

3　未成年者であるBがAの代理人として甲土地をCに売却した後で、Bが未成年者であることをCが知った場合には、CはBが未成年者であることを理由に売買契約を取り消すことができる。

4　Bが売主Aの代理人であると同時に買主Dの代理人としてAD間で売買契約を締結しても、あらかじめ、A及びDの承諾を受けていれば、この売買契約は有効である。

問187

AがA所有の土地の売却に関する代理権をBに与えた場合における次の記述のうち、民法の規定によれば、正しいものはどれか。

【平成21年 問2】

1　Bが自らを「売主Aの代理人B」ではなく、「売主B」と表示して、買主Cとの間で売買契約を締結した場合には、Bは売主Aの代理人として契約しているとCが知っていても、売買契約はBC間に成立する。

2　Bが自らを「売主Aの代理人B」と表示して買主Dとの間で締結した売買契約について、Bが未成年であったとしても、AはBが未成年であることを理由に取り消すことはできない。

3　Bは、自らが選任及び監督するのであれば、Aの意向にかかわらず、いつでもEを復代理人として選任して売買契約を締結させることができる。

4　Bは、Aに損失が発生しないのであれば、Aの意向にかかわらず、買主Fの代理人にもなって、売買契約を締結することができる。

解説▶解答

問186 代理からの出題。オーソドックスな問題で選択肢４が楽勝で「○」。

1 × 本人死亡により「代理権消滅」というパターン。「表見代理は成立しない」ということだから、Ｂはもはや代理人ではありません。

2 × えーと、代理人が死亡した場合も代理権消滅です。相続しません。

3 × 未成年者でも代理人になれます。で、この選択肢は相手方Cが主人公。相手方CがBが未成年者だということにつき善意だったとしても、取消権などないでしょ。

4 ○ そのとおり。ご本人たちの承諾(許諾)があれば双方代理をしてもよい。

問187 フツーに勉強していれば楽勝の１問。出題者さんありがとう。

1 × 相手方が、代理人として契約していることを知っているんだったら、そりゃ有効な代理行為となるわけで。売買契約はAC間で成立。

2 ○ 代理人は、行為能力者であることを要しない。なので、未成年者を代理人とした以上、代理人が未成年者だという理由での取り消しなどできない。

3 × これも楽勝でしょ。任意代理人は、「本人の許諾を得たとき」又は「やむを得ない事由があるとき」でなければ、復代理人を選任することができない。Ａの意向を無視しちゃダメでしょ。

4 × 「Ａに損失が発生しなければ」というフレーズが、なんかそれらしい。「Ａの意向にかかわらず」買主Ｆの代理人になれる（双方代理ができる）ということはない。やっぱりA(本人)の許諾が必要でぇーす。

正解	
問186 4	問187 2

第1章 宅建業法
第2章 法令上の制限
第3章 権利関係
第4章 その他

問題

問188 ＡはＢの代理人として、Ｂ所有の甲土地をＣに売り渡す売買契約をＣと締結した。しかし、Ａは甲土地を売り渡す代理権は有していなかった。この場合に関する次の記述のうち、民法の規定及び判例によれば、誤っているものはどれか。 【平成18年 問２】

☑☑☑☑☑

1　ＢがＣに対し、Ａは甲土地の売却に関する代理人であると表示していた場合、Ａに甲土地を売り渡す具体的な代理権はないことをＣが過失により知らなかったときは、ＢＣ間の本件売買契約は有効となる。

2　ＢがＡに対し、甲土地に抵当権を設定する代理権を与えているが、Ａの売買契約締結行為は権限外の行為となる場合、甲土地を売り渡す具体的な代理権がＡにあるとＣが信ずべき正当な理由があるときは、ＢＣ間の本件売買契約は有効となる。

3　Ｂが本件売買契約を追認しない間は、Ｃはこの契約を取り消すことができる。ただし、Ｃが契約の時において、Ａに甲土地を売り渡す具体的な代理権がないことを知っていた場合は取り消せない。

4　Ｂが本件売買契約を追認しない場合、Ａは、Ｃの選択に従い、Ｃに対して契約履行又は損害賠償の責任を負う。ただし、Ｃが契約の時において、Ａに甲土地を売り渡す具体的な代理権はないことを知っていた場合は責任を負わない。

問189 ＡがＢに対して、Ａ所有の甲土地を売却する代理権を令和２年７月１日に授与した場合に関する次の記述のうち、民法の規定及び判例によれば、正しいものはどれか。 【令和２年12月 問２】

☑☑☑☑☑

1　Ｂが自己又は第三者の利益を図る目的で、Ａの代理人として甲土地をＤに売却した場合、Ｄがその目的を知り、又は知ることができたときは、Ｂの代理行為は無権代理とみなされる。

2　ＢがＣの代理人も引き受け、ＡＣ双方の代理人として甲土地に係るＡＣ間の売買契約を締結した場合、Ａに損害が発生しなければ、Ｂの代理行為は無権代理とはみなされない。

3　ＡがＢに授与した代理権が消滅した後、ＢがＡの代理人と称して、甲土地をＥに売却した場合、ＡがＥに対して甲土地を引き渡す責任を負うことはない。

4　Ｂが、Ａから代理権を授与されていないＡ所有の乙土地の売却につき、Ａの代理人としてＦと売買契約を締結した場合、ＡがＦに対して追認の意思表示をすれば、Ｂの代理行為は追認の時からＡに対して効力を生ずる。

解説▶解答

問188 **「Aは甲土地を売り渡す代理権は有していなかった」とあるので、表見代理が成立するかどうかがポイント。**

1 × そりゃアンタ、具体的な代理権がないことを「過失により知らなかった」っていうんだから、「代理権授与の表示による表見代理」は成立しない。善意・無過失だったら表見代理が成立する(＝ＢＣ間の売買契約は有効となる)んだけどねぇ～。

2 ○ まぁそりゃ「甲土地を売り渡す具体的な代理権がＡにあるとＣが信ずべき正当な理由がある」んだったら、「権限外の行為の表見代理」が成立する。BC間の契約は有効。

3 ○ なんか「問題文」というより、解説文みたいな問題文。変なの。まぁそれはそれとして、相手方Ｃが無権代理につき悪意の場合、取り消せません。

4 ○ 他人の代理人として契約した者(A)は、自己の代理権を証明したとき、又は本人(B)の追認を得たときを除き、相手方(C)の選択に従い、相手方(C)に対して、履行又は損害賠償の責任を負う。で、相手方Ｃが無権代理につき悪意の場合、無権代理人に対し「履行しろ」だの「損害賠償しろ」だのはいえません。Aは責任を負わない。

問189 **選択肢１。代理権の濫用となる場合は、原則として無権代理行為となる。選択肢３。そういえばアナタ、表見代理っていうのを、まだ覚えていますか。**

1 ○ 代理権の濫用。Ｂは悪いヤツだ。代理人(Ｂ)が自己又は第三者の利益を図る目的で代理権の範囲内の行為をした場合において、相手方(Ｄ)がその目的を知り、又は知ることができたときは、その行為は、代理権を有しない者がした行為(無権代理行為)とみなす。

2 × 「Ａに損害が発生しなければ」じゃないよね。双方代理による行為は無権代理行為として扱われる。がしかし、「債務の履行及び本人があらかじめ許諾した行為」については無権代理とはみなされない。微妙なヒッカケ。

3 × 代理権消滅後の表見代理が成立する場合があるかも。この場合、代理権の消滅の事実を知らなかった第三者(Ｅ)に対してＡは売主としての責任を負う。なので「ＡがＥに対して甲土地を引き渡す責任を負うことはない」と断言しているので「×」です。

4 × Ａが無権代理人Ｂの行為を追認した場合、いつから効力が生じるんだっけ。「Ｂの代理行為は追認の時から」じゃないよね。「契約の時に遡って」その効力が生じるんだよね。

正解	
問188　1	問189　1

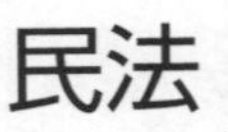

民法 消滅時効

2025年版
合格しようぜ！
宅建士 基本テキスト

➡ Part3 権利関係
➡ 権利関係-3
➡ Section2　消滅時効。債権が消滅するとき
➡ P439〜P445

ここはこう出る!!

時効制度には「消滅時効」と「取得時効」がある。あわせて学習させるところが多いが、「消滅時効」と「取得時効」はまったく別の話であるため、本書では分けての収録としている。とりあえず「消滅時効」でなにが消滅するかというと「債権」と理解しておこう。「債権」が消滅すれば、もはや債権者・債務者という関係ではなくなる。消滅時効の完成を猶予させるには「裁判上の請求」「支払督促」などがあり、また消滅時効の更新など、そのあたりの段取りをしっかり理解しておこう。

だからこう解く!! 厳選要点☆ここを押さえろ

時効の援用

時効は、**当事者**（消滅時効にあっては、保証人、物上保証人、第三取得者その他権利の消滅ついて正当な利益を有する者を含む。）が**援用**しなければ、裁判所がこれによって裁判をすることができない。

時効の利益の放棄

時効の利益は、あらかじめ**放棄**することができない。

消滅時効の期間

- 債権者が権利を行使することができることを**知った時**から**5年間**
- 権利を行使することができる時から**10年間**
- 債権又は所有権以外の財産権（例:地上権）は、権利を行使することができる時から**20年間**

*所有権は消滅時効で消滅しない

裁判上の請求等による時効の完成猶予及び更新

- 完成猶予＝時効の完成が先延ばしになること
  - ・裁判上の請求、支払督促、和解、調停など
- 更新＝新たに時効が進行すること

催告による時効の完成猶予

催告があったときは、その時から6ヶ月を経過するまでの間は、時効は完成しない。

承認による時効の更新

時効は、権利の**承認**があったときは、その時から新たに進行を始める。

問題

問190 Ａが有する権利の消滅時効に関する次の記述のうち、民法の規定及び判例によれば、正しいものはどれか。【平成17年 問４】

1　Ａが有する所有権は、取得のときから20年間行使しなかった場合、時効により消滅する。

2　ＡのＢに対する債権を被担保債権として、ＡがＢ所有の土地に抵当権を有している場合、被担保債権が時効により消滅するか否かにかかわらず、設定時から10年が経過すれば、抵当権はＢに対しては時効により消滅する。

3　ＡのＣに対する債権が、ＣのＡに対する債権と相殺できる状態であったにもかかわらず、Ａが相殺することなく放置していたためにＡのＣに対する債権が時効により消滅した場合、Ａは相殺することはできない。

4　ＡのＤに対する債権について、Ｄが消滅時効の完成後にＡに対して債務を承認した場合には、Ｄが時効完成の事実を知らなかったとしても、Ｄは完成した消滅時効を援用することはできない。

問191 時効に関する次の記述のうち、民法の規定及び判例によれば、誤っているものはどれか。なお、時効の対象となる債権の発生原因は、令和２年４月１日以降に生じたものとする。【令和２年12月 問５】

1　消滅時効の援用権者である「当事者」とは、権利の消滅について正当な利益を有する者であり、債務者のほか、保証人、物上保証人、第三取得者も含まれる。

2　裁判上の請求をした場合、裁判が終了するまでの間は時効が完成しないが、当該請求を途中で取り下げて権利が確定することなく当該請求が終了した場合には、その終了した時から新たに時効の進行が始まる。

3　権利の承認があったときは、その時から新たに時効の進行が始まるが、権利の承認をするには、相手方の権利についての処分につき行為能力の制限を受けていないことを要しない。

4　夫婦の一方が他方に対して有する権利については、婚姻の解消の時から６箇月を経過するまでの間は、時効が完成しない。

解説▶解答

問190

選択肢１は速攻で「×」を。「所有権が時効で消滅する」だってさ。しないっつうの。選択肢３もテキストどおりだよん。この問題は正解すべし！

1 × 所有権は消滅時効にかからない。ただし、誰かに奪われる(時効取得)キケンあり。誰かに奪われるため、反射的に所有権を失うことになる。

2 × 抵当権は、債務者(B)・抵当権者(A)との関係では独立して消滅時効にかからない。被担保債権(もともとの金銭債権)が時効消滅すれば消滅する。債権なきところに抵当権なし。

3 × 時効によって消滅した債権でも、消滅前に相殺できる状態だったら、その債権者(A)は相殺することができる。自分の債権が消滅してしまっても相殺できるっていうんだから、変といえば変だけどまぁそういうことで。

4 ○ あーマヌケ！ 消滅時効が完成しているのに債務の承認をしたというシチュエーション。この場合、債務者(D)は時効の利益を放棄したものとされる(判例)。消滅時効を援用することはできない。

問191

選択肢１。時効は、当事者(消滅時効にあっては、保証人、物上保証人、第三取得者その他権利の消滅について正当な利益を有する者を含む。)が援用しなければ、裁判所がこれによって裁判をすることができない。

1 ○ そのとおり。消滅時効を援用することができる「当事者」には、保証人、物上保証人、第三取得者も含まれまーす。

2 × 裁判上の請求を途中で取り下げて権利が確定することなく当該請求が終了した場合、その終了の時から６箇月(6ヶ月)を経過するまでは、時効は完成しない。その終了の時からいきなり時効が進行しちゃうことはない。ちょいとお待ちを。

3 ○ ちょっと細かいですが。「権利の承認があったときは、その時から新たに時効の進行が始まる」ことになるんだけど、「承認をするには、相手方の権利についての処分につき行為能力の制限を受けていないこと又は権限があることを要しない」という規定あり。

4 ○ 離婚できたら、やっと他人。夫婦関係の継続中は、相互間での権利の行使は事実上困難なので、別れたら、さぁ対決。なので「夫婦の一方が他の一方に対して有する権利については、婚姻の解消の時から六箇月を経過するまでの間は、時効は、完成しない」としているのであった。

正解			
問190	4	問191	2

問題

問192

AがBに対して金銭の支払を求めて訴えを提起した場合の時効の更新に関する次の記述のうち、民法の規定及び判例によれば、誤っているものはどれか。（法改正により問題文及び選択肢すべてを修正している）

【令和元年 問9】

1　訴えの提起後に当該訴えが取り下げられた場合には、特段の事情がない限り、時効更新の効力は生じない。

2　訴えの提起後に当該訴えの却下の判決が確定した場合には、時効更新の効力は生じない。

3　訴えの提起後に請求棄却の判決が確定した場合には、時効更新の効力は生じない。

4　訴えの提起後に裁判上の和解が成立した場合には、時効更新の効力は生じない。

問193

時効の援用に関する次の記述のうち、民法の規定及び判例によれば、誤っているものはどれか。

【平成30年 問4】

1　消滅時効完成後に主たる債務者が時効の利益を放棄した場合であっても、保証人は時効を援用することができる。

2　後順位抵当権者は、先順位抵当権の被担保債権の消滅時効を援用することができる。

3　詐害行為の受益者は、債権者から詐害行為取消権を行使されている場合、当該債権者の有する被保全債権について、消滅時効を援用することができる。

4　債務者が時効の完成の事実を知らずに債務の承認をした場合、その後、債務者はその完成した消滅時効を援用することはできない。

解説▶解答

問192 選択肢４の「和解」が正解なんだけど、選択肢１から３。いずれもちゃんと訴えていないし、確定判決も出ていないし、というような判断にて。

1 ○ 訴えの提起後に当該訴えが取り下げられたということだと、そもそも訴えてないワケだから確定判決もへったくれもない。時効更新の効力は生じない。

2 ○ 「当該訴えの却下の判決が確定した」ということであれば、こちらも時効更新の効力は生じない。

3 ○ 「請求棄却の判決が確定した」ということであれば、おなじく時効更新の効力は生じない。

4 × 和解が成立した場合、和解によって権利が確定したことになるので、時効は更新される。

問193 選択肢２がヒッカケ。「詐害行為取消権」もなんじゃこりゃ。

1 ○ 主たる債務者が時効の利益を放棄した（消滅時効は完成しましたけどおカネは返済します）としても、その効力は保証人には及ばないという判例あり。保証人などの「消滅時効の完成により直接利益を受ける者」は時効を援用することができるのだ。

2 × できそうなんだけどな。先順位抵当権の被担保債権が時効消滅すれば抵当権の順位が繰り上がるしね。がしかし「後順位抵当権者は先順位抵当権の被担保債権の消滅により直接利益を受ける者ではない」→「先順位抵当権の被担保債権の消滅時効を援用することはできない」。

3 ○ たとえば債権者Ａに意地悪（詐害行為）するため債務者Ｂが自分の財産をＣに譲渡したという状況。この場合、ＢＣ間の譲渡を債権者Ａは取り消せる。詐害行為取消権の行使という。でね、詐害行為の受益者＝Ｃは、Ａの債権がなくなれば利益があるわけだ。なので「債権者の有する被担保債権について消滅時効を援用することができる」。

4 ○ やだぁー、消滅時効が完成していたのにぃ〜（涙）。「債務者が時効の完成の事実を知らずに債務の承認」をしちゃうと、もはや消滅時効の援用はできなくなります。ザンネンでした。

正解			
問192	4	問193	2

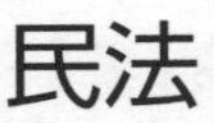

弁済・相殺

2025年版
合格しようぜ！
宅建士 基本テキスト

➡ Part3 権利関係
➡ 権利関係-3
➡ Section3　弁済・相殺・免除・混同など
➡ P446～P455

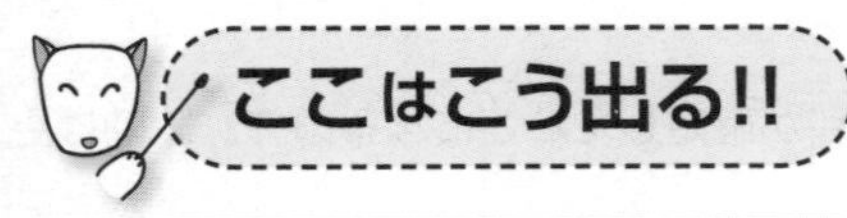

複合問題としての出題が多く、また、判例からの出題も見られ、やや得点しにくい。「弁済」からは「第三者の弁済」をからめての出題が多いか。弁済をするについて正当な利益を有する者でない第三者は債務者の意思に反して弁済できない。単に肉親や友人というだけでは正当な利益があるとはいえない。また、保証人などが弁済した場合は「法定代位」となる。「相殺」からは「消滅時効で消滅した債権での相殺」の取り扱いなど。いずれにせよあまり深追いすることなく、拾えたら拾っていこう。

だからこう解く!! 厳選要点★ここを押さえろ

弁済

債務者が債権者に対して**弁済**をしたときは、その債権は**消滅**する。

第三者の弁済

弁済をするについて正当な利益を有する者でない第三者は、債務者の意思に反して弁済できない。

弁済の相手方

受領権者としての外観を有する者に対する弁済であっても、**善意無過失**であれば有効な弁済となる。

相殺の方法

- 当事者の一方から相手方に対する意思表示によってする
- 双方の債権が弁済期にあること（原則）
- 自分の債権の弁済期が到来していれば相殺できる（判例）

時効により消滅した債権

- 「時効によって消滅した債権」を使って**相殺**できる

更改・免除・混同

- 更改：債務の要素を変更する契約。更改によって元の債権は消滅
- 免除：債権者が債務を免除する意思表示をしたときは、その債権は消滅
- 混同：債務者である子が債権者である親を相続した場合など。その債権は消滅

供託できる場合

- 債権者が受領拒否
- 債権者が受領することができない、など

問題

問194

Aは、土地所有者Bから土地を賃借し、その土地上に建物を所有してCに賃貸している。AのBに対する借賃の支払債務に関する次の記述のうち、民法の規定及び判例によれば、正しいものはどれか。（法改正により選択肢1、2を修正している） 【平成17年 問7】

1　Cは、借賃の支払債務に関して正当な利益を有する者でないので、Aの意思に反して、債務を弁済することはできない。

2　Aが、Bの代理人と称して借賃の請求をしてきた受領権者以外の者に対し債務を弁済した場合、その者に取引上の社会通念に照らして受領権者としての外観があり、Aが善意、かつ、無過失であるときは、その弁済は有効である。

3　Aが、当該借賃を額面とするA振出しに係る小切手（銀行振出しではないもの）をBに提供した場合、債務の本旨に従った適法な弁済の提供となる。

4　Aは、特段の理由がなくとも、借賃の支払債務の弁済に代えて、Bのために弁済の目的物を供託し、その債務を免れることができる。

問195

AのBからの借入金100万円の弁済に関する次の記述のうち、民法の規定及び判例によれば、誤っているものはどれか。（法改正により選択肢3を修正している） 【平成5年 問6】

1　Aの兄Cは、Aが反対しても、Bの承諾があれば、Bに弁済することができる。

2　Aの保証人DがBに弁済した場合、Dは、Bの承諾がなくても、Bに代位することができる。

3　B名義の領収証をEが持参したので、AがEに弁済した場合において、取引上の社会通念に照らしてEが受領権者としての外観を有する者であった場合、Aが過失無くしてその事情を知らなかったときは、Aは、免責される。

4　Aは、弁済に当たり、Bに対して領収証を請求し、Bがこれを交付しないときは、その交付がなされるまで弁済を拒むことができる。

解説▶解答

問194 一瞬、借地借家法の問題かと思いきや、そうではなくて弁済がらみの債権消滅の問題。ＡＢＣを登場させての事例展開。「宅建試験」にありがちなめんどくさい問題。

1 × 土地所有者ＢにＡが借賃を支払わないとなると、土地賃貸借の解除ということになり建物も撤去。となると建物を借りているＣは「弁済について正当な利益を有する第三者」となる。ということで、ＣはＡの意思に反してでも借賃の支払いをすることができる。

2 ○ 選択肢のような受領権者以外の者に対してした弁済でも、善意・無過失であれば、その弁済は有効となる。

3 × 銀行振出しではない小切手だと確実性が著しく低い。Ａ振出しだと「払えなくなっちゃったー」というオチになりかねないがため、弁済の提供とはならないそうです（判例）。

4 × 「特段の理由がない」んだったら、供託なんかすんなよー。供託によって債務を免れることができる場合は、(1)債権者が弁済の受領を拒んだとき、(2)債権者が受領することができないとき、(3)過失なく債権者を確知できないとき。

問195 オーソドックスな問題。だけど選択肢１がおもしろいヒッカケ。肉親といえども、それだけでは利害関係があるとはいえず。

1 × 肉親というだけでは「弁済をするにつき正当な利益を有する者」とはいえない。なので、兄Ｃは債務者Ａの意思に反して弁済はできません。

2 ○ 保証人は弁済によって当然に債権者に代位する。

3 ○ 受取証書を持参してきたＥかぁ〜。「受領権者以外の者であって取引上の社会通念に照らして受領権者としての外観を有する者」に該当するかな。となると、Ｅに対してした弁済は、その弁済をしたＡが善意であり、かつ、過失がなかったときに限り、その効力を有する。つまり弁済したことになって免責される。

4 ○ 「弁済」と「領収書の交付」とは同時履行の関係になる。領収書の交付があるまで弁済しないよ、といい張ってもよい。

正解	
問194 2	問195 1

第1章 宅建業法
第2章 法令上の制限
第3章 権利関係
第4章 その他

問題

問196 Aは、平成30年10月１日、A所有の甲土地につき、Bとの間で、代金1,000万円、支払期日を同年12月１日とする売買契約を締結した。この場合の相殺に関する次の記述のうち、民法の規定及び判例によれば、正しいものはどれか。 【平成30年 問9】

1　BがAに対して同年12月31日を支払期日とする貸金債権を有している場合には、Bは同年12月１日に売買代金債務と当該貸金債権を対当額で相殺することができる。

2　同年11月１日にAの売買代金債権がAの債権者Cにより差し押さえられても、Bは、同年11月２日から12月１日までの間にAに対する別の債権を取得した場合には、同年12月１日に売買代金債務と当該債権を対当額で相殺することができる。

3　同年10月10日、BがAの自動車事故によって被害を受け、Aに対して不法行為に基づく損害賠償債権を取得した場合には、Bは売買代金債務と当該損害賠償債権を対当額で相殺することができる。

4　BがAに対し同年９月30日に消滅時効の期限が到来する貸金債権を有していた場合には、Aが当該消滅時効を援用したとしても、Bは売買代金債務と当該貸金債権を対当額で相殺することができる。

問197 Aは自己所有の甲建物をBに賃貸し賃料債権を有している。この場合における次の記述のうち、民法の規定及び判例によれば、正しいものはどれか。 【平成23年 問6】

1　Aの債権者Cが、AのBに対する賃料債権を差し押さえた場合、Bは、その差し押さえ前に取得していたAに対する債権と、差し押さえにかかる賃料債務とを、その弁済期の先後にかかわらず、相殺適状になった段階で相殺し、Cに対抗することができる。

2　甲建物の抵当権者Dが、物上代位権を行使してAのBに対する賃料債権を差し押さえた場合、Bは、Dの抵当権設定登記の後に取得したAに対する債権と、差し押さえにかかる賃料債務とを、相殺適状になった段階で相殺し、Dに対抗することができる。

3　甲建物の抵当権者Eが、物上代位権を行使してAのBに対する賃料債権を差し押さえた場合、その後に賃貸借契約が終了し、目的物が明け渡されたとしても、Bは、差し押さえにかかる賃料債務につき、敷金の充当による当然消滅を、Eに対抗することはできない。

4　AがBに対する賃料債権をFに適法に譲渡し、その旨をBに通知したときは、通知時点以前にBがAに対する債権を有しており相殺適状になっていたとしても、Bは、通知後はその債権と譲渡にかかる賃料債務とを相殺することはできない。

解説▶解答

問196 相殺。ちょっとめんどくさい問題でした。選択肢2は「差し押さえのタイミング」と「反対債権の取得のタイミング」をからめた話。差し押さえが後だったらね。選択肢3は、世にも奇妙な物語。売主と買主との間で交通事故が起こった。どんな状況だ。けっこう笑える。

1 × Aは12月31日にカネを返す。12月31日まで期限の利益がある。12月31日までにカネを用意しておけばオッケー。なのにBは12月1日（自分が土地代金を払う日）に相殺できるか。そりゃできないでしょ。Aからだったらできるけどね。

2 × 11月1日にCがAの債権を差し押さえた。債権を差し押さえたCはその債権で回収しようと安心している。その後に債権を取得したBが相殺できるか。そりゃできないでしょ。差し押さえが後だったらできるけどね。

3 ○ 笑える。売主Aが買主Bをクルマでひいた。なんじゃこりゃ。被害者であるBは売買代金債務と当該損害賠償債権を対当額で相殺することができる。それにしてもこんな設定で、不法行為の被害者からの相殺を強引に出題した出題者さん。好きです。それも正解肢で出すなんて。

4 × Bの債権は9月30日に時効消滅。ザンネンでした。時効消滅する前に相殺適状（お互い相殺できる状態）になってたら、時効で消滅した債権で相殺できるけどね。Bの債権が消滅した後に、Aの債権だもんね。

問197 「Aの賃料債権を差し押さえてどうのこうの」とややこしい。たまにこういうのも出題される。

1 ○ CがAの債権を差し押さえたときに、Bがすでに Aに対する反対債権をもっていたという場合、BはCに対して相殺を主張することができます。弁済期の先後はとくに問わない。

2 × DがAの賃料債権を差し押さえた場合、Bは、敷金返還請求権（Dの抵当権設定登記後に取得したAに対する債権）をもって、未払い賃料（Aの債権）と相殺することはできないそうです（判例）。

3 × 判例によると「敷金が授受された賃貸借契約が終了し、目的物が明け渡されたときは、賃料債権は、敷金の充当によりその限度で消滅する」となってます。Bは賃料債務の消滅をEに対抗することができる。

4 × 通知時点（対抗要件具備時）以前に相殺適状になっていたんだったら、Bは、その債権をもって、譲渡された債権と相殺できる。

正解	
問196 3	問197 1

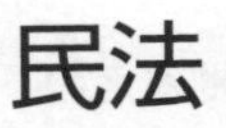

民法 債権譲渡

2025年版
合格しようぜ！
宅建士 基本テキスト

➡ Part3 権利関係
➡ 権利関係-3
➡ Section4　債権譲渡。債権は譲渡できる
➡ P456〜P462

ここはこう出る!!

債権は譲渡できる。通常の売買とおなじく、元の債権者と新債権者との契約で可能。その際、債務者の関与はないため、債権譲渡があったとして新債権者からの請求を受けても、債務者にしてみれば戸惑いもある。そのため「債権譲渡の対抗要件」という制度があり、そこからの出題が多い。また、債権の二重譲渡があった際の「債務者以外の対抗要件（確定日付のある証書）」からの出題もある。判例をからめての難問ということも多く、基本的なことを押さえておき、深追いなしというパターンでいこう。

だからこう解く!! 厳選要点☆ここを押さえろ

債権の譲渡

- 債権は譲渡できる
- 譲渡にあたり債務者の承諾などは不要
- 当事者が債権の譲渡を**禁止**・**制限**する旨の意思表示（譲渡制限の意思表示）をしたときであっても、債権の譲渡は効力を妨げられない

債権譲渡の対抗要件（債務者）

①譲渡人（元の債権者）が債務者に**通知**

②債務者の**承諾**

*債権の譲受人（新債権者）が債務者に対して自分が債権者であることを主張（対抗）するためには、上記①②のいずれかが必要

債権譲渡の対抗要件（第三者）

① **確定日付**のある**証書**による譲渡人の債務者に対する**通知**

② 確定日付のある証書による債務者の**承諾**

*①②のいずれかが必要

確定日付のある証書（例）

- 内容証明郵便
- 公証人役場で確定日付印

債権譲渡の対抗要件（第三者）の事例

- Aは、Bに対して持っている300万円の貸金債権をCに譲渡
- しかしAはうっかり、同じ債権をDにも譲渡
- この場合、Bはどちらに対する債務を負うか?
- 「新債権者は誰なのか」ということが問題となる
- ACの債権譲渡は確定日付のある証書でやっていた
- ADの債権譲渡は単なる通知に留まっていた
- この場合はCが債権者（CはDに対抗できる）
- 両者への通知がどっちも「確定日付のある証書」で行われていた場合は、日付の先後ではなく、債務者に**到達した日時**の**先後**によって決める

問題

問198 Aは、Bに対して貸付金債権を有しており、Aはこの貸付金債権をCに対して譲渡した。この場合、民法の規定及び判例によれば、次の記述のうち誤っているものはどれか。 【平成15年 問8】

1　貸付金債権に譲渡禁止特約が付いている場合で、Cが譲渡禁止特約の存在を過失なく知らないとき、BはCに対して債権譲渡が無効であると主張することができない。

2　Bが債権譲渡を承諾しない場合、CがBに対して債権譲渡を通知するだけでは、CはBに対して自分が債権者であることを主張することができない。

3　Aが貸付金債権をDに対しても譲渡し、Cへは確定日付のない証書、Dへは確定日付のある証書によってBに通知した場合で、いずれの通知もBによる弁済前に到達したとき、Bへの通知の到達の先後にかかわらず、DがCに優先して権利を行使することができる。

4　Aが貸付金債権をEに対しても譲渡し、Cへは平成15年10月10日付、Eへは同月9日付のそれぞれ確定日付のある証書によってBに通知した場合で、いずれの通知もBによる弁済前に到達したとき、Bへの通知の到達の先後にかかわらず、EがCに優先して権利を行使することができる。

問199 売買代金債権（以下この問において「債権」という。）の譲渡（令和3年7月1日に譲渡契約が行われたもの）に関する次の記述のうち、民法の規定によれば、誤っているものはどれか。 【令和3年10月 問6】

1　譲渡制限の意思表示がされた債権が譲渡された場合、当該債権譲渡の効力は妨げられないが、債務者は、その債権の全額に相当する金銭を供託することができる。

2　債権が譲渡された場合、その意思表示の時に債権が現に発生していないときは、譲受人は、その後に発生した債権を取得できない。

3　譲渡制限の意思表示がされた債権の譲受人が、その意思表示がされていたことを知っていたときは、債務者は、その債務の履行を拒むことができ、かつ、譲渡人に対する弁済その他の債務を消滅させる事由をもって譲受人に対抗することができる。

4　債権の譲渡は、譲渡人が債務者に通知し、又は債務者が承諾をしなければ、債務者その他の第三者に対抗することができず、その譲渡の通知又は承諾は、確定日付のある証書によってしなければ、債務者以外の第三者に対抗することができない。

解説▶解答

問198

これぞまさに「債権譲渡」の問題だぁ〜、という感じでしょうか。選択肢１で「譲渡禁止特約」、選択肢２で「新債権者Ｃの通知」、選択肢３の「確定日付のある通知と一般の通知」、選択肢４で「通知の到着の先後」と、まさにオールスター。

1 ○ 債権譲渡禁止特約（譲渡制限の意思表示）があっても債権を譲渡することができる。Ｃが特約の存在につき善意であっても悪意であっても、ＢはＣに対して譲渡が無効であると主張することができない。

2 ○ 債権譲渡の通知は、譲渡人（Ａ）から債務者（Ｂ）に対してしなければならず、譲受人（Ｃ）が通知したところで、法的にはなんら意味はない。

3 ○ ＡがＣに譲渡したときはフツーの郵便でＢに通知し、Ｄに譲渡したときは確定日付のある証書（内容証明郵便など）で通知した場合、実際の譲渡の日付や到達の先後ではなく、確定日付のある証書により通知してもらったＤがＣに優先する。

4 × 両方とも確定日付のある通知だってさ。この場合は、通知の日付はともかく、債務者に先に到達した方を優先する。

問199

債権譲渡。近年の改正点を主に出題。復習するのにちょうどいいです。選択肢４はおなじみのやつ。

1 ○ 「譲渡しないでね」と当事者が譲渡制限の意思表示をしたときであっても、債権の譲渡は、その効力を妨げられない。つまり譲渡できちゃうんだけど、債務者は、その債権の全額に相当する金銭を債務の履行地の供託所に供託することができる。

2 × いわゆる「将来債権」っていうやつですね。債権の譲渡は、その意思表示の時に債権が現に発生していることを要しない。で、そんな「将来債権」の譲受人は「発生した債権を当然に取得する」とされてます。

3 ○ 「譲渡しないでねって意思表示してたでしょ」という債務者は、「譲渡制限の意思表示がされたことを知り、又は重大な過失によって知らなかった譲受人」に対し、その債務の履行を拒むことができ、かつ、譲渡人に対する弁済その他の債務を消滅させる事由をもってその第三者に対抗することができる。

4 ○ よく出題されている選択肢。債権の譲渡は、譲渡人が債務者に通知をし、又は債務者が承諾をしなければ、債務者その他の第三者に対抗することができない。この通知又は承諾は、確定日付のある証書によってしなければ、債務者以外の第三者に対抗することができない。

正解	
問198 4	問199 2

民法　連帯債務・債務不履行

2025年版
合格しようぜ！
宅建士 基本テキスト

➡ Part3 権利関係
➡ 権利関係-4
➡ Section2　連帯債務。いつまでも債務者!?
➡ P472～P479

ここはこう出る!!

連帯債務とは、1人の債権者に対して複数の債務者がいて、その債務者たちは、全員で債権の全額について責任を負うというもの。連帯債務者間で決めた「負担部分（額）」はあるにせよ、債権者には主張できない。債権が全額弁済されるまでは、全員が債務者と扱われる。連帯債務の「絶対的効力」としての「更改」「相殺」「混同」と、「相対的効力」としての「請求」「免除」などの取り扱いを習得しておいてほしい。「連帯債務」からの出題となると、どうしても登場人物は複数人となる。まずは図解してみよう。なお、ここで債務不履行からの出題も掲載している。近年の改正点からの出題であり、出題内容を確認しておいてほしい。

だからこう解く!! 厳選要点☆ここを押さえろ

連帯債務の特徴

- 債権者は連帯債務者に好きなように請求できる
- 連帯債務者の誰かが弁済すれば債務消滅
- 弁済後は債務者間での求償関係となる

連帯債務の絶対的効力

絶対的効力は全体に影響をおよぼす

- 更改

  連帯債務者一人と債権者との間で更改があったときは、債権は全ての連帯債務者の利益のために消滅。

- 相殺

  連帯債務者の一人が債権者に対して反対債権を有していて、その連帯債務者が相殺を援用したときは、債権は、全ての連帯債務者の利益のために消滅する。

- 混同

  連帯債務者の1人と債権者の間に混同があったときは、その連帯債務者は、弁済したものとみなす。

相対的効力

- 「更改」「相殺」「混同」を除き、連帯債務者の1人について生じた事由（例：「請求」「免除」）は、他の連帯債務者に対しては**効力を生じない**
- ただし、債権者及び連帯債務者の1人が別段の意思表示をしたときは、その連帯債務者に対する効力は、その意思に従う

債務不履行の責任

- 確定期限があるときは、債務者は、その期限の到来した時から遅滞の責任を負う。
- 不確定期限があるときは、債務者は、その期限の到来した後に**履行の請求**を受けた時又はその期限の到来したことを**知った時**のいずれか**早い時**から遅滞の責任を負う。

問題

問200

債務者A、B、Cの３名が、令和３年７月１日に、内部的な負担部分の割合は等しいものとして合意した上で、債権者Dに対して300万円の連帯債務を負った場合に関する次の記述のうち、民法の規定によれば、誤っているものはどれか。 【令和3年10月 問2】

1　DがAに対して裁判上の請求を行ったとしても、特段の合意がなければ、BとCがDに対して負う債務の消滅時効の完成には影響しない。

2　BがDに対して300万円の債権を有している場合、Bが相殺を援用しない間に300万円の支払の請求を受けたCは、BのDに対する債権で相殺する旨の意思表示をすることができる。

3　DがCに対して債務を免除した場合でも、特段の合意がなければ、DはAに対してもBに対しても、弁済期が到来した300万円全額の支払を請求することができる。

4　AとDとの間に更改があったときは、300万円の債権は、全ての連帯債務者の利益のために消滅する。

問201

債務不履行に関する次の記述のうち、民法の規定及び判例によれば、誤っているものはどれか。なお、債務は令和２年４月１日以降に生じたものとする。 【令和２年12月 問4】

1　債務の履行について不確定期限があるときは、債務者は、その期限が到来したことを知らなくても、期限到来後に履行の請求を受けた時から遅滞の責任を負う。

2　債務の目的が特定物の引渡しである場合、債権者が目的物の引渡しを受けることを理由なく拒否したため、その後の履行の費用が増加したときは、その増加額について、債権者と債務者はそれぞれ半額ずつ負担しなければならない。

3　債務者がその債務について遅滞の責任を負っている間に、当事者双方の責めに帰することができない事由によってその債務の履行が不能となったときは、その履行不能は債務者の責めに帰すべき事由によるものとみなされる。

4　契約に基づく債務の履行が契約の成立時に不能であったとしても、その不能が債務者の責めに帰することができない事由によるものでない限り、債権者は、履行不能によって生じた損害について、債務不履行による損害の賠償を請求することができる。

解説▶解答

問200 連帯債務です。近年の改正点を盛り込んでの出題。王道ですね。選択肢１の請求は「相対的効力」に留まる。他の連帯債務者には効力を生じない。選択肢２は相殺。念のため解説で確認しておいてね。

1 ○ 連帯債務者に対する請求は、特段の合意（別段の意思を表示）がなければ、他の連帯債務者に対してその効力を生じない。なので、ＢとＣが債権者Ｄに対して負う債務の消滅時効の完成に影響しない。

2 × 債権者Ｄから請求を受けたＣができることは、「Ｂの負担部分の限度において、債権者Ｄに対して債務の履行を拒むことができる」に留まる。勝手に相殺しちゃう（相殺する旨の意思表示をする）ことはできません。

3 ○ 連帯債務者に対する免除は、特段の合意（別段の意思を表示）がなければ、他の連帯債務者に対してその効力を生じない。なので、債権者Ｄは、Ａに対してもＢに対しても、弁済期が到来した300万円全額の支払を請求することができる。

4 ○ 連帯債務者の１人と債権者との間に更改があったときは、債権は、全ての連帯債務者の利益のために消滅する。そりゃそうだよね。

問201 「債務不履行」からの出題。選択肢３は、履行遅滞中に「当事者双方の責めに帰することができない事由」によって履行不能となっちゃった場合は、果たして誰の責任か、というお話。

1 ○ そうだよね。債務の履行について不確定期限があるときは、債務者は、その期限の到来した後に履行の請求を受けた時又はその期限の到来したことを知った時のいずれか早い時から遅滞の責任を負う。

2 × いやいや、これって誰のせい？　債権者（引渡しを受ける側）が債務の履行を受けることを拒み、又は受けることができないことによって、その履行の費用が増加したときは、その増加額は、債権者の負担となるよ。

3 ○ 「債務者がその債務について遅滞の責任を負っている間」だもんね。当事者双方の責めに帰することができない事由によってその債務の履行が不能となったときは、その履行の不能は、債務者の責めに帰すべき事由によるものとみなす。

4 ○ 契約に基づく債務の履行がその契約の成立の時に不能だったという場合でも、その履行の不能によって生じた損害の賠償を請求することができます。ただし、その不能が契約その他の債務の発生原因及び取引上の社会通念に照らして債務者の責めに帰することができない事由によるものであるときは、この限りでない（請求できない）ですが。

正解	
問200 2	問201 2

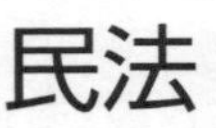

保証債務

2025年版
合格しようぜ！
宅建士 基本テキスト

➡ Part3 権利関係
➡ 権利関係-4
➡ Section3　保証債務。保証人はこんな目に!!
➡ P480～P488

ここはこう出る!!

保証には「一般の保証」と「連帯保証」がある。主たる債務者を保証するという立場はおなじであるものの、連帯保証人には「催告の抗弁権」と「検索の抗弁権」が認められていない。このあたりを聞いてくる場合が多い。基本的な内容はしっかり押さえておくべし。また「連帯債務」と「連帯保証」を複合問題にしての出題もある。一つの選択肢に連帯債務と連帯保証を書き込んでいるので長文となる。図解して冷静に解答してほしい。

だからこう解く!! 厳選要点★ここを押さえろ

保証契約

- 保証人は主たる債務者がその債務を履行しないときにその履行をする責任を負う
- 保証契約は**書面**（電磁的記録）で行わないと効力なし
- 保証人を立てる場合は「行為能力者」+「弁済の資力あり」
- 保証人の「弁済の資力」がなくなったら変更を請求できる

保証債務の性質

- 主たる債務が消滅すれば保証債務も消滅
- 主たる債務が移転すると保証債務も移転
- 保証人には「催告の抗弁権」「検索の抗弁権」あり

催告の抗弁権

- 保証人は債権者に「まず**主たる債務者**に**催告**せよ」と請求できる
- 主たる債務者が「破産手続開始決定」「行方不明」だったら行使できない

検索の抗弁権

- 「主たる債務者の財産から返済してもらうか、強制執行せよ」と請求できる
- 保証人は「主たる債務者に弁済の資力があること」「強制執行が容易なこと」を証明しなければならない

主たる債務者と保証人の関係

- 主たる債務者に対する履行の請求、主たる債務者の承認→「保証人にも効力が及ぶ」
- 保証人が弁済したら、主たる債務者に求償できる
- 保証人は主たる債務者の反対債権で相殺できる

連帯保証の場合

連帯保証人は「**催告の抗弁権**」「**検索の抗弁権**」を有しない

問題

問202 保証に関する次の記述のうち、民法の規定及び判例によれば、誤っているものはどれか。 【平成22年 問8】

1　保証人となるべき者が、主たる債務者と連絡を取らず、同人からの委託を受けないまま債権者に対して保証したとしても、その保証契約は有効に成立する。

2　保証人となるべき者が、口頭で明確に特定の債務につき保証する旨の意思表示を債権者に対してすれば、その保証契約は有効に成立する。

3　連帯保証ではない場合の保証人は、債権者から債務の履行を請求されても、まず主たる債務者に催告すべき旨を債権者に請求できる。ただし、主たる債務者が破産手続開始の決定を受けたとき、又は行方不明であるときは、この限りでない。

4　連帯保証人が2人いる場合、連帯保証人間に連帯の特約がなくとも、連帯保証人は各自全額につき保証責任を負う。

問203 Aは、Aの所有する土地をBに売却し、Bの売買代金の支払債務についてCがAとの間で保証契約を締結した。この場合、民法の規定によれば、次の記述のうち誤っているものはどれか。（法改正により選択肢3を修正している） 【平成15年 問7】

1　Cの保証債務がBとの連帯保証債務である場合、AがCに対して保証債務の履行を請求してきても、CはAに対して、まずBに請求するよう主張できる。

2　Cの保証債務にBと連帯して債務を負担する特約がない場合、AがCに対して保証債務の履行を請求してきても、Cは、Bに弁済の資力があり、かつ、執行が容易であることを証明することによって、Aの請求を拒むことができる。

3　Cの保証債務がBとの連帯保証債務である場合、Cに対する履行の請求による時効の完成猶予及び更新は、Bに対してはその効力を生じない。

4　Cの保証債務にBと連帯して債務を負担する特約がない場合、Bに対する履行の請求その他時効の更新は、Cに対してもその効力を生ずる。

解説▶解答

問202

保証債務からの出題。選択肢1や4の表現がちょっと珍しいかも。でも選択肢2の「保証契約の書面化」。速攻で「×」をふって欲しいところ。選択肢3の「催告の抗弁権」も教材どおりで「○」。

1 ○ そのとおり。保証契約の成立にあたり、主たる債務者と保証人との間の「保証委託契約」はあってもなくってもよい。

2 × 口頭のみではダメ。保証契約は、書面でしなければ効力を生じない。

3 ○ 連帯保証人じゃなければ「催告の抗弁権」が認められています。がしかし、「主たる債務者が破産手続開始の決定を受けたとき、又は行方不明であるとき」は行使できない。ま、そりゃそうですよね。

4 ○ そのとおり。連帯保証人が2人いる共同保証の場合、連帯保証人間に連帯の特約がなくとも、連帯保証人は各自全額につき保証責任を負う。なお2人とも連帯保証人じゃなければ、負担は半額ずつ(分別の利益)となる。

問203

とにかく「連帯保証人」にはならないように、と肝に銘じながらお勉強しておきましょう。連帯保証人には、催告の抗弁権と検索の抗弁権が認められていないため、主たる債務者と同列の扱いを受けてしまう。

1 × だからさ、連帯保証人には催告の抗弁権(「CはAに対して、まずBに請求するよう主張できる」)はないんだってば。

2 ○ 果たして実社会で「連帯して債務を負担する特約がない」保証債務が成立するかどうかはさておき、連帯保証でないということであれば催告の抗弁権と検索の抗弁権(「AがCに対して保証債務の履行を請求してきても、Cは、Bに弁済の資力があり、かつ、執行が容易であることを証明することによって、Aの請求を拒むことができる」)で債権者と戦おう!

3 ○ 債権者Aが連帯保証人Cへ請求したとしても、主たる債務者Bには請求したことにはならないんだけど、別段の意思表示があればそれに従う。連帯債務の規定を準用します。

4 ○ 保証債務の場合は、主たる債務者に起こった出来事はことごとく保証人に降ってくる。このへんについては、連帯保証と一般保証とのちがいはない。だって本質は主債務の「保証」なんだから、まぁ当たり前なんだけど。

正解	
問202 2	問203 1

問題

問204

AからBとCとが負担部分2分の1として連帯して1,000万円を借り入れる場合と、DからEが1,000万円を借り入れ、Fがその借入金返済債務についてEと連帯して保証する場合とに関する次の記述のうち、民法の規定によれば、正しいものはどれか。(法改正により選択肢2を修正している) 【平成20年 問6】

1　Aが、Bに対して債務を免除した場合にはCが、Cに対して債務を免除した場合にはBが、それぞれ500万円分の債務を免れる。Dが、Eに対して債務を免除した場合にはFが、Fに対して債務を免除した場合にはEが、それぞれ全額の債務を免れる。

2　AがBに対して履行を請求した効果は、原則としてCには及ばないが、DがEに対して履行を請求した後はFに及ぶ。

3　Bについて時効が完成した場合にはCが、Cについて時効が完成した場合にはBが、それぞれ500万円分の債務を免れる。Eについて時効が完成した場合にはFが、Fについて時効が完成した場合にはEが、それぞれ全額の債務を免れる。

4　AB間の契約が無効であった場合にはCが、AC間の契約が無効であった場合にはBが、それぞれ1,000万円の債務を負う。DE間の契約が無効であった場合はFが、DF間の契約が無効であった場合はEが、それぞれ1,000万円の債務を負う。

問205

保証に関する次の記述のうち、民法の規定及び判例によれば、誤っているものはどれか。なお、保証契約は令和2年4月1日以降に締結されたものとする。 【令和2年10月 問7】

1　特定物売買における売主の保証人は、特に反対の意思表示がない限り、売主の債務不履行により契約が解除された場合には、原状回復義務である既払代金の返還義務についても保証する責任がある。

2　主たる債務の目的が保証契約の締結後に加重されたときは、保証人の負担も加重され、主たる債務者が時効の利益を放棄すれば、その効力は連帯保証人に及ぶ。

3　委託を受けた保証人が主たる債務の弁済期前に債務の弁済をしたが、主たる債務者が当該保証人からの求償に対して、当該弁済日以前に相殺の原因を有していたことを主張するときは、保証人は、債権者に対し、その相殺によって消滅すべきであった債務の履行を請求することができる。

4　委託を受けた保証人は、履行の請求を受けた場合だけでなく、履行の請求を受けずに自発的に債務の消滅行為をする場合であっても、あらかじめ主たる債務者に通知をしなければ、同人に対する求償が制限されることがある。

解説▶解答

問204 連帯債務と連帯保証の複合問題。各選択肢の前半は連帯債務で、後半は連帯保証。

1 × 連帯債務者の一人にした債務の免除は、他の連帯債務者には効力は及ばない。また、連帯保証人F(そもそも負担部分という発想はない)に対して免除したとしても、主たる債務者Eがその債務を免れることはないでしょ。フツーに考えても、なんか変でしょ。

2 ○ 連帯債務者の一人にした履行の請求の効果は、原則として他の連帯債務者には及ばないが、保証の場合、主たる債務者に対する履行の請求の効果は保証人にも及ぶ。

3 × 連帯債務者の一人について時効が完成したとしても、他の連帯債務者がその負担部分の債務を免れることはない。で、保証の場合、主たる債務者Eについて時効が完成した場合はともかく、連帯保証人Fについて時効が完成したとしても、主たる債務者Eがその債務を免れることはない。

4 × 連帯債務者の一人の債務が無効となっても、他の連帯債務者の債務が無効になることはないんだけど、あのさ、保証の場合、主たる債務(DE間の契約)が無効になったら、そりゃFの連帯保証契約も無効となるから「Fが1,000万円の債務を負う」なんてことにはならない。なお、連帯保証契約が無効になったとしても、主たる債務に関する契約は無効とはならないから後半は「○」。

問205 選択肢1。果たして保証人は、契約が解除された後の原状回復義務まで保証するのかどうか。

1 ○ 判例によると、「特定物の売買における売主の保証人は、売主の債務不履行により契約が解除された場合の原状回復義務(既払代金の返還義務)についても、特に反対の意思表示のないかぎり、保証の責に任ずるものと認めるのを相当とする」だそうです。

2 × 主たる債務の目的が保証契約の締結後に加重されたときであっても、保証人の負担は加重されない。そりゃそうでしょ。また、判例によれば、主たる債務者が時効の利益を放棄しても、保証人(連帯保証人であってもなくても)にはその効果が及ばない。保証人は主たる債務についての消滅時効を援用することができます。

3 ○ 債務の弁済期前に保証人が債務の弁済。でも主たる債務者が「相殺できたのに」と主張している。となると保証人は「債権者に対し、その相殺によって消滅すべきであった債務の履行を請求することができる」というオチ。

4 ○ 主たる債務者にしてみれば「あらかじめ通知をしてよ」ということであろう。「主たる債務者は、債権者に対抗することができた事由をもってその保証人に対抗することができる」となるので、同人に対する求償が制限されることがある。

正解	
問204 2	問205 2

民法 同時履行の抗弁権・契約の解除

2025年版
合格しようぜ！
宅建士 基本テキスト

➡ Part3 権利関係
➡ 権利関係-5
➡ Section1　契約総論。全般的な取り決め
Section2　契約の解除とは。解除権
➡ P490～P501

ここはこう出る!!

契約はいろいろな観点から分類できる。なかでも「双務契約・片務契約」という分類になじんでおきたい。売買契約や賃貸借契約などは双務契約となる。この売買などの双務契約については「同時履行の抗弁権」という考え方がある。「相手が債務を履行しないのであれば自分の債務も履行しない」という内容だ。売買契約などのほかに同時履行の関係に立つものとして「売買契約の解除に伴う原状回復義務」があり、立たないものとして賃貸借の終了に伴う「敷金返還債務」と「建物明渡債務」などがある。

だからこう解く!! 厳選要点★ここを押さえろ

双務契約·片務契約

- 双務契約：売買、賃貸借など（双方に対価的な債務がある）
- 片務契約：贈与など（当事者の一方のみに債務がある）

同時履行の抗弁権

双務契約の当事者の一方は、相手方が債務の履行を提供するまでは、自己の債務の履行を**拒む**ことができる。

同時履行の関係となるケース

- マンションの**売買契約**
  「買主の代金支払い債務」と「売主の所有権移転登記に協力する債務」
- マンションの売買契約の**解除**（原状回復）
  「買主の目的物の返還債務」と「売主の代金返還債務」

同時履行の関係とはならないケース

- 賃貸借契約終了（**敷金**の返還）
  「借家人からの敷金返還請求に基づく敷金返還債務」と「借家人の建物の明渡債務」

＊借家人の明渡債務（義務）が先

契約の解除

- 契約は解除権がなければ解除できない
- 解除の意思表示は撤回できない

解除の効果·原状回復義務

- 契約が解除されたときは、各当事者は**原状回復**義務を負う
- ただし第三者の権利を害することはできない
- 原状回復において金銭を返還するときは、受領時からの利息を付さなければならない
- 解除とともに**損害賠償**を請求することができる

解除と第三者の関係

売買契約のあと、目的物を第三者に転売。元の売買契約を解除。

- 第三者が登記している：元の所有者は取り戻せない
- 第三者が登記していない：原状回復。元の所有者は**取り戻せる**

問題

問206

同時履行の抗弁権に関する次の記述のうち、民法の規定及び判例によれば、正しいものはいくつあるか。 【平成27年 問8】

ア　マンションの賃貸借契約終了に伴う賃貸人の敷金返還債務と、賃借人の明渡債務は、特別の約定のない限り、同時履行の関係に立つ。

イ　マンションの売買契約がマンション引渡し後に債務不履行を理由に解除された場合、契約は遡及的に消滅するため、売主の代金返還債務と、買主の目的物返還債務は、同時履行の関係に立たない。

ウ　マンションの売買契約に基づく買主の売買代金支払債務と、売主の所有権移転登記に協力する債務は、特別の事情のない限り、同時履行の関係に立つ。

1　一つ　2　二つ　3　三つ　4　なし

問207

売主Aは、買主Bとの間で甲土地の売買契約を締結し、代金の3分の2の支払と引換えに所有権移転登記手続と引渡しを行った。その後、Bが残代金を支払わないので、Aは適法に甲土地の売買契約を解除した。この場合に関する次の記述のうち、民法の規定及び判例によれば、正しいものはどれか。 【平成21年 問8】

1　Aの解除前に、BがCに甲土地を売却し、BからCに対する所有権移転登記がなされているときは、BのAに対する代金債務につき不履行があることをCが知っていた場合においても、Aは解除に基づく甲土地の所有権をCに対して主張できない。

2　Bは、甲土地を現状有姿の状態でAに返還し、かつ、移転登記を抹消すれば、引渡しを受けていた間に甲土地を貸駐車場として収益を上げていたときでも、Aに対してその利益を償還すべき義務はない。

3　Bは、自らの債務不履行で解除されたので、Bの原状回復義務を先に履行しなければならず、Aの受領済み代金返還義務との同時履行の抗弁権を主張することはできない。

4　Aは、Bが契約解除後遅滞なく原状回復義務を履行すれば、契約締結後原状回復義務履行時までの間に甲土地の価格が下落して損害を被った場合でも、Bに対して損害賠償を請求することはできない。

解説▶解答

問206 記述「ア」の「×」がわかればなんとかなったんじゃないでしょーか。

ア × 建物明渡しと敷金返還とは同時履行の関係に立たない。明渡債務が先です。明け渡すまでは敷金の返還請求権は発生しませーん（判例）。

イ × 売買契約が債務不履行を理由に解除された場合、売主の代金返還債務と買主の目的物返還債務とは同時履行の関係に立ちまーす。

ウ ○ 買主の売買代金支払債務と売主の「引渡し」や「所有権移転登記に協力する債務」は、そりゃ同時履行の関係に立つでしょ。

正しいものはウの「一つ」。選択肢1が正解となる。

問207 解除がどうしたこうしたと、まいどおなじみの選択肢はあるにせよ、同時履行やらなんやら、ややメンドーなところからの出題でした。

1 ○ これもよく出題されますねぇ〜。A（解除権者）は、契約解除前に所有権を取得した第三者のうち、登記を備えたもの（ここでいうとC）の権利を害することはできない。Bの債務不履行についての善意・悪意も問いません。ということで、Aは解除に基づく甲土地の所有権をCに対して主張できない。まいどおなじみのパターンでございました。

2 × えーとですね、当事者の一方がその解除権を行使したときは、各当事者は、その相手方を原状に復させる義務を負い、特定物の売買が解除された場合には、解除するまでの間に買主が所有者としてその物を使用収益した利益は、売主に償還しなければならない。稼ぎ逃げは許しませぇ〜ん。

3 × 同時履行の抗弁権の規定は、契約の解除の場合にも準用されます。ということで、Bの原状回復義務とAの受領済み代金返還義務は同時履行の関係となります。

4 × 解除権の行使は、損害賠償の請求を妨げない。なので、AはBに対して、契約締結後原状回復義務履行時（漢字だらけでやだね〜）までの土地の価格下落による損害につき、賠償請求をすることができる。

正解	
問206 1	問207 1

民法 売買契約

2025年版
合格しようぜ！
宅建士 基本テキスト

➡ Part3 権利関係
➡ 権利関係-5
➡ Section3　売買契約。売主の責任など
➡ P502〜P511

まず「手付」については、基本的な取り扱いをしっかり理解しておきたい。頻出項目でもある。手付により解除するには、買主からは「手付放棄」、売主からは「手付の倍額を現実に償還」となる。また、売買契約に際し買主に引き渡された目的物が種類、品質、数量に関して契約の内容に適合しないものであるときは、買主は売主に対し、目的物の修補、代替物の引渡し又は不足分の引渡しによる履行の追完を請求できる（追完請求権）。また、買主は代金の減額の請求や、場合によっては契約の解除、損害賠償も可能だ。それらの取り扱いについてもしっかりマスターしておこう。

だからこう解く!! 厳選要点★ここを押さえろ

手付

- 買主は**手付**を**放棄**して契約を解除できる
- 売主は受領した手付の**倍額**を**現実**に提供して、解除できる
- 手付による解除は、相手方が**履行**に**着手**する前まで
- 手付による解除があった場合、損害賠償の請求はできない

権利移転の対抗要件に係る売主の義務

売主は、買主に対し、登記、登録その他の売買の目的物である権利の移転についての対抗要件を備えさせる義務を負う。

他人の権利の売買における売主の義務

他人の権利（権利の一部が他人に属する場合におけるその権利の一部を含む）を売買の目的としたときは、売主は、その**権利**を取得して買主に**移転**する義務を負う。

目的物の種類又は品質に関する担保責任の期間の制限

売主が**種類**又は**品質**に関して契約の内容に適合しない目的物を買主に引き渡した場合において、買主がその**不適合を知った時から1年以内**にその旨を売主に通知しないときは、買主は、その不適合を理由として、履行の追完の請求、代金の減額の請求、損害賠償の請求及び契約の解除をすることができない。

担保責任を負わない特約

- 特約で定めることができる
- 売主が**知っていて告げなかった**事実については、担保責任を負う

問題

問208

Ａは、中古自動車を売却するため、Ｂに売買の媒介を依頼し、報酬として売買代金の３％を支払うことを約した。Ｂの媒介によりＡは当該自動車をＣに100万円で売却した。この場合に関する次の記述のうち、民法の規定及び判例によれば、正しいものはどれか。（法改正により選択肢２、３を修正している）

【平成29年 問５】

1　Ｂが報酬を得て売買の媒介を行っているので、ＣはＡから当該自動車の引渡しを受ける前に、100万円をＡに支払わなければならない。

2　当該自動車が契約内容に適合しないものであった場合には、ＣはＡに対しても、Ｂに対しても、担保責任を追及することができる。

3　売買契約が締結された際に、Ｃが解約手付として手付金10万円をＡに支払っている場合には、Ａはいつでも20万円を現実に提供して売買契約を解除することができる。

4　売買契約締結時には当該自動車がＡの所有物ではなく、Ａの父親の所有物であったとしても、ＡＣ間の売買契約は有効に成立する。

問209

Ａを売主、Ｂを買主とする甲土地の売買契約（以下この問において「本件契約」という。）が締結された場合の売主の担保責任に関する次の記述のうち、民法の規定及び判例によれば、誤っているものはどれか。（法改正により選択肢１、３、４を修正している）

【平成28年 問６】

1　Ｂが、甲土地がＣの所有物であることを知りながら本件契約を締結した場合でも、Ａが甲土地の所有権を取得してＢに移転することができないときは、ＢはＡに対して、損害賠償を請求することができる。

2　Ｂが、甲土地がＣの所有物であることを知りながら本件契約を締結した場合、Ａが甲土地の所有権を取得してＢに移転することができないときは、Ｂは、本件契約を解除することができる。

3　Ａ所有の甲土地が抵当権の目的となっており、抵当権の存在を前提に売買代金が廉価であったなどの場合でも、当該抵当権が実行されれば、Ｂは、直ちに契約を解除することができる。

4　Ａ所有の甲土地が抵当権の目的となっているが、当該抵当権の存在が契約内容に適合しないと認められる場合、Ｂは、当該契約を解除することができる。

解説▶解答

問208 不動産の試験なのに「中古自動車の売却」ってどういうことだ。他の出題者はなんとも思わなかったのか。でも選択肢4がかんたんだったので、この出題者を許してやってください。

1 × 同時履行の抗弁権。Cの100万円の支払いとAの自動車の引渡しは同時履行の関係となる。自動車の引渡しを受ける前に、100万円をAに支払う必要なし。

2 × Bは媒介しているだけ。売主ではないので、CはBに対しては、担保責任を追及できない。売主であるAに対してだけ。

3 × Cが契約の履行に着手しちゃったあとは、Aは手付倍返しでの解除はできない。「Aはいつでも20万円を現実に提供して」ではない。

4 ○ 他人の所有物を売買契約の目的とした場合でも、契約は有効だもんな。

問209 他人の権利を売買したり、抵当権が存在していたりと、そういう事例ばかり勉強していると、「世の中、なんでもないふつうの売買契約ってあるのかな」と変なふうに思ってしまいそう(笑)。

1 ○ 他人の権利を売買の目的としたときは、売主は、その権利を取得して買主に移転する義務を負う。「甲土地の所有権を取得してBに移転することができない」となるとAの債務不履行となり、Bは契約の解除や損害賠償を請求することができる。

2 ○ そうそう。選択肢1の解説にもあるとおり、Bは契約の解除や損害賠償を請求することができる。

3 × 「抵当権の存在を前提に売買代金が廉価であった」とあるので、抵当権が存在していたとしても「契約内容に適合しない」とはいえないかな。なので、抵当権が実行されたとしても、ある意味、予想されたことでもあるので、直ちに解除とはならない。

4 ○ 「当該抵当権の存在が契約内容に適合しない」とあるので、買主は売主に担保責任を追及することができる。契約を解除することも可能となる。

正解	
問208 4	問209 3

問題

問210 Aを売主、Bを買主として甲土地の売買契約を締結した場合における次の記述のうち、民法の規定及び判例によれば、正しいものはどれか。（法改正により選択肢1、4を修正している）【平成21年 問10】

1　A所有の甲土地にAが気付かなかった契約内容に適合しないものがあり、その不適合については、Bも不適合であることに気付いておらず、かつ、気付かなかったことにつき過失がないような場合には、Aは担保責任を負う必要はない。

2　BがAに解約手付を交付している場合、Aが契約の履行に着手していない場合であっても、Bが自ら履行に着手していれば、Bは手付を放棄して売買契約を解除することができない。

3　甲土地がAの所有地ではなく、他人の所有地であった場合には、AB間の売買契約は無効である。

4　A所有の甲土地に契約の内容に適合しない抵当権の登記があり、Bが当該土地の抵当権消滅請求をした場合には、Bは当該請求の手続が終わるまで、Aに対して売買代金の支払を拒むことができる。

問211 売買契約に関する次の記述のうち、民法の規定によれば、誤っているものはどれか。【オリジナル問題】

1　他人の権利を売買の目的としたときは、売主は、その権利を取得して買主に移転する義務を負う。

2　引き渡された目的物が種類、品質又は数量に関して契約の内容に適合しないものであるときは、買主は、売主に対し、目的物の修補、代替物の引渡し又は不足分の引渡しによる履行の追完を請求することができる。

3　売主が買主に目的物（売買の目的として特定したものに限る。）を引き渡した場合において、その引渡しがあった時以後にその目的物が当事者双方の責めに帰することができない事由によって滅失したときは、買主は、当該売買契約を解除することができる。

4　売主が種類又は品質に関して契約の内容に適合しない目的物を買主に引き渡した場合において、買主がその不適合を知った時から1年以内にその旨を売主に通知しないときは、買主は、その不適合を理由として、履行の追完の請求、代金の減額の請求、損害賠償の請求及び契約の解除をすることができない。

解説▶解答

問210 選択肢３は「無効」じゃないんだってば。

1 × 売主は、買主に引き渡した目的物が契約内容に適合しないと認められる場合、買主に対し、担保責任を負わなければならない。不適合が自分の責任じゃなかったとしてもね。

2 × 相手方が履行に着手するまでは、買主Ｂは、自らが履行していたとしても手付を放棄して解除オッケー。

3 × 他人の所有地でも売っちゃってよい。ＡＢ間の売買契約は有効。なお、Aは、その他人から所有権を取得してBに移転する義務を負う。

4 ○ 買主は、抵当権消滅請求の手続が終わるまで、その代金の支払を拒むことができます。

問211 近年の改正点をドンピシャで出題している過去問が見当たらないので、出題されそうな改正点を盛り込んだ問題を作ってみました。トライしてみてね。

1 ○ 「他人が所有する不動産を売買した」という場合だ。売主は、他人からその不動産を取得（所有権を取得）して、買主に移転する義務を負う。そりゃそうでしょ。

2 ○ 書いてあるとおり。買主の追完請求権だよ。買主は、売主に対し、目的物の修補、代替物の引渡し又は不足分の引渡しによる履行の追完を請求することができまーす。

3 × 売主が買主に売買の目的物を引き渡した後だもんね。引き渡した後の滅失や損傷については、買主は、その滅失又は損傷を理由として、履行の追完の請求、代金の減額の請求、損害賠償の請求及び契約の解除をすることができない。まぁ、そりゃそうだよね。

4 ○ 「買主がその不適合を知った時から１年以内にその旨を売主に通知しない」と、買主は、その不適合を理由として、履行の追完の請求や契約の解除などをすることができなくなる。ただし、売主が引渡しの時にその不適合を知っていたとか、重大な過失で知らなかったなんていうときはこの限りではないよね。念のため。

正解	
問210 4	問211 3

問題

問212 **Ａを売主、Ｂを買主として、Ａ所有の甲自動車を50万円で売却する契約（以下この問において「本件契約」という。）が令和３年７月１日に締結された場合に関する次の記述のうち、民法の規定によれば、誤っているものはどれか。** 【令和3年10月 問7】

1　Ｂが甲自動車の引渡しを受けたが、甲自動車のエンジンに契約の内容に適合しない欠陥があることが判明した場合、ＢはＡに対して、甲自動車の修理を請求することができる。

2　Ｂが甲自動車の引渡しを受けたが、甲自動車に契約の内容に適合しない修理不能な損傷があることが判明した場合、ＢはＡに対して、売買代金の減額を請求することができる。

3　Ｂが引渡しを受けた甲自動車が故障を起こしたときは、修理が可能か否かにかかわらず、ＢはＡに対して、修理を請求することなく、本件契約の解除をすることができる。

4　甲自動車について、第三者ＣがＡ所有ではなくＣ所有の自動車であると主張しており、Ｂが所有権を取得できないおそれがある場合、Ａが相当の担保を供したときを除き、ＢはＡに対して、売買代金の支払を拒絶することができる。

問213 **Ａを売主、Ｂを買主として、令和２年７月１日に甲土地の売買契約（以下この問において「本件契約」という。）が締結された場合における次の記述のうち、民法の規定によれば、正しいものはどれか。** 【令和2年12月 問7】

1　甲土地の実際の面積が本件契約の売買代金の基礎とした面積より少なかった場合、Ｂはそのことを知った時から２年以内にその旨をＡに通知しなければ、代金の減額を請求することができない。

2　ＡがＢに甲土地の引渡しをすることができなかった場合、その不履行がＡの責めに帰することができない事由によるものであるときを除き、ＢはＡに対して、損害賠償の請求をすることができる。

3　Ｂが売買契約で定めた売買代金の支払期日までに代金を支払わなかった場合、売買契約に特段の定めがない限り、ＡはＢに対して、年５％の割合による遅延損害金を請求することができる。

4　本件契約が、Ａの重大な過失による錯誤に基づくものであり、その錯誤が重要なものであるときは、Ａは本件契約の無効を主張することができる。

解説▶解答

問212 **中古自動車取引士（そんなもんあんのか）の試験だったっけ（笑）。出題者さん、クレイジーケンバンドの「シャリマール」という曲を聞いてみてください。「サニー・カローラ・ファミリア・スタンザ・ホーミー・チェイサー♪」。この問題の出題者さんに捧げます。やっぱり宅建だから、こんどは宅地建物の取引で出題してね。**

1 ○ ひどい中古車だね〜。エンジンがね。そりゃ修補を請求できるでしょ。買主は、目的物の修補を請求することができる。

2 ○ さらにひどい中古車。修理不能な損傷だってよ。本来であれば「買主が相当の期間を定めて履行の追完の催告をし、その期間内に履行の追完がないときは、買主は、その不適合の程度に応じて代金の減額を請求することができる」なんだけど、その損傷がかなりヤバくて履行の追完が不能であるときは、買主は、追完の催告をすることなく、直ちに代金の減額を請求することができる。

3 × 中古自動車の悲劇が続く。故障です。修理が不可能（履行が不能）だったら修理の請求（履行の催告）をすることなく、契約を解除することができるけど、修理が可能（履行が可能）だったら、修理の請求（履行の催告）をしてからの解除となる。

4 ○ そしてついに悲劇が喜劇に。「その車はオレのだ」と謎の人物登場。買主は、その危険の程度に応じて、代金の全部又は一部の支払を拒むことができる。ただし、売主が相当の担保を供したときは、この限りでない。

問213 **選択肢１は「苦し紛れに出題した」という感あり。解説を参照されたし。選択肢２が当たり前すぎて戸惑う。選択肢３は「５％」ではないし、選択肢４は「無効を主張することができる」ではないしね。**

1 × そもそも、売主が「種類又は品質に関して」契約の内容に適合しない目的物を買主に引き渡した場合に、「不適合を知った時から１年以内に通知」しないと「履行の追完」だの「代金の減額」だのができないというような「売主への通知期間の制限」があるんだけど、「数量についての不適合(売買代金の基礎とした面積より少なかった)」については、この「通知期間の制限」は設けられていない。

2 ○ そりゃ損害賠償を請求できるでしょ。甲土地の引渡しができないという不履行がAの責めに帰することができない事由によるものであるときを除き、ですけどね。

3 × 「年５%の割合」による遅延損害金でしたっけ。ちがいますよね。「債務者が遅滞の責任を負った最初の時点における法定利率(年３%・変動制)」でしたよね。

4 × 錯誤による意思表示のオチは「無効を主張することができる」でしたっけ。ちがいますよね。「取り消すことができる」でしたよね。

正解	
問212 3	問213 2

民法 請負契約・委任契約

2025年版
合格しようぜ！
宅建士 基本テキスト

➡ Part3 権利関係
➡ 権利関係-5
➡ Section4　請負契約。請負人の責任など
Section5　委任契約。受任者の責任など
➡ P512～P522

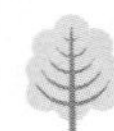

ここはこう出る!!

「請負」とは、他人の労務を利用する契約で、たとえば注文住宅であれば、依頼するほうを注文者、依頼を受けるほうを請負人という。請負契約は「仕事の完成」を目的とするものであるため、仕事の目的物に不適合があった場合、請負人は担保責任を負うことになる。「委任」については「受任者の権利・義務」を押さえておこう。受任者には善管注意義務が課せられるが、特約がなければ報酬を請求できない。「委任の終了」「終了後の善処義務」あたりの出題もある。コツをつかんで得点源にしてほしい。

だからこう解く!! 厳選要点★ここを押さえろ

請負人の担保責任の制限

請負人が引き渡した仕事の目的物に、種類又は品質に関して不適合があった場合でも、注文者の供した材料の性質や指図によって生じた不適合である場合には、注文者は、不適合を理由として、履行の追完の請求・報酬の減額・損害賠償の請求・契約の解除をすることができない。

→請負人が材料や指図が不適当であることを知りながら告げなかったときは、この限りではない。

請負契約での担保責任の期間の制限

注文者が不適合を**知った時**から**1年**以内にその旨を請負人に**通知**しないときは、注文者は、不適合を理由として履行の追完の請求などをすることができない。

委任における受任者の義務

- 善良な管理者の注意(善管注意義務)にて事務処理
- 請求があればいつでも事務処理状況を報告しなければならない

受任者の権利

- 特約がなければ報酬を請求できない(原則無償)
- 事務処理に必要な費用を請求できる(前払い)
- 事務処理に必要な費用を支出したときは請求できる

委任の解除

- 委任者・受任者のどちらからでも**いつでも**解除できる
- 相手方に不利な時期に解除した
→損害賠償しなければならない
- やむを得ない事情がある場合は損害賠償をしなくてよい

委任の終了

- 委任者：**死亡**・**破産手続開始**の決定
- 受任者：**死亡**・**破産手続開始**の決定・成年被後見人になった
- 終了の対抗要件：「相手方に通知」か「相手方が終了を知っていた」
- 善処義務：急迫の事情があるときは、委任事務処理を続けなければならない

問題

問214

AがBに建物の建築を注文した場合の請負契約に関する次の記述のうち、民法の規定によれば、正しいものはどれか。

【オリジナル問題】

1　BがAに、その品質に関して契約の内容に適合しない建物を引き渡した場合、Aは、その不適合がAの与えた指図によって生じたものであったとしても、Bに対し、当然に損害賠償の請求をすることができる。

2　BがAに、その品質に関して契約の内容に適合しない建物を引き渡した場合、Aは、その不適合を知った時から２年以内にBに通知すれば、その不適合を理由として、Bに対し履行の追完の請求をすることができるとされている。

3　Aが破産手続開始の決定を受けたときは、B又は破産管財人は、契約の解除をすることができる。

4　BがAに、その品質に関して契約の内容に適合しない建物を引き渡した場合、Aは、その不適合を理由として、Bに対し報酬の減額の請求や損害賠償の請求をすることができるが、契約自体の解除はすることができない。

問215

民法上の委任契約に関する次の記述のうち、民法の規定によれば、誤っているものはどれか。

【平成18年 問９】

1　委任契約は、委任者又は受任者のいずれからも、いつでもその解除をすることができる。ただし、相手方に不利な時期に委任契約の解除をしたときは、相手方に対して損害賠償責任を負う場合がある。

2　委任者が破産手続開始決定を受けた場合、委任契約は終了する。

3　委任契約が委任者の死亡により終了した場合、受任者は、委任者の相続人から終了についての承諾を得るときまで、委任事務を処理する義務を負う。

4　委任契約の終了事由は、これを相手方に通知したとき、又は相手方がこれを知っていたときでなければ、相手方に対抗することができず、そのときまで当事者は委任契約上の義務を負う。

解説▶解答

問214 近年の改正点をドンピシャで出題している過去問が見当たらないので、出題されそうな改正点を盛り込んだ問題を作ってみました。トライしてみてね。

1 × いや、そりゃやっぱりダメでしょ。その不適合が「Aの与えた指図によって生じたもの」である場合、AはBに対して、履行の追完の請求、報酬の減額の請求、損害賠償の請求及び契約の解除をすることができない。ただし、請負人Bが指図が不適当であることを知りながら告げなかった場合はこの限りではないけどね。

2 × 「Aがその不適合を知った時から2年以内」じゃないよね。Aがその不適合を知った時から1年以内にその旨をBに通知しないとときは、Aは、その不適合を理由として、AはBに対して、履行の追完の請求、報酬の減額の請求、損害賠償の請求及び契約の解除をすることができないとされています。

3 ○ 注文者が破産手続開始の決定を受けちゃった。この場合、請負人又は破産管財人は、契約の解除をすることができる。

4 × いやいや、そんなことはないでしょ。Aは、その不適合を理由として、履行の追完の請求、報酬の減額の請求、損害賠償の請求及び契約の解除をすることができる。

問215 委任。シンプルな問題だな〜。Aがどーしたβがなんだという事例問題じゃないなんて。オマケに選択肢が妙にカンタンで、かえってシンパイになる。

1 ○ うわぁ〜、なんかシンプル。そのまんま。あんまり素直なので、素直に「○」できない！

2 ○ うわぁ〜、いいのかな、こんなカンタンな問題で。委任者または受任者が破産手続開始決定を受けた場合、委任契約は終了する。

3 × 委任者が死亡したら委任契約は終了。「承諾うんぬん」というようなことはありませーん。

4 ○ はい、そのとおり。読んでのとおり。

正解	
問214 3	問215 3

民法 対抗要件・取得時効

2025年版
合格しようぜ！
宅建士 基本テキスト

➡ Part3 権利関係
➡ 権利関係-6
➡ Section1　物権変動の対抗要件。それは登記～
Section4　取得時効。占有により時効完成
➡ P524～P538

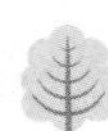

ここはこう出る!!

不動産の二重譲渡があった場合、先に登記を備えたほうが所有権を主張できる。この「二重譲渡」と似た関係になる「取消後の第三者」に慣れること。このまま丸ごと考え方を受け入れる。「登記がなくても対抗できる場合」では「背信的悪意者」を理解しておく。単なる悪意か背信的悪意かは問題文で読み取れる。「取得時効の完成と登記の関係」では、「取得時効完成後だと対抗関係」となるということを軸に理解しておけばよい。

だからこう解く!! 厳選要点★ここを押さえろ

物権変動の対抗要件

- 所有権の移転や抵当権の設定などは、当事者の意思表示のみで効力が生じる
- 所有権の移転や抵当権の設定などは、**登記**をしておかなければ第三者に対抗できない

不動産の二重譲渡があった場合

- 先に**登記**をしたほうが**所有権**を主張できる
- 善意や悪意、契約の日付などは関係しない

取消後・解除後に現れた第三者

Aが所有地をBに売買し登記も移転したがAは契約を取り消した。その後、BはCに土地を売却した。

- Cが所有権を**登記**している→Cは所有権をAに対抗できる
- Cが所有権を**登記**していない→Aが先に自己名義に登記を戻していればAはCに対抗できる

登記がなくても対抗できる場合

- 詐欺・強迫によって登記の申請を妨げた者
- 他人のために登記の申請をする義務がある者
- **不法占拠者**・**不法行為者**
- **無権利者**
- **背信的悪意者**

所有権の取得時効

- 原則:**20年間**の占有(**所有の意思**)
- 例外:占有のはじめに**善意**・**無過失**・**所有**の意思→**10年間**

*占有期間は承継(通算)できる

取得時効と登記(対抗要件)

- 時効完成時の当事者間
  土地の占有者(B)と所有者(A)は当事者の関係。Bは登記がなくても所有権を対抗できる。
- 時効完成後に現れた第三者
  取得時効完成後、Bが登記しないうちにAがCに売却し、Cが先に登記。CはBに所有権を対抗できる。
- 時効期間進行中に所有者となった者
  時効期間進行中(Bの占有中)にAからCの譲渡があり登記もされ、その後にBが取得時効を完成させた場合、BとCは当事者の関係になるため、Bは登記がなくてもCに所有権を対抗できる。

問題

問216

A所有の甲土地を占有しているBによる権利の時効取得に関する次の記述のうち、民法の規定及び判例によれば、正しいものはどれか。

【平成27年 問4】

1　Bが父から甲土地についての賃借権を相続により承継して賃料を払い続けている場合であっても、相続から20年間甲土地を占有したときは、Bは、時効によって甲土地の所有権を取得することができる。

2　Bの父が11年間所有の意思をもって平穏かつ公然に甲土地を占有した後、Bが相続によりその占有を承継し、引き続き9年間所有の意思をもって平穏かつ公然に占有していても、Bは、時効によって甲土地の所有権を取得することはできない。

3　Aから甲土地を買い受けたCが所有権の移転登記を備えた後に、Bについて甲土地所有権の取得時効が完成した場合、Bは、Cに対し、登記がなくても甲土地の所有者であることを主張することができる。

4　甲土地が農地である場合、BがAと甲土地につき賃貸借契約を締結して20年以上にわたって賃料を支払って継続的に耕作していても、農地法の許可がなければ、Bは、時効によって甲土地の賃借権を取得することはできない。

問217

A所有の甲土地についての所有権移転登記と権利の主張に関する次の記述のうち、民法の規定及び判例によれば、正しいものはどれか。

【平成24年 問6】

1　甲土地につき、時効により所有権を取得したBは、時効完成前にAから甲土地を購入して所有権移転登記を備えたCに対して、時効による所有権の取得を主張することができない。

2　甲土地の賃借人であるDが、甲土地上に登記ある建物を有する場合に、Aから甲土地を購入したEは、所有権移転登記を備えていないときであっても、Dに対して、自ら賃貸人であることを主張することができる。

3　Aが甲土地をFとGとに対して二重に譲渡してFが所有権移転登記を備えた場合に、AG間の売買契約の方がAF間の売買契約よりも先になされたことをGが立証できれば、Gは、登記がなくても、Fに対して自らが所有者であることを主張することができる。

4　Aが甲土地をHとIとに対して二重に譲渡した場合において、Hが所有権移転登記を備えない間にIが甲土地を善意のJに譲渡してJが所有権移転登記を備えたときは、Iがいわゆる背信的悪意者であっても、Hは、Jに対して自らが所有者であることを主張することができない。

解説▶解答

問216

選択肢１のBは賃借人だから所有権を時効取得できない。選択肢２は占有期間の通算、選択肢３は時効完成時の所有者との関係。選択肢４は「賃借権」自体を時効取得したということ。

1 × なんだかんだ書いてあるけど、結局Bは、賃借人として占有（他主占有）しているだけである。なので20年間占有を続けたとしても、甲土地の所有権を取得することはできないよー。

2 × まずBの父が所有の意思をもって11年間占有し、相続したBが引き続き９年間占有で合計20年。おめでとうございます。Bは、甲土地の所有権を時効取得することができまぁーす。

3 ○ 時効期間進行中（Bの占有中）に所有者となったCとBとの関係は「当事者」となるため、取得時効を完成させたBは、登記がなくても甲土地の所有者であることをCに主張することができまぁーす。

4 × 賃借権も時効取得できます。で、時効による農地の賃借権の取得については農地法３条の規定（許可制度）の適用はないそうです（判例）。

問217

選択肢４で、背信的悪意者からの転得者が登場。はたしてこの転得者は、背信的悪意者とおなじような見方をされるのかどうか。判例やいかに。その他の選択肢は、基本的なお話です。

1 × 時効により所有権を取得したBと、取得時効の進行中に所有者となったCは、第三者ではなく当事者の関係になるため、Bは登記がなくてもCに対して所有権の取得を主張することができる。

2 × 甲土地を購入したEは、そりゃやっぱり所有権移転登記を備えていなければ、Dに対して「オレが賃貸人だ（所有者だ）」とはいえないでしょ。

3 × だからはやく登記を備えた方が勝ちなんだってば。契約が早い方ではなく、やっぱり登記。

4 ○ そうなんですよ。背信的悪意者Ｉからの転得者Ｊがいた場合、果たしてHの運命やいかに。この場合、Ｊ自身が背信的悪意者でないかぎり、つまり善意であれば、Ｊが所有権移転登記をしちゃうとHは所有権を主張できなくなるとのことです（判例）。

正解	
問216 3	問217 4

問題

問218

AがBから甲土地を購入したところ、甲土地の所有者を名のるCがAに対して連絡してきた。この場合における次の記述のうち、民法の規定及び判例によれば、正しいものはどれか。

【平成22年 問4】

1　CもBから甲土地を購入しており、その売買契約書の日付とＢＡ間の売買契約書の日付が同じである場合、登記がなくても、契約締結の時刻が早い方が所有権を主張することができる。

2　甲土地はCからB、BからAと売却されており、ＣＢ間の売買契約がBの強迫により締結されたことを理由として取り消された場合には、ＢＡ間の売買契約締結の時期にかかわらず、Cは登記がなくてもAに対して所有権を主張することができる。

3　Cが時効により甲土地の所有権を取得した旨主張している場合、取得時効の進行中にＢＡ間で売買契約及び所有権移転登記がなされ、その後に時効が完成しているときには、Cは登記がなくてもAに対して所有権を主張することができる。

4　Cは債権者の追及を逃れるために売買契約の実態はないのに登記だけBに移し、Bがそれに乗じてAとの間で売買契約を締結した場合には、ＣＢ間の売買契約が存在しない以上、Aは所有権を主張することができない。

問219

Aが所有者として登記されている甲土地の売買契約に関する次の記述のうち、民法の規定及び判例によれば、正しいものはどれか。

【平成19年 問3】

1　Aと売買契約を締結したBが、平穏かつ公然と甲土地の占有を始め、善意無過失であれば、甲土地がAの土地ではなく第三者の土地であったとしても、Bは即時に所有権を取得することができる。

2　Aと売買契約を締結したCが、登記を信頼して売買契約を行った場合、甲土地がAの土地ではなく第三者Dの土地であったとしても、Dの過失の有無にかかわらず、Cは所有権を取得することができる。

3　Aと売買契約を締結して所有権を取得したEは、所有権の移転登記を備えていない場合であっても、正当な権原なく甲土地を占有しているFに対し、所有権を主張して甲土地の明渡しを請求することができる。

4　Aを所有者とする甲土地につき、AがGとの間で10月１日に、Hとの間で10月10日に、それぞれ売買契約を締結した場合、G、H共に登記を備えていないときには、先に売買契約を締結したGがHに対して所有権を主張することができる。

解説▶解答

問218 けっこうおもしろい問題ですよね。アタマの体操みたい。選択肢２は「取消し後に登場してきた人」、選択肢３が「時効との関係」、選択肢４が通謀虚偽表示と、あっちこっちからの出題。

1 × えーと、「契約締結の時刻が早い方」が所有権を主張できるのではなく、そりゃやっぱり「登記を先に備えた方」でしょ。まさに対抗要件!(^^)!

2 × 「ＢＡ間の売買契約締結の時期にかかわらず」が誤り。たとえば、ＣがＢの強迫を理由に売買契約を取り消した後、Ｂへの移転登記を抹消してＣ名義の登記に戻さないで放っておいているうちに、その不動産をＢからＡが買ってＡが登記をしちゃった場合、Ｃは自己の所有権を対抗できない(判例)。

3 ○ そのとおり。ＣとＡは当事者の関係となるため、Ｃは登記がなくてもＡに対して所有権を主張することができる。

4 × 「Ｃは債権者の追及を逃れるために売買契約の実態はないのに登記だけＢに移し」ってこれ、通謀虚偽表示じゃないっすか！　その後名義人ＢがＡに売却。で、もしＡが通謀虚偽表示につき善意だったら、Ａは善意の第三者として所有権を主張できます。

問219 対抗要件。取得時効をからめ、不法占拠者を出題してきたりして、解いていて楽しい問題。

1 × 「即時に所有権を取得することができる」っていうことには、ならない。「第三者の土地を占有する」という状況になって10年間で、所有権の取得（取得時効）を主張できます。

2 × ザンネンながら、Ａから買ったのが第三者Ｄの土地であった場合、Ｄから所有権に基づく返還請求を受けたりする。がしかし、Ｄが無効のA名義での登記を長期間放置していたというような過失があった場合、AD間で通謀虚偽表示があったとされ、Cは善意の第三者として所有権を取得することができるそうです(判例)。「Dの過失の有無にかかわらず」だと「×」だよね。

3 ○ 新所有者となったEは、不法占拠者に対しては、登記がなくても所有権を主張することができる。

4 × Gの気持ちはわかります。でもね、やっぱり登記。先に登記した方が所有権を主張できます。

正解	
問218　3	問219　3

問題

問220 Aが甲土地を所有している場合の時効に関する次の記述のうち、民法の規定及び判例によれば、誤っているものはどれか。

【令和２年10月 問10】

1　Bが甲土地を所有の意思をもって平穏かつ公然に17年間占有した後、CがBを相続し甲土地を所有の意思をもって平穏かつ公然に３年間占有した場合、Cは甲土地の所有権を時効取得することができる。

2　Dが、所有者と称するEから、Eが無権利者であることについて善意無過失で甲土地を買い受け、所有の意思をもって平穏かつ公然に３年間占有した後、甲土地がAの所有であることに気付いた場合、そのままさらに７年間甲土地の占有を継続したとしても、Dは、甲土地の所有権を時効取得することはできない。

3　Dが、所有者と称するEから、Eが無権利者であることについて善意無過失で甲土地を買い受け、所有の意思をもって平穏かつ公然に３年間占有した後、甲土地がAの所有であることを知っているFに売却し、Fが所有の意思をもって平穏かつ公然に甲土地を７年間占有した場合、Fは甲土地の所有権を時効取得することができる。

4　Aが甲土地を使用しないで20年以上放置していたとしても、Aの有する甲土地の所有権が消滅時効にかかることはない。

問221 AはBに対し、自己所有の甲土地を売却し、代金と引換えにBに甲土地を引き渡したが、その後にCに対しても甲土地を売却し、代金と引換えにCに甲土地の所有権登記を移転した。この場合におけるBによる甲土地の所有権の時効取得に関する次の記述のうち、民法の規定及び判例によれば、正しいものはどれか。　【令和4年 問10】

1　Bが甲土地をDに賃貸し、引き渡したときは、Bは甲土地の占有を失うので、甲土地の所有権を時効取得することはできない。

2　Bが、時効の完成前に甲土地の占有をEに奪われたとしても、Eに対して占有回収の訴えを提起して占有を回復した場合には、Eに占有を奪われていた期間も時効期間に算入される。

3　Bが、甲土地の引渡しを受けた時点で所有の意思を有していたとしても、AC間の売買及びCに対する登記の移転を知ったときは、その時点で所有の意思が認められなくなるので、Bは甲土地を時効により取得することはできない。

4　Bが甲土地の所有権を時効取得した場合、Bは登記を備えなければ、その所有権を時効完成時において所有者であったCに対抗することはできない。

解説▶解答

問220

選択肢４は速攻で「○」だよね。選択肢１～３は「占有期間は合算してもよいのでしょうか？」という話。できますよね。あと、前の占有者が善意無過失だったら善意無過失を引き継ぐ。

1 ○ Ｂの占有期間とＣの占有期間を合算すると20年。Ｃは「20年間占有したぜ」と主張できる。ということで、Ｃは甲土地の所有権を時効取得することができる。

2 × Ｄは占有の始めに「善意無過失」ということだから、その後に「甲土地がＡの所有であることに気付いた」としても、「10年」の占有で足りる。Ｄは、甲土地の所有権を時効取得することができる。

3 ○ Ｄは占有の始めに「善意無過失」で「３年」の占有。その後に「甲土地がＡの所有であることを知っているＦ」が占有。この場合、そもそものＤの占有が「善意無過失」なので、合算して「10年」の占有で足りる。Ｆは甲土地の所有権を時効取得することができる。

4 ○ そりゃそうでしょ。所有権は消滅時効にかかることはない。

問221

選択肢２。占有を奪われた場合、占有権に基づく「占有回収の訴え」によりその物の返還及び損害の賠償を請求することができる。選択肢３。単に悪意となったということだよね。

1 × 賃借人Ｄが占有している期間も「占有している」と扱う。Ｂは甲土地の占有を失うということにはならないので、甲土地の所有権を時効取得することも可能だ。

2 ○ 占有回収の訴えを提起して占有を回復すれば、占有を奪われていた期間も「占有は継続していた」と扱われるよん。なので「時効期間に算入される」で「○」。

3 × そういった事情を知ったとしてもだ、ただそれだけで「所有の意思が認められなくなる」なんてことはない。所有の意思をもって、平穏に、かつ、公然と他人の物を占有した者は、その所有権を取得するぜい。

4 × 時効取得したＢは登記を備えていなくても「その所有権を時効完成時において所有者であったＣ」に対抗できるよね～。まいどおなじみ。ありがとう出題者さん。

正解	
問220 ２	問221 ２

民法 抵当権

2025年版
合格しようぜ！
宅建士 基本テキスト

➡ Part3 権利関係
➡ 権利関係-7
➡ Section1　抵当権とは。そのしくみと内容
➡ P540〜P555

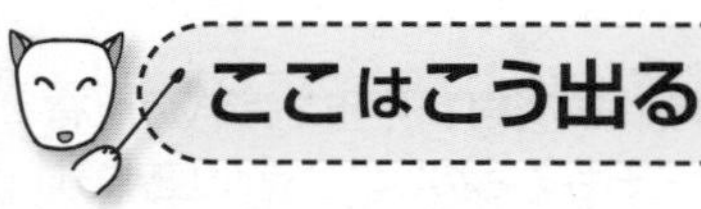

「抵当権」からは例年1問の出題。「抵当権の効力が及ぶ範囲」「抵当権の順位の変更」「抵当権消滅請求」「法定地上権」「土地と建物の一括競売」などからの出題が多い。抵当権消滅請求の段取りや、〈法定地上権が成立する場合〉〈一括競売ができる場合〉については、必然的に登場人物も多くなることから、図解しながら解いてみよう。毎年出題されているとはいえ、「抵当権」はけっこう難解な問題が多い。なので深追いせず、拾える問題だったら拾っていこうというスタンスでよいのではないだろうか。

だからこう解く!! 厳選要点★ここを押さえろ

物上代位

- 目的物の売却による「代金」や火災による「**保険金**」にも効力が及ぶ
- 物上代位するには、債務者に支払われる前に「差押え」が必要

物上保証人

- 抵当権は「債務者以外の第三者の不動産」にも設定できる
- この場合の第三者を「**物上保証人**」という

抵当権の効力が及ぶ範囲

- 建物に設定された抵当権は建物のみに効力が及ぶ
- 土地に設定された抵当権は土地のみに効力が及ぶ
- 賃借地上の建物に抵当権を設定した場合、敷地の**賃借権**にも効力が及ぶ

抵当権の順位

- 登記の前後による
- 抵当権の順位は、各抵当権者の**合意**によって変更できる
- 抵当権の順位の変更は、その登記がなければ効力が生じない

第三取得者が抵当権を消滅させる方法

- 代価弁済：第三取得者が抵当権者の請求に応じて**代価を弁済**
- 抵当権消滅請求：第三取得者が抵当権者に**抵当権消滅請求**

法定地上権が成立する場合

- **土地と建物**が存在していること
- 抵当権設定時に土地と建物の所有者が同一であること
- 土地と建物のどちらか一方、または双方に**抵当権が設定**されたこと
- 競売の結果、土地・建物が別の所有者になったこと

一括競売できる場合

- 更地に抵当権設定後、その土地に建物が築造された場合
- 抵当権者は、**土地**の代価からのみ優先弁済を受けられる

建物の明渡しの猶予

抵当権が設定されていた建物を賃借。抵当権が実行（競売）されたため明渡し。この場合、「**6ヶ月間**」は明渡しが猶予される。

問題

問222

Aは、A所有の甲土地にBから借り入れた3,000万円の担保として抵当権を設定した。この場合における次の記述のうち、民法の規定及び判例によれば、誤っているものはどれか。

【平成28年 問4】

1　Aが甲土地に抵当権を設定した当時、甲土地上にA所有の建物があり、当該建物をAがCに売却した後、Bの抵当権が実行されてDが甲土地を競落した場合、DはCに対して、甲土地の明渡しを求めることはできない。

2　甲土地上の建物が火災によって焼失してしまったが、当該建物に火災保険が付されていた場合、Bは、甲土地の抵当権に基づき、この火災保険契約に基づく損害保険金を請求することができる。

3　AがEから500万円を借り入れ、これを担保するために甲土地にEを抵当権者とする第2順位の抵当権を設定した場合、BとEが抵当権の順位を変更することに合意すれば、Aの同意がなくても、甲土地の抵当権の順位を変更することができる。

4　Bの抵当権設定後、Aが第三者であるFに甲土地を売却した場合、FはBに対して、民法第383条所定の書面を送付して抵当権の消滅を請求することができる。

問223

抵当権に関する次の記述のうち、民法の規定及び判例によれば、誤っているものはどれか。

【平成27年 問6】

1　賃借地上の建物が抵当権の目的となっているときは、一定の場合を除き、敷地の賃借権にも抵当権の効力が及ぶ。

2　抵当不動産の被担保債権の主債務者は、抵当権消滅請求をすることはできないが、その債務について連帯保証をした者は、抵当権消滅請求をすることができる。

3　抵当不動産を買い受けた第三者が、抵当権者の請求に応じてその代価を抵当権者に弁済したときは、抵当権はその第三者のために消滅する。

4　土地に抵当権が設定された後に抵当地に建物が築造されたときは、一定の場合を除き、抵当権者は土地とともに建物を競売することができるが、その優先権は土地の代価についてのみ行使することができる。

解説▶解答

問222 選択肢2がヒッカケ。建物に抵当権を設定しているわけじゃないんだもんね。

1 ○ 土地と土地上に建物があって、抵当権設定時に両方ともAが所有していたわけだから、選択肢の場合、法定地上権が成立するよね。抵当権を設定した後に建物を第三者に譲渡したときでも成立です。なのでDはCに対して、甲土地の明渡しを求めることはできません。

2 × 建物に抵当権を設定しているんだったら、物上代位ということで損害保険金を請求できるんだけどなー。Bは甲土地に抵当権を設定しているだけなので、損害保険金には手を出せない。

3 ○ そのとおり。抵当権の順位は、抵当権者（BとE）の合意によって変更することができるよー。

4 ○ Fは、抵当不動産の第三取得者なので、抵当権消滅請求をすることができまぁーす。第三取得者Fは抵当権者Bに対し、所定の書類を送付して抵当権の消滅を請求することができる。

問223 抵当権の基本的なところをまとめてきた問題。これは得点しよう。ちなみに選択肢4は法定地上権は成立しないよー。

1 ○ 賃借地上の建物についての抵当権の効力は、敷地の賃借権にも及ぶでしょ。いっしょに競売できます。

2 × 主たる債務者や保証人は、抵当権消滅請求をすることができないでしょ。

3 ○ まさにこれは代価弁済。抵当不動産を買い受けた第三者が、抵当権者の請求に応じてその抵当権者にその代価を弁済したときは、抵当権は第三者のために消滅する。

4 ○ 抵当権の設定後に抵当地に建物が築造されたときは、抵当権者は、土地とともにその建物を競売することができるでしょ。一括競売。優先権は土地の代価についてのみ行使することができる。

正解	
問222 2	問223 2

問題

問224 抵当権に関する次の記述のうち、民法の規定及び判例によれば、正しいものはどれか。

【平成25年 問5】

1　債権者が抵当権の実行として担保不動産の競売手続をする場合には、被担保債権の弁済期が到来している必要があるが、対象不動産に関して発生した賃料債権に対して物上代位をしようとする場合には、被担保債権の弁済期が到来している必要はない。

2　抵当権の対象不動産が借地上の建物であった場合、特段の事情がない限り、抵当権の効力は当該建物のみならず借地権についても及ぶ。

3　対象不動産について第三者が不法に占有している場合、抵当権は、抵当権設定者から抵当権者に対して占有を移転させるものではないので、事情にかかわらず抵当権者が当該占有者に対して妨害排除請求をすることはできない。

4　抵当権について登記がされた後は、抵当権の順位を変更することはできない。

問225 AはBから2,000万円を借り入れて土地とその上の建物を購入し、Bを抵当権者として当該土地及び建物に2,000万円を被担保債権とする抵当権を設定し、登記した。この場合における次の記述のうち、民法の規定及び判例によれば、誤っているものはどれか。

【平成22年 問5】

1　AがBとは別にCから500万円を借り入れていた場合、Bとの抵当権設定契約がCとの抵当権設定契約より先であっても、Cを抵当権者とする抵当権設定登記の方がBを抵当権者とする抵当権設定登記より先であるときには、Cを抵当権者とする抵当権が第1順位となる。

2　当該建物に火災保険が付されていて、当該建物が火災によって焼失してしまった場合、Bの抵当権は、その火災保険契約に基づく損害保険金請求権に対しても行使することができる。

3　Bの抵当権設定登記後にAがDに対して当該建物を賃貸し、当該建物をDが使用している状態で抵当権が実行され当該建物が競売された場合、Dは競落人に対して直ちに当該建物を明け渡す必要はない。

4　AがBとは別に事業資金としてEから500万円を借り入れる場合、当該土地及び建物の購入代金が2,000万円であったときには、Bに対して500万円以上の返済をした後でなければ、当該土地及び建物にEのために2番抵当権を設定することはできない。

解説▶解答

問224 選択肢2や3はできたかな。選択肢4は速攻で「×」でしょ。

1 × 本来は債務者が手にする賃料を押さえちゃおうっていう「賃料債権への物上代位」。やっぱり債務不履行があった後じゃないとできないよね。被担保債権の弁済期が到来していることが前提となる。

2 ○ そのとおり。借地上の建物に抵当権が設定されて、その後競売されちゃったときは、借地権もいっしょに競売だよぉー。

3 × たとえば不法占有者がいて「ほうっておくとヤバくない？」みたいな、つまり抵当不動産の担保価値が下がっちゃうような場合、妨害排除請求をすることができまぁーす。

4 × これは「×」でしょ。登記の後であっても、抵当権の順位を変更することができるでしょ。

問225 選択肢2は「物上代位」、選択肢3は「競売の場合の賃借人」と、オーソドックスな内容です。

1 ○ 抵当権の順位は登記の前後による。抵当権設定契約の日時の先後はカンケーないです。

2 ○ 物上代位で～す。抵当権は火災保険に基づく損害保険金請求権に対しても行使することができまぁ～す。

3 ○ 抵当権が実行（競売）されても「その建物の競売における買受人の買受けの時から6ヶ月を経過するまでは、その建物を買受人に引き渡すことを要しない」ということになっています。6ヶ月間はなんとか住んでいられる。

4 × そんなことはないでしょ。債権者が問題にしなければ、500万円をBに返済していなくても、2番抵当権を設定することができます。

正解	
問224 2	問225 4

問題

問226 **民法第379条は、「抵当不動産の第三取得者は、第383条の定めるところにより、抵当権消滅請求をすることができる。」と定めている。これに関する次の記述のうち、民法の規定によれば、正しいものはどれか。** 【平成21年 問6】

☑☑☑☑☑

1　抵当権の被担保債権につき保証人となっている者は、抵当不動産を買い受けて第三取得者になれば、抵当権消滅請求をすることができる。

2　抵当不動産の第三取得者は、当該抵当権の実行としての競売による差押えの効力が発生した後でも、売却の許可の決定が確定するまでは、抵当権消滅請求をすることができる。

3　抵当不動産の第三取得者が抵当権消滅請求をするときは、登記をした各債権者に民法第383条所定の書面を送付すれば足り、その送付書面につき事前に裁判所の許可を受ける必要はない。

4　抵当不動産の第三取得者から抵当権消滅請求にかかる民法第383条所定の書面の送付を受けた抵当権者が、同書面の送付を受けた後2か月以内に、承諾できない旨を確定日付のある書面にて第三取得者に通知すれば、同請求に基づく抵当権消滅の効果は生じない。

問227 **A所有の甲土地にBのCに対する債務を担保するためにCの抵当権(以下この問において「本件抵当権」という。)が設定され、その旨の登記がなされた場合に関する次の記述のうち、民法の規定によれば、正しいものはどれか。** 【令和4年 問4】

☑☑☑☑☑

1　Aから甲土地を買い受けたDが、Cの請求に応じてその代価を弁済したときは、本件抵当権はDのために消滅する。

2　Cに対抗することができない賃貸借により甲土地を競売手続の開始前から使用するEは、甲土地の競売における買受人Fの買受けの時から6か月を経過するまでは、甲土地をFに引き渡すことを要しない。

3　本件抵当権設定登記後に、甲土地上に乙建物が築造された場合、Cが本件抵当権の実行として競売を申し立てるときには、甲土地とともに乙建物の競売も申し立てなければならない。

4　BがAから甲土地を買い受けた場合、Bは抵当不動産の第三取得者として、本件抵当権について、Cに対して抵当権消滅請求をすることができる。

解説▶解答

問226 民法379条がどうしたこうしたとアカデミックで嫌味な問題でした。

1 × えーと、主たる債務者、保証人及びこれらの者の承継人っていうのは、そもそもが当事者みたいな方々でして。となると、彼らは抵当権消滅請求をすることができません。

2 × 競売による差押えの効力が発生する前に、抵当権消滅請求をしなければならない。

3 ○ そうなんですよね。抵当不動産の第三取得者は、抵当権消滅請求をするときは、登記をした各債権者に対し、民法第383条所定の書面を送付しなければならないんだけど、その送付書面につき事前に裁判所の許可を受ける必要はないです。

4 × 抵当不動産の第三取得者から書面の送付を受けた後2か月以内に抵当権を実行して競売の申立てをしないときは、抵当権消滅請求を承諾したものとみなされる。となると、「消滅請求を承諾できない旨うんぬんを通知した」としても、なんら法的な意味はなし。同請求に基づく抵当権消滅の効果は生じることとなる。

問227 抵当権の問題は、なにかとめんどくせーのが多いのだが、なんだこれは。だれでもわかる選択肢1の代価弁済。ありがとう出題者さん。これがわからなかったという人はなにもわかっていなかったということがわかる。

1 ○ 代価弁済だよね。抵当不動産について所有権を買い受けた第三者が、抵当権者の請求に応じてその抵当権者にその代価を弁済したときは、抵当権は、その第三者のために消滅する。

2 × うわっヒッカケ。「買受けの時から6か月を経過するまで・・・」は、抵当権の目的が建物のとき。この選択肢は「甲土地」がどうのこうのなのでカンケーなし。

3 × これもヒッカケ。「甲土地とともに乙建物の競売も申し立てなければならない」じゃないんだよね。「抵当権の設定後に抵当地に建物が築造されたときは、抵当権者は、土地とともにその建物を競売することができる」に留まる。一括競売してもよし、土地だけを競売(結果的に建物は取壊しとなるか)でもよし。

4 × そもそもBは主たる債務者。第三取得者となったとしても「主たる債務者保証人及びこれらの者の承継人は、抵当権消滅請求をすることができない」だよね。

正解	
問226 3	問227 1

民法 賃貸借・使用貸借

2025年版
合格しようぜ！
宅建士 基本テキスト

➡ Part3 権利関係
➡ 権利関係-7
➡ Section3　他人の財産を借りる契約
➡ P558～P574

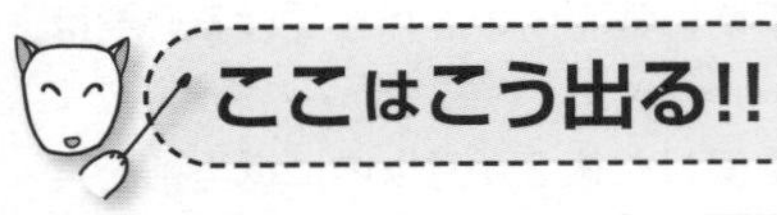

賃料があれば「賃貸借」で、無償であれば「使用貸借」。賃料がない無償の「使用貸借」は「賃貸借」と比べて法的保護が薄い。出るのであれば賃貸借との抱き合わせ。「賃貸借」からは、やはり「転貸借」の出題が目立つ。もともとの賃貸借が合意解除の場合は転貸借に影響はないが、債務不履行での終了の場合は転貸借も終了する。原則として無断転貸はできないが、無断転貸であっても賃貸人への背信的行為とはならない程度の場合、賃貸人は解除できない。このあたりは図解して整理しておくこと。

だからこう解く!! 厳選要点★ここを押さえろ

使用貸借

- 無断転貸はできない
- 借用物の必要費（修理代など）は**借主**が負担する
- 借主の**死亡**により使用貸借は終了（相続されない）
- 使用貸借に基づく使用借権には**対抗要件**が存在しない

賃貸借の期間

- **50年**を超えることができない
- 更新もできる
  （更新の時から50年を超えることはできない）

不動産賃借権の対抗力

- 不動産賃借権は**登記**をすれば第三者に対抗できる

転貸借の制限

- 賃借人は、賃貸人の**承諾**を得なければ転貸借できない
- 無断転貸があった場合、賃貸人は契約を**解除**することができる
- 賃貸人への**背信的行為**にならない転貸借の場合は解除できない

転貸借

- 転借人は賃貸人に**直接履行する義務**を負う
- 転借人は賃料の前払いをもって賃貸人に対抗できない

賃貸借の終了と転貸借の関係

- **合意**解除：賃貸人は転借人に対抗できない
- **債務不履行**による解除だったらこの限りでない

黙示の更新

- 期間満了後も**使用収益**を継続
  →同一条件でさらに賃貸借したものと推定（期間の定めがないものとなる）

賃貸借の終了

- 期間の定めなし：**いつでも**解約の申入れOK（建物：3ヶ月後に終了）
- 期間の定めあり：期間内でも解約OKの特約があれば解約できる

敷金

- 「建物の明渡し」と「敷金返還」は同時履行の関係に立たない（明渡しが先）

問題

問228

AがBに甲建物を月額10万円で賃貸し、BがAの承諾を得て甲建物をCに適法に月額15万円で転貸している場合における次の記述のうち、民法の規定及び判例によれば、誤っているものはどれか。

【平成28年 問8】

1　Aは、Bの賃料の不払いを理由に甲建物の賃貸借契約を解除するには、Cに対して、賃料支払の催告をして甲建物の賃料を支払う機会を与えなければならない。

2　BがAに対して甲建物の賃料を支払期日になっても支払わない場合、AはCに対して、賃料10万円をAに直接支払うよう請求することができる。

3　AがBの債務不履行を理由に甲建物の賃貸借契約を解除した場合、CのBに対する賃料の不払いがなくても、AはCに対して、甲建物の明渡しを求めることができる。

4　AがBとの間で甲建物の賃貸借契約を合意解除した場合、AはCに対して、Bとの合意解除に基づいて、当然には甲建物の明渡しを求めることができない。

問229

AB間で、Aを貸主、Bを借主として、A所有の甲建物につき、①賃貸借契約を締結した場合と、②使用貸借契約を締結した場合に関する次の記述のうち、民法の規定によれば、誤っているものはどれか。（法改正により選択肢3、4を修正している）【平成27年 問3】

1　Bが死亡した場合、①では契約は終了しないが、②では契約が終了する。

2　Bは、①では、甲建物のAの負担に属する必要費を支出したときは、Aに対しその償還を請求することができるが、②では、甲建物の通常の必要費を負担しなければならない。

3　AB間の契約は、①及び②はいずれも諾成契約である。

4　AはBに対して、甲建物に契約内容に適合しないもの（不適合）があった場合、①及び②のいずれにおいても、売買契約の売主と同じく担保責任を負う。

解説▶解答

問228 賃貸人は果たして転借人に賃貸借の解除を主張できるか、というのが選択肢の3と4。合意解除だったら対抗できないよー。

1 × Bの債務不履行(賃料不払い)の場合、Aは賃貸借契約を解除することができ、転貸借契約も終了となる。で、その場合なんだけど、AはCに対して賃料支払の機会を与える義務はない(判例)とのこと。

2 ○ そうそう。賃貸人Aは転借人Cに対して賃料を請求することができる。この場合、賃料と転借料の少ないほうの額までだよね。10万円まで。

3 ○ そうなんだよね。賃借人Bの債務不履行によりAB間の賃貸借契約が解除となったら、CのBに対する賃料の不払いがなくても、BC間の転貸借契約もおなじく終了と扱われる。なのでAはCに対して、甲建物の明渡しを求めることができる。

4 ○ そのとおり。賃貸人は、賃貸借の合意解除を転借人に対抗できない。Aは、当然には甲建物の明渡しを求めることはできないよん。

問229 賃貸借と使用貸借のちがい。使用貸借は無償なので、法的保護が薄いというのがポイント。

1 ○ ①の賃借権は相続の対象となるけど、②の使用借権は借主の死亡によってその効力が失われる。終了。

2 ○ 借主は、①の賃貸借では賃貸人に支出した必要費の償還を請求することができるけど、②の使用貸借ではできません。借用物の通常の必要費は借主負担となります。

3 ○ ①の賃貸借及び②の使用貸借はいずれも諾成契約(意思表示の合致のみで成立)です。

4 × 売買契約の売主の担保責任の規定は、賃貸借などの有償契約について準用されるので、①の賃貸人は、売主と同様の担保責任を負う。がしかし、②の使用貸借は無償契約で、この場合の貸主の担保責任は、贈与に関する「贈与者」の規定が準用される。どんな内容かというと「贈与者は、贈与の目的である物又は権利を、贈与の目的として特定した時の状態で引き渡し、又は移転することを約したものと推定する」で、売買の売主の担保責任と比べれば軽減されている。なお、「負担付贈与については、贈与者は、その負担の限度において、売主と同じく担保の責任を負う」というのもあって、負担付きの使用貸借(例:無償で貸すけど、これやってね)の場合は、その負担の限度において、売主と同じく担保の責任を負う。

正解	
問228 1	問229 4

問題

問230 Aを貸主、Bを借主として、A所有の甲土地につき、資材置場とする目的で期間を２年として、ＡＢ間で、①賃貸借契約を締結した場合と、②使用貸借契約を締結した場合に関する次の記述のうち、民法の規定によれば、正しいものはどれか。 【令和4年 問6】

1　Aは、甲土地をBに引き渡す前であれば、①では口頭での契約の場合に限り自由に解除できるのに対し、②では書面で契約を締結している場合も自由に解除できる。

2　Bは、①ではAの承諾がなければ甲土地を適法に転貸することはできないが、②ではAの承諾がなくても甲土地を適法に転貸することができる。

3　Bは、①では期間内に解約する権利を留保しているときには期間内に解約の申入れをし解約することができ、②では期間内に解除する権利を留保していなくてもいつでも解除することができる。

4　甲土地について契約の本旨に反するBの使用によって生じた損害がある場合に、Aが損害賠償を請求するときは、①では甲土地の返還を受けた時から５年以内に請求しなければならないのに対し、②では甲土地の返還を受けた時から１年以内に請求しなければならない。

問231 Aを貸主、Bを借主として甲建物の賃貸借契約が令和５年７月１日に締結された場合の甲建物の修繕に関する次の記述のうち、民法の規定によれば、誤っているものはどれか。

【令和5年 問9】

1　甲建物の修繕が必要であることを、Aが知ったにもかかわらず、Aが相当の期間内に必要な修繕をしないときは、Bは甲建物の修繕をすることができる。

2　甲建物の修繕が必要である場合において、BがAに修繕が必要である旨を通知したにもかかわらず、Aが必要な修繕を直ちにしないときは、Bは甲建物の修繕をすることができる。

3　Bの責めに帰すべき事由によって甲建物の修繕が必要となった場合は、Aは甲建物を修繕する義務を負わない。

4　甲建物の修繕が必要である場合において、急迫の事情があるときは、Bは甲建物の修繕をすることができる。

解説▶解答

問230

①が賃貸借契約で②が使用貸借契約。この手の問題はめんどくせー。やりたくねー。さらに使用貸借契約のほうはあんまりベンキョーしてねーしなぁ〜。選択肢２の「×」は速攻でわかるとして、選択肢４はたぶん消滅時効の「５年」を使ってのヒッカケ狙い。

1 × 「口頭」での契約で引き渡す前だとしても、①賃貸借契約の貸主Ａが「自由に解除」だなんてできない。②使用貸借契約の場合、貸主Ａは、借主Ｂが借用物を受け取るまでだったら契約の解除をすることができるけど、書面で契約している場合はこの限りでない。つまり自由に解除はできない。

2 × ②使用貸借契約の場合でも、借主Ｂは貸主Ａの承諾を得なければ、第三者に借用物の使用又は収益をさせることができない。

3 ○ 期間の定めがある①賃貸借契約の場合、借主Ｂは原則として中途での解約はできないけど「期間内に解約する権利を留保（特約）」しているのであれば話は別。②使用貸借契約の場合は、借主Ｂは、いつでも契約の解除をすることができる。

4 × ①賃貸借契約でも②使用貸借契約でも、契約の本旨に反する使用又は収益によって生じた損害の賠償は、貸主が返還を受けた時から１年以内に請求しなければならない。

問231

賃借人は修繕できるかシリーズ。ナイス出題者さん。実務でも必要な知識だもんね。賃借物の修繕が必要である場合において、次に掲げるときは、賃借人は、その修繕をすることができる。
①賃借人が賃貸人に修繕が必要である旨を通知し、又は賃貸人がその旨を知ったにもかかわらず、賃貸人が相当の期間内に必要な修繕をしないとき。②急迫の事情があるとき。

1 ○ 賃貸人が修繕が必要である旨を知ったにもかかわらず、賃貸人が相当の期間内に必要な修繕をしないときは、やっちゃえ賃借人。

2 × 「Ａが必要な修繕を直ちにしない」というだけだと、まだ時期尚早。「賃貸人が相当の期間内に必要な修繕をしないとき」だったらやっちゃえ賃借人。「Ｂの責めに帰すべき事由」だもんね。Ａは甲建物を修繕する義務を

3 ○ 負わない。そりゃそうだ。

4 ○ 「急迫の事情があるとき」は、やっちゃえ賃借人。

正解	
問230 3	問231 2

問題

問232

ＡはＢにＡ所有の甲建物を令和２年７月１日に賃貸し、ＢはＡの承諾を得てＣに適法に甲建物を転貸し、Ｃが甲建物に居住している場合における次の記述のうち、民法の規定及び判例によれば、誤っているものはどれか。　【令和２年12月 問６】

☑☑☑☑☑

1　Ａは、Ｂとの間の賃貸借契約を合意解除した場合、解除の当時Ｂの債務不履行による解除権を有していたとしても、合意解除したことをもってＣに対抗することはできない。

2　Ｃの用法違反によって甲建物に損害が生じた場合、ＡはＢに対して、甲建物の返還を受けた時から１年以内に損害賠償を請求しなければならない。

3　ＡがＤに甲建物を売却した場合、ＡＤ間で特段の合意をしない限り、賃貸人の地位はＤに移転する。

4　ＢがＡに約定の賃料を支払わない場合、Ｃは、Ｂの債務の範囲を限度として、Ａに対して転貸借に基づく債務を直接履行する義務を負い、Ｂに賃料を前払いしたことをもってＡに対抗することはできない。

問233

建物の賃貸借契約が期間満了により終了した場合における次の記述のうち、民法の規定によれば、正しいものはどれか。なお、賃貸借契約は、令和２年７月１日付けで締結され、原状回復義務について特段の合意はないものとする。　【令和２年10月 問４】

☑☑☑☑☑

1　賃借人は、賃借物を受け取った後にこれに生じた損傷がある場合、通常の使用及び収益によって生じた損耗も含めてその損傷を原状に復する義務を負う。

2　賃借人は、賃借物を受け取った後にこれに生じた損傷がある場合、賃借人の帰責事由の有無にかかわらず、その損傷を原状に復する義務を負う。

3　賃借人から敷金の返還請求を受けた賃貸人は、賃貸物の返還を受けるまでは、これを拒むことができる。

4　賃借人は、未払賃料債務がある場合、賃貸人に対し、敷金をその債務の弁済に充てるよう請求することができる。

解説▶解答

問232 選択肢4の「○」はわかったかな。選択肢1～3は、近年の改正点からの出題。解説を参照してみてね。

1 × えーとですね、賃貸人は、賃借人との間の賃貸借を合意により解除したことをもって転借人に対抗することができないんだけど、その解除の当時、賃貸人が賃借人の債務不履行による解除権を有していたときは、この限りでない。Cに対抗することができるよ。

2 ○ そうなんですよ。Cの用法違反により生じた損害賠償(契約の本旨に反する使用又は収益によって生じた損害の賠償)は、貸主Aが返還を受けたときから1年以内に請求しなければならない。

3 ○ これもそうですよね。建物の引渡し(借地借家法)による対抗要件を備えた不動産が譲渡されたときは、その不動産の賃貸人たる地位は、その譲受人Dに移転する。

4 ○ 賃借人(B)が適法に賃借物を転貸したときは、転借人(C)は、賃貸人(A)と賃借人(B)との間の賃貸借に基づく賃借人の債務の範囲を限度として、賃貸人(A)に対して転貸借に基づく債務を直接履行する義務を負う。この場合においては、賃料の前払をもって賃貸人(A)に対抗することができない。

問233 選択肢1と2は「賃借人の原状回復義務」から、選択肢3と4は「敷金」からの出題。選択肢1と2の「×」はすぐわかったでしょ。

1 × 「通常の使用及び収益によって生じた賃借物の損耗」は、賃借人の原状回復の対象とはされていないよね。あと、「賃借物の経年変化」によるものもね。

2 × 「賃借人の帰責事由の有無にかかわらず」じゃないよね。その損傷が借主の責めに帰することができない事由によるものであるときは、その損傷を原状に復する義務なし。

3 ○ 賃貸人は「賃貸借が終了し、かつ、賃貸物の返還を受けたとき」は敷金を返還しなければならない。なので、賃貸物の返還を受けるまでは返還を拒むことができます。

4 × 賃借人のほうから「充当しろ～」という請求はできません。賃借人が未払い賃料や損害賠償債務を履行しない場合、賃貸人はその敷金を債務の弁済に充てることができる。

正解	
問232 1	問233 3

借地借家法 借地権

2025年版
合格しようぜ！
宅建士 基本テキスト

➡ Part3 権利関係
➡ 権利関係-8
➡ Section1　借地権とは。借地借家法（借地関係）
Section2　定期借地権。3種あり
➡ P576〜P592

借地権からは毎年1問の出題。権利関係は14問の出題で、そのうち「7〜8点」を狙っていくとなれば、この「借地権」と次の「借家権」は確実に得点していきたいところだ。もちろんそれなりにボリュームもあり楽勝とはいいにくいが、なんとか粘って勉強してもらいたい。すこしめんどうな出題パターンとして、設問に記述する「土地賃借権」が「借地権になるか否か」というものがある。借地権であれば借地借家法の適用、単なる土地賃借権であれば民法の適用。定期借地権のそれぞれの特徴も把握しておく。

だからこう解く!! 厳選要点★ここを押さえろ

借地権

建物所有を目的とする土地の**賃借権**または**地上権**

借地権の期間

- 存続期間は**30年**。これより長い期間であればOK
- 最初の更新は**20年**以上、それ以降は**10年**以上

更新の手続き・建物買取請求

- 請求による更新：建物が残っていて、借地権者が更新請求
- 使用継続による更新：期間満了後も借地権者が**使用**を**継続**
- 借地権設定者が「正当の事由」をもって異議を述べたときは更新されない
- 更新がないときは、借地権者は、借地権設定者に建物を買い取るよう請求できる

借地上の建物の再築

- 当初期間での滅失：**再築**できる。再築の承諾・築造された日から**20年**間存続
- 更新後の期間での滅失：借地権設定者の承諾を得ない再築→解約（3ヶ月後）

借地権の対抗力

- 借地権者名義で**登記**されている**建物**を所有していれば第三者に借地権を対抗できる
- 建物が滅失している場合は、一定の**掲示**（2年間は対抗できる）

地代等増減請求権

- 増額請求を受けた：借地権者側は相当と認める額を払っておく
- 減額請求を受けた：借地権設定者側が相当と認める額を請求できる
- 裁判確定後に年1割の利息をつけて過不足を精算する

定期借地権

- （一般）定期借地権：期間**50年**以上。更新がない・買取請求なしなどを特約（書面）
- 建物譲渡特約付：借地権設定後30年以上を経過したときに借地権設定者に建物を譲渡
- 事業用定期借地権：事業用限定。期間10年からOK。公正証書で契約

問題

問234 **A所有の甲土地につき、平成29年10月１日にＢとの間で賃貸借契約（以下「本件契約」という。）が締結された場合に関する次の記述のうち、民法及び借地借家法の規定並びに判例によれば、正しいものはどれか。** 【平成29年 問11】

1　Ａが甲土地につき、本件契約とは別に、平成29年９月１日にＣとの間で建物所有を目的として賃貸借契約を締結していた場合、本件契約が資材置場として更地で利用することを目的とするものであるときは、本件契約よりもＣとの契約が優先する。

2　賃借権の存続期間を10年と定めた場合、本件契約が居住の用に供する建物を所有することを目的とするものであるときは存続期間が30年となるのに対し、本件契約が資材置場として更地で利用することを目的とするものであるときは存続期間は10年である。

3　本件契約が建物所有を目的として存続期間60年とし、賃料につき３年ごとに１％ずつ増額する旨を公正証書で定めたものである場合、社会情勢の変化により賃料が不相当となったときであっても、ＡもＢも期間満了まで賃料の増減額請求をすることができない。

4　本件契約が建物所有を目的としている場合、契約の更新がなく、建物の買取りの請求をしないこととする旨を定めるには、Ａはあらかじめ Ｂに対してその旨を記載した書面を交付して説明しなければならない。

解説▶解答

問234 借地権だと存続期間は30年以上。そうじゃない土地賃借権はどうぞご自由に。

1 × ＢもＣも、先に登記を備えたほうが勝つ。ＡＢ間の契約よりもＡＣ間の契約が先日付だったとしても、それだけで「優先する」とはならない。

2 ○ 建物所有を目的とする土地賃貸借契約（借地権）には借地借家法が適用されるので、存続期間を10年と定めても30年と法定される。「資材置場として更地で利用することを目的」としている場合は民法を適用するので、50年を超えなければ好きにして。

3 × そんな定めがあってもだ、社会情勢の変化により賃料が不相当となったら、当事者は、将来に向かって賃料の増減額請求をすることができる。

4 × 定期借地権のことを言っているみたいだね。定期借地権に関しては「書面により説明せよ」という規定なし。定期建物賃貸借（定期借家）とのヒッカケかな。

正解	
問234	2

問題

問235 甲土地の所有者が甲土地につき、建物の所有を目的として賃貸する場合(以下「ケース①」という。)と、建物の所有を目的とせずに資材置場として賃貸する場合(以下「ケース②」という。)に関する次の記述のうち、民法及び借地借家法の規定によれば、正しいものはどれか。

【平成26年 問11】

1　賃貸借の存続期間を40年と定めた場合には、ケース①では書面で契約を締結しなければ期間が30年となってしまうのに対し、ケース②では口頭による合意であっても期間は40年となる。

2　ケース①では、賃借人は、甲土地の上に登記されている建物を所有している場合には、甲土地が第三者に売却されても賃借人であることを当該第三者に対抗できるが、ケース②では、甲土地が第三者に売却された場合に賃借人であることを当該第三者に対抗する方法はない。

3　期間を定めない契約を締結した後に賃貸人が甲土地を使用する事情が生じた場合において、ケース①では賃貸人が解約の申入れをしても合意がなければ契約は終了しないのに対し、ケース②では賃貸人が解約の申入れをすれば契約は申入れの日から1年を経過することによって終了する。

4　賃貸借の期間を定めた場合であって当事者が期間内に解約する権利を留保していないとき、ケース①では賃借人側は期間内であっても1年前に予告することによって中途解約することができるのに対し、ケース②では賃貸人も賃借人もいつでも一方的に中途解約することができる。

解説▶解答

問235

ケース①は建物所有を目的とする土地の賃貸借なので借地借家法が適用されます。ケース②は建物所有を目的としない土地の賃貸借なので、借地借家法の適用はなく、民法で処理。

1 × えーと、賃貸借の存続期間を40年と定めた場合、ケース①（借地借家法）だと40年でオッケー。30年以上だったらいいよん。仮に書面で契約を締結していなくても40年。ケース②（民法）だと50年が上限となる。

2 × ケース①（借地借家法）では建物登記で第三者に対抗することができる。それはいいとして、ケース②（民法）でも不動産賃借権の登記があれば、第三者に対抗することができる。

3 ○ 期間を定めない土地の賃貸借については、ケース①（借地借家法）では期間30年と法定される。なので合意がなければ契約は終了しない。ケース②（民法）では賃貸人が解約の申入れをすれば契約は申入れの日から1年を経過することによって終了する。

4 × 土地賃貸借の期間内に解約する権利を留保していない（特約がない）場合、ケース①（借地借家法）でもケース②（民法）でも中途解約できない。

正解	
問235	3

問題

問236 **A所有の甲土地につき、令和２年７月１日にＢとの間で居住の用に供する建物の所有を目的として存続期間30年の約定で賃貸借契約（以下この問において「本件契約」という。）が締結された場合に関する次の記述のうち、民法及び借地借家法の規定並びに判例によれば、正しいものはどれか。** 【令和２年10月 問11】

1　Ｂは、借地権の登記をしていなくても、甲土地の引渡しを受けていれば、甲土地を令和2年7月2日に購入したCに対して借地権を主張することができる。

2　本件契約で「一定期間は借賃の額の増減を行わない」旨を定めた場合には、甲土地の借賃が近傍類似の土地の借賃と比較して不相当となったときであっても、当該期間中は、ＡもＢも借賃の増減を請求することができない。

3　本件契約で「Ｂの債務不履行により賃貸借契約が解除された場合には、ＢはＡに対して建物買取請求権を行使することができない」旨を定めても、この合意は無効となる。

4　ＡとＢとが期間満了に当たり本件契約を最初に更新する場合、更新後の存続期間を15年と定めても、20年となる。

解説▶解答

問236 **選択肢4が楽勝で「○」。宅建ダイナマイターズのみなさん(音声講義をお聴きのみなさん)だったら、覚え方「30・20・10・10・10(さんじゅーにじゅーじゅーじゅーじゅー)」で一発一撃でしたね。**

1 × 「甲土地の引渡しを受けていれば」だって(笑)。建物の賃貸借(借家)とのヒッカケですね。借地権の登記をしていなくても「土地の上に借地権者が登記されている建物を所有するとき」だったら、借地権を主張できる。

2 × 借賃が、経済事情の変動や近傍類似の土地の借賃と比較して不相当となったときは、契約の条件にかかわらず、当事者は、将来に向かって借賃の増減を請求することができる。ただし、一定の期間地代等を増額しない旨の特約がある場合には、その定めに従う。

3 × 借地権者の建物買取請求権は、借地権の存続期間が満了した場合において契約の更新がないときに認められている。そもそも「Bの債務不履行により賃貸借契約が解除された場合には、BはAに対して建物買取請求権を行使することができない」わけだから、それを明示した特約(合意)は有効でしょ。

4 ○ 最初の更新後の借地権の存続期間は「20年」。20年より長ければ(例:25年)OKだけど、「15年」と定めたら「20年」となる。かんたんでしたね。

正 解	
問236	4

問題

問237

AがBとの間で、A所有の甲土地につき建物所有目的で期間を50年とする賃貸借契約(以下この問において「本件契約」という。)を締結する場合に関する次の記述のうち、借地借家法の規定及び判例によれば、正しいものはどれか。【令和5年 問11】

1　本件契約に、当初の10年間は地代を減額しない旨の特約を定めた場合、その期間内は、BはAに対して地代の減額請求をすることはできない。

2　本件契約が甲土地上で専ら賃貸アパート事業用の建物を所有する目的である場合、契約の更新や建物の築造による存続期間の延長がない旨を定めるためには、公正証書で合意しなければならない。

3　本件契約に建物買取請求権を排除する旨の特約が定められていない場合、本件契約が終了したときは、その終了事由のいかんにかかわらず、BはAに対してBが甲土地上に所有している建物を時価で買い取るべきことを請求することができる。

4　本件契約がBの居住のための建物を所有する目的であり契約の更新がない旨を定めていない契約であって、期間満了する場合において甲土地上に建物があり、Bが契約の更新を請求したとしても、Aが遅滞なく異議を述べ、その異議に更新を拒絶する正当な事由があると認められる場合は、本件契約は更新されない。

解説▶解答

選択肢２は「専ら賃貸アパート事業用の建物」としてなんとかヒッカケたい意図。見破りましたよね。選択肢４はごちゃごちゃ書いてありますけど、「正当な事由」があれば更新拒絶できるワケです。

1 × 「地代を減額しない旨の特約」はNG。一定の期間は地代を増額しない旨の特約はOKなのだが。

2 × 専ら事業の用に供する建物だったら事業用定期借地権とすることができるけどね。でも事業用だとしても「居住の用に供する建物」だったらNG。公正証書でどうしたこうしたとしても「契約の更新や建物の築造による存続期間の延長がない旨」を定めることはできぬ。

3 × 「その終了事由のいかんにかかわらず」は誤り。債務不履行で解除された場合は建物買取請求権は認められない。

4 ○ 「正当な事由」があれば更新拒絶できるもんな。

正解	
問237	4

問題

問238 建物の所有を目的とする土地の賃貸借契約（定期借地権及び一時使用目的の借地権となる契約を除く。）に関する次の記述のうち、借地借家法の規定及び判例によれば、正しいものはどれか。

【令和4年 問11】

1　借地権の存続期間が満了する前に建物の滅失があった場合において、借地権者が借地権の残存期間を超えて存続すべき建物を築造したときは、その建物を築造することにつき借地権設定者の承諾がない場合でも、借地権の期間の延長の効果が生ずる。

2　転借地権が設定されている場合において、転借地上の建物が滅失したときは、転借地権は消滅し、転借地権者（転借人）は建物を再築することができない。

3　借地上の建物が滅失し、借地権設定者の承諾を得て借地権者が新たに建物を築造するに当たり、借地権設定者が存続期間満了の際における借地の返還確保の目的で、残存期間を超えて存続する建物を築造しない旨の特約を借地権者と結んだとしても、この特約は無効である。

4　借地上の建物所有者が借地権設定者に建物買取請求権を適法に行使した場合、買取代金の支払があるまでは建物の引渡しを拒み得るとともに、これに基づく敷地の占有についても、賃料相当額を支払う必要はない。

問239 次の記述のうち、借地借家法の規定及び判例によれば、正しいものはどれか。

【令和２年12月 問11】

1　借地権者が借地権の登記をしておらず、当該土地上に所有権の登記がされている建物を所有しているときは、これをもって借地権を第三者に対抗することができるが、建物の表示の登記によっては対抗することができない。

2　借地権者が登記ある建物を火災で滅失したとしても、建物が滅失した日から２年以内に新たな建物を築造すれば、２年を経過した後においても、これをもって借地権を第三者に対抗することができる。

3　土地の賃借人が登記ある建物を所有している場合であっても、その賃借人から当該土地建物を賃借した転借人が対抗力を備えていなければ、当該転借人は転借権を第三者に対抗することができない。

4　借地権者が所有する数棟の建物が一筆の土地上にある場合は、そのうちの一棟について登記があれば、借地権の対抗力が当該土地全部に及ぶ。

解説▶解答

問238 選択肢４。たしかに建物買取請求権に基づく買取代金の支払があるまでは建物の引渡しを拒むことはできるんだけど、それって、敷地の明渡しを拒むということになるよね。敷地の明渡しを拒むということは、その敷地を使っているということになるのだが、果たしてタダで使えるのかな。

1 × 建物の再築による借地権の期間の延長の効果が生ずるのは、その建物を築造するにつき借地権設定者の承諾がある場合に限りだぁ〜。

2 × 転借地権にしろ借地権にしろ、(転) 借地上の建物が滅失したとしても (転) 借地権は消滅なんかしないよね。建物の再築につき、あーだこーだと規定がある。

3 ○ 「残存期間を超えて存続する建物を築造しない旨の特約」は借地権者に不利な特約なので無効だよん。

4 × 敷地の明け渡しを拒んでいる間の賃料相当額を払え、という判例がありまーす。

問239 選択肢２は「んー、なんか足りないかな」と思ってもらえたら。他の選択肢は判例からの出題で、選択肢１と３は平成24年の【問11】でも出題。選択肢４の出題は平成11年以来。解説を参照されたし。

1 × 借地権は、借りている土地についての賃借権の登記がなくても、その土地の上に借地権者が登記されている建物を所有するときは、これをもって借地権を第三者に対抗することができる。でね、判例によると、この建物の登記は表示の登記でもオッケーとのこと。

2 × 「建物が滅失した日から２年以内に新たな建物を築造すれば」だけじゃちょっと足りないかな。借地権を第三者に対抗することができるのは「建物の滅失があった日から２年を経過した後にあっては、その前に建物を新たに築造し、かつ、その建物につき登記した場合に限る」です。

3 × 判例によると、「転借人は、賃借人が対抗力のある建物を所有しているのであれば、転借権を第三者に対抗することができる」とのこと。

4 ○ そうなんですよね。これも判例なんだけど「借地上に登記された建物が一棟あれば、他の建物について登記がなかったとしても、借地人は借地全体に対して借地権を対抗することができる」とのこと。

正解	
問238 3	問239 4

問題

甲土地につき、期間を50年と定めて賃貸借契約を締結しようとする場合（以下「ケース①」という。）と、期間を15年と定めて賃貸借契約を締結しようとする場合（以下「ケース②」という。）に関する次の記述のうち、民法及び借地借家法の規定によれば、正しいものはどれか。 【令和元年 問11】

1　賃貸借契約が建物を所有する目的ではなく、資材置場とする目的である場合、ケース①は期間の定めのない契約になり、ケース②では期間は15年となる。

2　賃貸借契約が建物の所有を目的とする場合、公正証書で契約を締結しなければ、ケース①の期間は30年となり、ケース②の期間は15年となる。

3　賃貸借契約が居住の用に供する建物の所有を目的とする場合、ケース①では契約の更新がないことを書面で定めればその特約は有効であるが、ケース②では契約の更新がないことを書面で定めても無効であり、期間は30年となる。

4　賃貸借契約が専ら工場の用に供する建物の所有を目的とする場合、ケース①では契約の更新がないことを公正証書で定めた場合に限りその特約は有効であるが、ケース②では契約の更新がないことを公正証書で定めても無効である。

AとBとの間で、A所有の甲土地につき建物所有目的で賃貸借契約（以下この問において「本件契約」という。）を締結する場合に関する次の記述のうち、民法及び借地借家法の規定並びに判例によれば、正しいものはどれか。 【平成30年 問11】

1　本件契約が専ら事業の用に供する建物の所有を目的とする場合には、公正証書によらなければ無効となる。

2　本件契約が居住用の建物の所有を目的とする場合には、借地権の存続期間を20年とし、かつ、契約の更新請求をしない旨を定めても、これらの規定は無効となる。

3　本件契約において借地権の存続期間を60年と定めても、公正証書によらなければ、その期間は30年となる。

4　Bは、甲土地につき借地権登記を備えなくても、Bと同姓でかつ同居している未成年の長男名義で保存登記をした建物を甲土地上に所有していれば、甲土地の所有者が替わっても、甲土地の新所有者に対し借地権を対抗することができる。

解説▶解答

問240 1つの選択肢で2つのことを聞いてくるパターン。出題内容自体はどうっていうこともなく、ただ単に、めんどくさいだけの問題。

1 × 甲土地の賃貸借契約が「資材置場」を目的とする場合、民法の規定が適用される。民法上の賃貸借契約の期間は50年まで。ケース①での「50年」は「50年」。ケース②では期間は「15年」だったら「15年」でオッケー。

2 × 「建物所有を目的とする」となっているので借地借家法の適用。期間は「30年以上」であればオッケー。公正証書で契約を締結しているか否かを問わず、ケース①での「50年」は「50年」。ケース②の期間は「30年」となる。公正証書うんぬんは、おそらくたぶん、事業用定期借地権との混同をねらったしょぼい作戦と思われる。

3 ○ ケース①は「50年」なので、「定期借地権」として契約の更新がないことを書面で定めればその特約は有効。ケース②の「15年」は、建物が「事業用」ではなく「居住用」であるため「契約の更新がないことを書面で定めても無効」であり、かつ、期間は「30年」となる。

4 × ケース①で「50年」の定期借地権とする場合、更新がないことの特約は書面であればよく公正証書である必要はない。ケース②では建物が「工場」なので「公正証書」で契約すれば、「事業用定期借地権」とすることもできる。

問241 ウッカリすると選択肢1のヒッカケにやられそう。無効にはならないよね。「Bと同姓でかつ同居している未成年の長男名義で保存登記」とヤケに具体的な選択肢4。借地権者の名義じゃなかったのね。

1 × 事業用定期借地権とするのであれば、その設定契約は、たしかに「公正証書」によりしなければならないんだけど、公正証書によらなければどうなるかというと、単に普通の建物所有目的の土地賃貸借契約となる。無効とはならないよね。

2 ○ 「居住用の建物の所有を目的」とするわけだから、借地権の存続期間は最低30年としないとね。「契約の更新請求をしない旨」についても、事業用定期借地権だったら「20年」でも可能だけど、「居住用の建物の所有を目的」だもんね。「存続期間20年」「契約の更新をしない旨」はいずれも無効。

3 × 借地権の存続期間は「30年」より長い分には問題なし。「60年」と定めたのであれば「60年」でオッケー。公正証書による必要もなし。

4 × 借地権自体の登記がなくても、借地上に借地権者名義で登記されている建物があれば、第三者に借地権を対抗できる。「長男名義で保存登記をした建物」かぁ～。名義が借地権者以外だと対抗力なし。ザンネンでした。

正解	
問240 3	問241 2

借地借家法 借家権

2025年版
合格しようぜ！
宅建士 基本テキスト

➡ Part3 権利関係
➡ 権利関係-9
➡ Section1 建物の賃貸借 借地借家法（借家関係）
Section2 定期建物賃貸借（定期借家）もあるよ!!
➡ P594〜P605

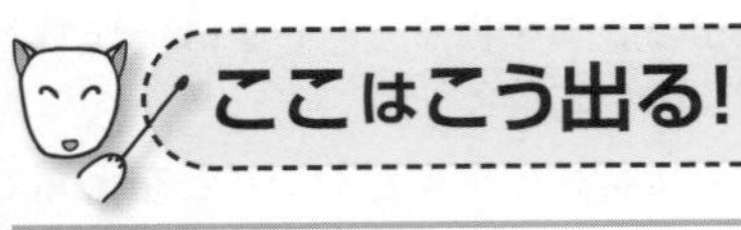

「借家権」も毎年1問の出題。「借地権」の問題と比べれば、いくらかは解きやすいので得点を狙っていこう。建物の賃貸借には借地借家法が適用される。ただし、建物の賃貸借でも「一時使用が明らかな場合」は借地借家法の適用はなく、民法の規定での処理となる。これらを抱き合わせての出題もあり、この場合は少しめんどうかもしれない。定期建物賃貸借（定期借家）からの出題も目立つので準備は怠らないほうがよい。いずれにせよ「借地権」「借家権」が連勝できれば、合格がぐっと近くなる。

だからこう解く!! 厳選要点☆ここを押さえろ

建物賃貸借の存続期間

- 期間を1年未満とする建物の賃貸借→**期間の定めのない**賃貸借とみなす
- 「賃貸借の期間は**50年**を超えることができない」とする民法の規定は適用しない(上限なし)

期間の定めがある場合の法定更新

- 期間満了の**1年前から6ヶ月前**までの間に更新しない旨の**通知**をする
- 賃貸人からの更新拒絶の通知は「正当の事由」がなければできない

建物賃貸借の効力

- 対抗要件:**登記**がなくても、建物の**引渡し**があれば賃借権を第三者に対抗できる
- 造作買取請求:賃貸借終了後に賃貸人に造作買取りを請求できる(特約で排除OK)

建物賃貸借終了と転借人の保護

- 建物の賃貸人は転借人に「終了」を**通知**しなければ、「終了」を対抗できない
- 建物の賃貸人が「終了」を通知したときは、転貸借は**6ヶ月後**に終了する

定期建物賃貸借(定期借家)

- **公正証書等**の**書面**により契約全体を書面で(更新がない旨を定める)
- 期間は1年未満でも、**50年**超でもよい
- 賃貸人はあらかじめ賃借人に**書面**をもって説明(更新がない旨)
- 賃貸人は期間満了の**1年前**から**6ヶ月前**までの間に賃借人に通知
- 通知期間後の通知の場合、通知した日から**6ヶ月後**で終了
- 床面積**200㎡**未満の居住用建物であれば、賃借人に中途解約権あり
- 中途解約権:賃借人が転勤・親族の介護などの「やむを得ない事情」がある場合
- 中途解約の申入れから1ヶ月後に賃貸借は終了

一時使用目的の建物の賃貸借

- 借地借家法は適用されない
- **民法**の賃貸借の規定で処理

問題

Aが所有する甲建物をBに対して3年間賃貸する旨の契約をした場合における次の記述のうち、借地借家法の規定によれば、正しいものはどれか。

【平成29年 問12】

1　AがBに対し、甲建物の賃貸借契約の期間満了の1年前に更新をしない旨の通知をしていれば、AB間の賃貸借契約は期間満了によって当然に終了し、更新されない。

2　Aが甲建物の賃貸借契約の解約の申入れをした場合には申入れ日から3月で賃貸借契約が終了する旨を定めた特約は、Bがあらかじめ同意していれば、有効となる。

3　Cが甲建物を適法に転借している場合、AB間の賃貸借契約が期間満了によって終了するときに、Cがその旨をBから聞かされていれば、AはCに対して、賃貸借契約の期間満了による終了を対抗することができる。

4　AB間の賃貸借契約が借地借家法第38条の定期建物賃貸借で、契約の更新がない旨を定めるものである場合、当該契約前にAがBに契約の更新がなく期間の満了により終了する旨を記載した書面を交付して説明しなければ、契約の更新がない旨の約定は無効となる。

AはBと、B所有の甲建物につき、居住を目的として、期間3年、賃料月額20万円と定めて賃貸借契約(以下この問において「本件契約」という。)を締結した。この場合における次の記述のうち、借地借家法の規定及び判例によれば、誤っているものはどれか。

【平成28年 問12】

1　AもBも相手方に対し、本件契約の期間満了前に何らの通知もしなかった場合、従前の契約と同一の条件で契約を更新したものとみなされるが、その期間は定めがないものとなる。

2　BがAに対し、本件契約の解約を申し入れる場合、甲建物の明渡しの条件として、一定額以上の財産上の給付を申し出たときは、Bの解約の申入れに正当事由があるとみなされる。

3　甲建物の適法な転借人であるCが、Bの同意を得て甲建物に造作を付加した場合、期間満了により本件契約が終了するときは、CはBに対してその造作を時価で買い取るよう請求することができる。

4　本件契約が借地借家法第38条の定期建物賃貸借で、契約の更新がない旨を定めた場合でも、BはAに対し、同条所定の通知期間内に、期間満了により本件契約が終了する旨の通知をしなければ、期間3年での終了をAに対抗することができない。

解説▶解答

問242

選択肢1の「当然に」はあやしい。選択肢3は「Cがその旨をBから聞かされて」いるというシチュエーション。選択肢4まで読めば、はいこれこれ。

1 × 期間満了の1年前に更新をしない旨の通知をしていたとしても、「使用継続による更新」もありうる。「当然に終了し、更新されない」だと「×」だよね。

2 × Bがあらかじめ同意していたとしても、「Aからの解約の申入れ日から3月で賃貸借は終了する」旨は、Bに不利となる特約なので無効。なお貸主からの解約の申し入れについては、解約の申し入れから終了までは3ヶ月ではなく「6ヶ月」でなければならず、さらに「正当の事由」も必要だ。借地借家法は借主の味方だ。

3 × 「Cがその旨をBから聞かされていれば」ときたか。通知が必要です。建物の賃貸人Aは、転借人Cに対して、期間満了により終了することを通知しなければ、その終了を対抗することができない。

4 ○ 定期建物賃貸借とするには、契約の更新がなく期間の満了により終了する旨を記載した書面を交付して説明しなければならない。その説明がなければ、契約の更新がない旨の約定は無効となる。

問243

いくら高額（一定額以上）とはいえ、立退料の提供だけじゃ「正当事由あり」とはなりません。あと、転借人にも造作買取請求権は認められまーす。

1 ○ 建物の賃貸借で期間の定めあり（3年間）。で、当事者が期間の満了の1年前から6月前までの間に相手方に対して更新をしない旨の通知をしなかったときは、従前の契約と同一の条件（賃料月額20万円）で契約を更新したものとみなされる。期間はどうなるかというと「定めがないもの」とされる。

2 × たとえ高額だとしても立退料の提供（財産上の給付）だけじゃ「正当の事由あり」とはされませーん。「正当の事由」の有無は、建物の使用を必要とする事情・賃貸借に関する従前の経過・建物の利用状況・建物の現況・財産上の給付（立退料の提供）を総合的に考慮して決定されまぁーす。

3 ○ 転借人にも造作買取請求権がありまーす。期間満了や解約の申入れによって契約が終了する際に、賃貸人に対し、賃貸人の同意を得て付加した造作の買取りを請求できる。

4 ○ 存続期間が1年以上の定期建物賃貸借契約の場合には、賃貸人は、期間の満了の1年前から6月前までの間に期間満了により賃貸借が終了する旨の通知をしなければ、賃貸借の終了を賃借人に対抗することができませーん。

正解			
問242	4	問243	2

問題

問244 AがBとの間で、A所有の甲建物について、期間３年、賃料月額10万円と定めた賃貸借契約を締結した場合に関する次の記述のうち、民法及び借地借家法の規定並びに判例によれば、正しいものはどれか。 【平成27年 問11】

1　AがBに対し、賃貸借契約の期間満了の６か月前までに更新しない旨の通知をしなかったときは、AとBは、期間３年、賃料月額10万円の条件で賃貸借契約を更新したものとみなされる。

2　賃貸借契約を期間を定めずに合意により更新した後に、AがBに書面で解約の申入れをした場合は、申入れの日から３か月後に賃貸借契約は終了する。

3　Cが、AB間の賃貸借契約締結前に、Aと甲建物の賃貸借契約を締結していた場合、AがBに甲建物を引き渡しても、Cは、甲建物の賃借権をBに対抗することができる。

4　AB間の賃貸借契約がBの賃料不払を理由として解除された場合、BはAに対して、Aの同意を得てBが建物に付加した造作の買取りを請求することはできない。

問245 借地借家法第38条の定期建物賃貸借（以下この問において「定期建物賃貸借」という。）に関する次の記述のうち、借地借家法の規定及び判例によれば、誤っているものはどれか。 【平成26年 問12】

1　定期建物賃貸借契約を締結するには、公正証書による等書面によらなければならない。

2　定期建物賃貸借契約を締結するときは、期間を１年未満としても、期間の定めがない建物の賃貸借契約とはみなされない。

3　定期建物賃貸借契約を締結するには、当該契約に係る賃貸借は契約の更新がなく、期間の満了によって終了することを、当該契約書と同じ書面内に記載して説明すれば足りる。

4　定期建物賃貸借契約を締結しようとする場合、賃貸人が、当該契約に係る賃貸借は契約の更新がなく、期間の満了によって終了することを説明しなかったときは、契約の更新がない旨の定めは無効となる。

解説▶解答

問244 選択肢１は「期間３年」ヒッカケ。選択肢２と３の「×」はすぐにわかってほしいところ。選択肢１と４で迷うかな。

1 × 期間満了の６か月前までに更新しない旨の通知をしなかったときは、従前の契約と同一の条件で契約を更新したものとみなされるけど、期間については「定めがないもの」となる。「期間３年」とはならないよ。

2 × 期間の定めのない建物賃貸借において、賃貸人が解約の申入れをした場合、賃貸借契約は解約の申入れの日から６か月を経過したときに終了。３か月じゃないよ。

3 × 建物の賃貸借は、建物の引渡しが対抗要件。Ｃが先に契約していたとしても、すでに建物の引渡しを受けているＢには対抗できない。

4 ○ 賃借人の債務不履行や背信行為のために賃貸借が解除されたような場合だと、造作買取請求権は認められない(判例)。そりゃそうだよね。

問245 建物賃貸借契約書と「賃貸借は契約の更新がなく、期間の満了によって終了すること」を説明する書面は別に用意しておかないと。

1 ○ そのとおり。定期建物賃貸借契約を締結するには、公正証書による等書面によらなければならない。

2 ○ そのとおり。定期建物賃貸借契約だと、期間を１年未満（例：３ヶ月）としても期間の定めがない建物の賃貸借契約とはみなされない。３ヶ月だったら３ヶ月。

3 × 定期建物賃貸借契約を締結するには、建物の賃貸人が賃借人に対して、賃貸借は契約の更新がなく、期間の満了によって終了することを書面で説明しなければならない。で、この書面は契約書とは別に用意する。「契約書と同じ書面内に記載して説明すれば足りる」だと「×」。

4 ○ そのとおり。建物の賃貸人が、「賃貸借は契約の更新がなく、期間の満了によって終了すること」を説明しなかったときは、契約の更新がない旨の定めは無効となる。つまり定期建物賃貸借契約にはならない。

正解	
問244 4	問245 3

問題

Aは、A所有の甲建物につき、Bとの間で期間を10年とする借地借家法第38条第1項の定期建物賃貸借契約を締結し、Bは甲建物をさらにCに賃貸(転貸)した。この場合に関する次の記述のうち、民法及び借地借家法の規定並びに判例によれば、正しいものはどれか。

【平成25年 問11】

1　BがAに無断で甲建物をCに転貸した場合には、転貸の事情のいかんにかかわらず、AはAB間の賃貸借契約を解除することができる。

2　Bの債務不履行を理由にAが賃貸借契約を解除したために当該賃貸借契約が終了した場合であっても、BがAの承諾を得て甲建物をCに転貸していたときには、AはCに対して甲建物の明渡しを請求することができない。

3　AB間の賃貸借契約が期間満了で終了する場合であっても、BがAの承諾を得て甲建物をCに転貸しているときには、BのCに対する解約の申入れについて正当な事由がない限り、AはCに対して甲建物の明渡しを請求することができない。

4　AB間の賃貸借契約に賃料の改定について特約がある場合には、経済事情の変動によってBのAに対する賃料が不相当となっても、BはAに対して借地借家法第32条第1項に基づく賃料の減額請求をすることはできない。

Aが所有する甲建物をBに対して賃貸する場合の賃貸借契約の条項に関する次の記述のうち、民法及び借地借家法の規定によれば、誤っているものはどれか。

【平成23年 問12】

1　AB間の賃貸借契約が借地借家法第38条に規定する定期建物賃貸借契約であるか否かにかかわらず、Bの造作買取請求権をあらかじめ放棄する旨の特約は有効に定めることができる。

2　AB間で公正証書等の書面によって借地借家法第38条に規定する定期建物賃貸借契約を契約期間を2年として締結する場合、契約の更新がなく期間満了により終了することを書面を交付してあらかじめBに説明すれば、期間満了前にAがBに改めて通知しなくても契約が終了する旨の特約を有効に定めることができる。

3　法令によって甲建物を2年後には取り壊すことが明らかである場合、取り壊し事由を記載した書面によって契約を締結するのであれば、建物を取り壊すこととなる2年後には更新なく賃貸借契約が終了する旨の特約を有効に定めることができる。

4　AB間の賃貸借契約が一時使用目的の賃貸借契約であって、賃貸借契約の期間を定めた場合には、Bが賃貸借契約を期間内に解約することができる旨の特約を定めていなければ、Bは賃貸借契約を中途解約することはできない。

解説▶解答

問246 転貸借シリーズ。転借人が出てくるとちょっとメンドくさい。

1 × ＢがＡに無断で甲建物を転貸したとしても、Ａに対する背信的行為と認めるに足らない特段の事情があるときは、Ａは賃貸借契約を解除することができない。

2 × 賃借人の債務不履行により賃貸借契約が解除された場合には、転貸借契約は賃貸借契約の終了と同時に終了と扱われる。ＡはＣに対して甲建物の明渡しを請求することができる。

3 × ＡＢ間は「定期建物賃貸借契約」だから、期間の満了により終了。となると、このＡＢ間の賃貸借契約をベースにしている転貸借契約も終了。ＢＣ間での正当事由なんてカンケーないのさ。

4 ○ 「定期建物賃貸借契約」だからね。賃料増額請求をしない特約だけでなく、賃料減額請求をしない特約も有効となります。

問247 造作買取請求権、定期建物賃貸借（定期借家）の場合の事前通知、取壊し予定の建物賃貸借と、復習するのにはちょうどいい問題。いっちょやってみましょうか!!

1 ○ そうそう。定期建物賃貸借（定期借家）であろうとなかろうと、造作買取請求権は特約で排除できる。いまどきの店舗の賃貸借なんかだと、だいたいこの特約（造作買取請求権の放棄）が入っているみたいです。

2 × 期間１年以上の定期建物賃貸借（定期借家）だから、期間満了の１年前から６ヶ月前までの間に、賃貸人は「定期借家だから契約は終わりですよ」ということを通知しなければならない。その義務を排除する特約は建物の賃借人に不利なので無効です。

3 ○ おっと、取壊し予定の建物賃貸借。選択肢記述のとおり、建物を取り壊すこととなる２年後には更新なく賃貸借契約が終了する旨の特約を有効に定めることができる。

4 ○ 一時使用目的の建物賃貸借とあるので、借地借家法（借家関係）に関する規定は適用されず、民法が適用される。民法における賃貸借で期間の定めがある場合には、特約がなければ中途解約できない。なお借地借家法（借家関係）の適用がある建物賃貸借でも、原則として、特約がなければ中途解約できないのはいっしょ。

正解			
問246	4	問247	2

問題

Aは、B所有の甲建物につき、居住を目的として、期間2年、賃料月額10万円と定めた賃貸借契約(以下この問において「本件契約」という。)をBと締結して建物の引渡しを受けた。この場合における次の記述のうち、民法及び借地借家法の規定並びに判例によれば、誤っているものはどれか。 【平成22年 問12】

1　本件契約期間中にBが甲建物をCに売却した場合、Aは甲建物に賃借権の登記をしていなくても、Cに対して甲建物の賃借権があることを主張することができる。

2　AがBとの間の信頼関係を破壊し、本件契約の継続を著しく困難にした場合であっても、Bが本件契約を解除するためには、民法第541条所定の催告が必要である。

3　本件契約が借地借家法第38条の定期建物賃貸借契約であって、造作買取請求権を排除する特約がない場合、Bの同意を得てAが甲建物に付加した造作については、期間満了で本件契約が終了するときに、Aは造作買取請求権を行使できる。

4　本件契約が借地借家法第38条の定期建物賃貸借契約であって、賃料の改定に関する特約がない場合、契約期間中に賃料が不相当になったと考えたA又はBは、賃料の増減額請求権を行使できる。

Aは、B所有の甲建物(床面積100㎡)につき、居住を目的として、期間2年、賃料月額10万円と定めた賃貸借契約(以下この問において「本件契約」という。)をBと締結してその日に引渡しを受けた。この場合における次の記述のうち、民法及び借地借家法の規定並びに判例によれば、誤っているものはどれか。 【令和4年 問12】

1　BはAに対して、本件契約締結前に、契約の更新がなく、期間の満了により賃貸借が終了する旨を記載した賃貸借契約書を交付して説明すれば、本件契約を借地借家法第38条に規定する定期建物賃貸借契約として締結することができる。

2　本件契約が借地借家法第38条に規定する定期建物賃貸借契約であるか否かにかかわらず、Aは、甲建物の引渡しを受けてから1年後に甲建物をBから購入したCに対して、賃借人であることを主張できる。

3　本件契約が借地借家法第38条に規定する定期建物賃貸借契約である場合、Aの中途解約を禁止する特約があっても、やむを得ない事情によって甲建物を自己の生活の本拠として使用することが困難になったときは、Aは本件契約の解約の申入れをすることができる。

4　AがBに対して敷金を差し入れている場合、本件契約が期間満了で終了するに当たり、Bは甲建物の返還を受けるまでは、Aに対して敷金を返還する必要はない。

解説▶解答

問248 定期建物賃貸借がらみで、選択肢４はちょっと珍しいところからの出題かな。

1 ○ 借家人Ａは建物の引渡しを受けているので対抗力あり。所有者がＣに代わったとしても賃借権があることを主張できます。

2 × えーとですね、「信頼関係を破壊し、本件契約の継続を著しく困難にした場合」なんだから、催告なしで解除できる(判例)。

3 ○ 定期建物賃貸借契約であってもなくっても、借家人には造作買取請求権が認められています。「造作買取請求権を排除する特約がない」といってますので「期間満了で本件契約が終了するときに、Ａは造作買取請求権を行使できる」で「○」。

4 ○ 定期建物賃貸借契約の場合、「借賃増減請求権に関する規定は、借賃の改定に係る特約がある場合には適用しない」という規定があります。つまり特約があれば増減請求はできない。で、この選択肢の場合、「賃料の改定に関する特約がない」といっているので、賃料の増減額請求権を行使できる。

問249 選択肢１はまいどおなじみで、これが「×」で正解肢と、出題者さん大サービス。ありがとうございます。選択肢２は、単なる引渡しによる対抗要件の話だよね。選択肢４は民法の賃貸借のところの「敷金」の話。

1 × 「賃貸借契約書を交付して説明すれば」は誤だよね。契約書とは別に「その旨を記載した書面を交付して説明」だよね。まいどおなじみ。出題者さんありがとう。

2 ○ 定期建物賃貸借契約であるか否かにかかわらず、建物の引渡しを受けているもんね。賃借人であることを主張できる。なにか？

3 ○ 「Ａの中途解約を禁止する特約」は建物の賃借人Ａに不利なので無効だよ。やむを得ない事情によって甲建物を自己の生活の本拠として使用することが困難になったときは、Ａは本件契約の解約の申入れをすることができる。

4 ○ Ｂは甲建物の返還を受けるまでは、Ａに対して敷金を返還する必要はない。Ｂが敷金を返還すべきタイミングは「賃貸借が終了し、かつ、賃貸物の返還を受けたとき」だよね。

正解	
問248 2	問249 1

民法 不法行為

2025年版
合格しようぜ！
宅建士 基本テキスト

➡ Part3 権利関係
➡ 権利関係-9
➡ Section3　不法行為。被害者に損害賠償を
➡ P606～P612

ここはこう出る!!

不法行為とは故意（わざと）または過失（不注意）によって、他人に損害を与えることをいう。加害者は被害者に対し損害賠償をしなければならない。特殊な不法行為の類型に「使用者責任」「土地工作物責任」などがあり、そこからの出題も目立つ。とはいえ、この不法行為からの出題は未知の判例をからめたり他の項目との複合問題としたりで難問となる場合がある。となるとやはりここもあまり深追いせず、基本的な内容での出題だったら得点を狙っていくということでよいのではなかろうか。

だからこう解く!! 厳選要点★ここを押さえろ

損害賠償の方法･請求

- 被害者に過失があるときは、裁判所はこれを考慮して損害賠償額を定める
- 「名誉を侵害した」などの場合も不法行為となり精神的損害につき損害賠償責任が発生（個人だけでなく法人にも認められる）
- 胎児は、損害賠償の請求については、すでに生まれたものとみなす
- 即死の場合でも遺族が損害賠償請求ができる
- 消滅時効
  →損害・加害者を知った時から**3年**、不法行為の時から**20年**
  →人の生命又は身体を害する不法行為による場合は「3年」が「**5年**」になる
- 不法行為に基づく損害賠償債務は、損害の発生と**同時に履行遅滞**となる

使用者責任

- **被用者**（従業者）の不法行為につき、**使用者**も損害賠償責任を負う
- **被害者**は、**使用者**・被用者のどちらに対しても損害賠償を請求できる
- 使用者が損害賠償した場合、被用者にも求償できる
- 被用者への求償は「**信義則上相当と認められる限度**（全額は不可）」
- 被用者の選任・監督につき相当の注意をしていたときは使用者責任なし

土地工作物責任

- 土地の工作物の設置・保存に瑕疵で他人に損害
  →占有者が損害賠償責任
- 占有者が損害発生防止の注意をしていたとき
  →所有者が損害賠償責任
- **所有者**は無過失責任を負う（責任の有無を問わず損害賠償責任あり）

共同不法行為

- 数人が共同の不法行為
  →各自が**連帯**して損害賠償責任を負う

問題

不法行為（令和２年４月１日以降に行われたもの）に関する次の記述のうち、民法の規定及び判例によれば、誤っているものはどれか。
【令和２年12月 問１】

1　建物の建築に携わる設計者や施工者は、建物としての基本的な安全性が欠ける建物を設計し又は建築した場合、設計契約や建築請負契約の当事者に対しても、また、契約関係にない当該建物の居住者に対しても損害賠償責任を負うことがある。

2　被用者が使用者の事業の執行について第三者に損害を与え、第三者に対してその損害を賠償した場合には、被用者は、損害の公平な分担という見地から相当と認められる額について、使用者に対して求償することができる。

3　責任能力がない認知症患者が線路内に立ち入り、列車に衝突して旅客鉄道事業者に損害を与えた場合、当該責任無能力者と同居する配偶者は、法定の監督義務者として損害賠償責任を負う。

4　人の生命又は身体を害する不法行為による損害賠償請求権は、被害者又はその法定代理人が損害及び加害者を知った時から５年間行使しない場合、時効によって消滅する。

ＡがＢ故意又は過失によりＢの権利を侵害し、これによってＢに損害が生じた場合に関する次の記述のうち、民法の規定及び判例によれば、正しいものはどれか。
【平成20年 問11】

1　Ａの加害行為によりＢが即死した場合には、ＢにはＡに対する慰謝料請求権が発生したと考える余地はないので、Ｂに相続人がいても、その相続人がＢの慰謝料請求権を相続することはない。

2　Ａの加害行為がＢからの不法行為に対して自らの利益を防衛するためにやむを得ず行ったものであっても、Ａは不法行為責任を負わなければならないが、Ｂからの損害賠償請求に対しては過失相殺をすることができる。

3　ＡがＣに雇用されており、ＡがＣの事業の執行につきＢに加害行為を行った場合には、ＣがＢに対する損害賠償責任を負うのであって、ＣはＡに対して求償することもできない。

4　Ａの加害行為が名誉毀損で、Ｂが法人であった場合、法人であるＢには精神的損害は発生しないとしても、金銭評価が可能な無形の損害が発生した場合には、ＢはＡに対して損害賠償請求をすることができる。

解説▶解答

問250 選択肢4。「人の生命又は身体を害する不法行為による損害賠償請求権」の消滅時効の期間は「3年」ではなくて「5年」だったよね。選択肢1～3は判例。参考まで。

1 ○ そうなんですよ。「建物を買い受けた居住者(設計契約や請負契約の契約関係にない)は、建物としての基本的な安全性が欠ける建物を設計し又は建築した設計者や施工者に、不法行為に基づく損害賠償を請求できる」という判例があります。

2 ○ 使用者から被用者への「求償権」というのはポピュラーですが、被用者から使用者への、いわば「逆・求償権」というものは認められるかどうか。判例によると「被用者は、損害の公平な分担という見地から相当と認められる額について、使用者に対して求償することができる」とのこと。

3 × 単に「責任無能力者と同居する配偶者」は「責任無能力者の監督義務者責任」を負うのかどうか。判例によると、単に配偶者というだけでは「責任無能力者に代わって第三者に損害賠償をすべき法定の監督義務者とはいえない」とのこと。

4 ○ 「人の生命又は身体を害する不法行為による損害賠償請求権」は「被害者又はその法定代理人が権利を行使することができることを知った時から5年間行使しないとき」又は「権利を行使することができる時から20年間行使しないとき」は時効により消滅となる。

問251 選択肢2が「正当防衛」、選択肢4は法人の人格権(名誉権)。

1 × 即死だとしても、そのわずかな瞬間に被害者自身が損害賠償債権(慰謝料請求権)を取得し、それが死とともに遺族(相続人)に移転すると考えてあげましょう。そうじゃないと、かわいそうでしょ。

2 × いわゆる「正当防衛」っていうやつ。やむを得ずの加害行為であるため、不法行為責任(損害賠償責任)は負わない。

3 × 「使用者責任」となる場合でありましても、そりゃあなた、使用者が被害者に対して損害を賠償したときは、使用者は被用者に対して求償できます。フツーに考えてもそうでしょ?

4 ○ たとえば、ある会社(法人)に対する誹謗中傷。会社(法人)にも“名誉権”がありますから、その侵害に対しては損害賠償を請求することができる。

正解	
問250 3	問251 4

問題

問252 **事業者Aが雇用している従業員Bが行った不法行為に関する次の記述のうち、民法の規定及び判例によれば、正しいものはどれか。**

【平成18年 問11】

1　Bの不法行為がAの事業の執行につき行われたものであり、Aに使用者としての損害賠償責任が発生する場合、Bには被害者に対する不法行為に基づく損害賠償責任は発生しない。

2　Bが営業時間中にA所有の自動車を運転して取引先に行く途中に前方不注意で人身事故を発生させても、Aに無断で自動車を運転していた場合、Aに使用者としての損害賠償責任は発生しない。

3　Bの不法行為がAの事業の執行につき行われたものであり、Aに使用者としての損害賠償責任が発生する場合、Aが被害者に対して売買代金債権を有していれば、被害者は不法行為に基づく損害賠償債権で売買代金債務を相殺することができる。

4　Bの不法行為がAの事業の執行につき行われたものであり、Aが使用者としての損害賠償責任を負担した場合、A自身は不法行為を行っていない以上、Aは負担した損害額の2分の1をBに対して求償できる。

問253 **Aは、所有する家屋を囲う塀の設置工事を業者Bに請け負わせたが、Bの工事によりこの塀は瑕疵がある状態となった。Aがその後この塀を含む家屋全部をCに賃貸し、Cが占有使用しているときに、この瑕疵により塀が崩れ、脇に駐車中のD所有の車を破損させた。A、B及びCは、この瑕疵があることを過失なく知らない。この場合に関する次の記述のうち、民法の規定によれば、誤っているものはどれか。**

【平成17年 問11】

1　Aは、損害の発生を防止するのに必要な注意をしていれば、Dに対する損害賠償責任を免れることができる。

2　Bは、瑕疵を作り出したことに故意又は過失がなければ、Dに対する損害賠償責任を免れることができる。

3　Cは、損害の発生を防止するのに必要な注意をしていれば、Dに対する損害賠償責任を免れることができる。

4　Dが、車の破損による損害賠償請求権を、損害及び加害者を知った時から3年間行使しなかったときは、この請求権は時効により消滅する。

解説▶解答

問252 選択肢3が、「不法行為の被害者からの相殺」っていうヤツ。

1 × 会社の従業員が、事業の執行について不法行為をやらかした場合、原則として、会社側(使用者)が賠償責任を負う。が、しかし、使用者が監督責任を負うとしても、そもそもの加害者である従業員自身の責任がなくなるわけではない。

2 × 「Aに無断で」とはいっても、客観的状況からして事業の遂行中。なのでAに使用者責任あり。ということで損害賠償責任が発生する。

3 ○ 被害者は「不法行為に基づく損害賠償債権」を有することになるので、加害者側が有する「売買代金債権」と相殺することができる。なお、加害者側からも、加害者が負う債務が「悪意による不法行為に基づく損害賠償の債務」などでなければ相殺可能。

4 × 使用者が被害者に損害賠償金を支払ったときは、従業員に対して求償することができるものの、求償の範囲は「信義則上相当と認められる限度」という判例がある。ひらたくいうと「一従業員に巨額の求償をしても、しょせん払えないだろうから、ほどほどにしとけよ」ということ。なので、必ずしも「2分の1」とはならないんじゃないかなぁ〜。

問253 塀の設置という請負工事がらみで、所有者、占有者の「責任」やいかに。いわば典型的な出題パターン。いい問題だと思う。

1 × 不法行為という局面に関していうと、占有者Cが第一義的な責任を負うことになるけど「充分に注意していましたわ」ということになると、こんどは一転、所有者Aが責任を負うハメになる。この場合、無過失責任という考え方となり、あわれ所有者Aは「注意していた」としても損害賠償責任を免れることはできない。

2 ○ 業者Bに「瑕疵を作り出したことに故意又は過失がない」ということになると、そもそも不法行為自体が成立せず、結果として損害賠償責任は発生しない。

3 ○ 「充分に注意していましたわ」という主張が通れば、占有者Cは損害賠償責任を免れることができる。

4 ○ 不法行為による損害賠償請求権は、選択肢でいうとおり「損害及び加害者を知った時から3年間行使しなかった」ときは時効消滅する。あと、念のためですけど「不法行為の時より20年間が経過」でも時効消滅。

正解	
問252 3	問253 1

問題

Aに雇用されているBが、勤務中にA所有の乗用車を運転し、営業活動のため得意先に向かっている途中で交通事故を起こし、歩いていたCに危害を加えた場合における次の記述のうち、民法の規定及び判例によれば、正しいものはどれか。 【平成24年 問9】

1　BのCに対する損害賠償義務が消滅時効にかかったとしても、AのCに対する損害賠償義務が当然に消滅するものではない。

2　Cが即死であった場合には、Cには事故による精神的な損害が発生する余地がないので、AはCの相続人に対して慰謝料についての損害賠償責任を負わない。

3　Aの使用者責任が認められてCに対して損害を賠償した場合には、AはBに対して求償することができるので、Bに資力があれば、最終的にはAはCに対して賠償した損害額の全額を常にBから回収することができる。

4　Cが幼児である場合には、被害者側に過失があるときでも過失相殺が考慮されないので、AはCに発生した損害の全額を賠償しなければならない。

Aが1人で居住する甲建物の保存に瑕疵があったため、令和3年7月1日に甲建物の壁が崩れて通行人Bがケガをした場合（以下この問において「本件事故」という。）における次の記述のうち、民法の規定によれば、誤っているものはどれか。 【令和3年10月 問8】

1　Aが甲建物をCから賃借している場合、Aは甲建物の保存の瑕疵による損害の発生の防止に必要な注意をしなかったとしても、Bに対して不法行為責任を負わない。

2　Aが甲建物を所有している場合、Aは甲建物の保存の瑕疵による損害の発生の防止に必要な注意をしたとしても、Bに対して不法行為責任を負う。

3　本件事故について、AのBに対する不法行為責任が成立する場合、BのAに対する損害賠償請求権は、B又はBの法定代理人が損害又は加害者を知らないときでも、本件事故の時から20年間行使しないときには時効により消滅する。

4　本件事故について、AのBに対する不法行為責任が成立する場合、BのAに対する損害賠償請求権は、B又はBの法定代理人が損害及び加害者を知った時から5年間行使しないときには時効により消滅する。

解説▶解答

問254 選択肢２、即死だとしても、損害賠償請求権は発生させましょうよ。かわいそうでしょ。

1 ○ Ｂの不法行為に基づく損害賠償義務につき、Ａも使用者責任を負う。で、使用者責任における使用者(A)と被用者(B)の損害賠償義務については、使用者Aか被用者Ｂのどちらかが全額を弁済した場合のみ、債務（損害賠償義務）が消滅するという扱いになります。なので、Ｂの債務が時効消滅しても、Ａの債務は当然には消滅しません。

2 × 即死であっても「精神的な損害は発生した」と扱う。それを相続人が相続して、慰謝料(損害賠償)を請求することができる(判例)。

3 × 使用者の求償権については、「信義則上、相当と認められる限度」という制限があります。ということで、「賠償した損害額の全額を常にＢから回収」とはならない(判例)。

4 × 幼児の親に過失があったような場合、過失相殺が考慮されます(判例)。

問255 「土地の工作物の設置又は保存に瑕疵があることによって他人に損害を生じたとき」というやつですね。まず占有者が不法行為責任（損害賠償責任）を負う。必要な注意をしていたときは所有者。所有者は無過失責任。言い訳できぬ。

1 × 占有者Ａは、「損害の発生の防止に必要な注意をしなかった」っていうんだから、ザンネンながら不法行為責任を負う。

2 ○ 所有者Ａは無過失責任。所有者は損害の発生の防止に必要な注意をしたとしても、ザンネンながら不法行為責任を負う。

3 ○ そうだよね。被害者らが損害及び加害者を知っているかどうかにかかわらず、「不法行為の時から20年間行使しない」と時効により消滅だ。

4 ○ 「通行人Ｂにケガをさせた」ということだから「人の生命又は身体を害する不法行為による損害賠償請求権」となり、この場合は「被害者又はその法定代理人が損害及び加害者を知った時から５年間行使しないとき」には時効により消滅だ。

正解	
問254 1	問255 1

民法 共有

2025年版
合格しようぜ！
宅建士 基本テキスト

➡ Part3 権利関係
➡ 権利関係-10
➡ Section1 共有とは。共有持分とは
➡ P614～P619

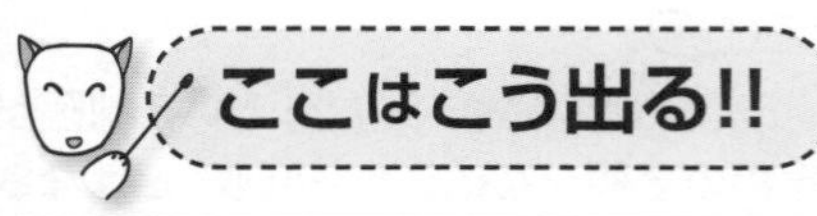

「共有」とは何人かで不動産などの物を共同で所有するということ。物を単独で所有している場合、その物に対する使用・収益は自由だが、共有となると物の支配は衝突する。法的には不安定な状態であるため、「なるべく共有関係は解消させよう」という方向性の規定が多い。各共有者は、持分を自由に譲渡・放棄できるほか、いつでも共有物の分割を請求できる。のちに登場する「区分所有法」は真逆の考え方で、共有関係の安定を図ろうとする規定が多い。そんな観点からの対比を楽しんでもらいたい。

だからこう解く!! 厳選要点★ここを押さえろ

共有持分

- 共有者間で取り決めがなければ平等の割合（相等しいものと推定）
- 持分は他の共有者に同意なく自由に処分（譲渡・放棄）することができる
- 共有者が持分を放棄・相続人なしに死亡→持分は**他の共有者**に帰属
- 各共有者は、共有物の**全部**について、**持分**に応じた使用ができる

共有物の保存·管理·変更

保存：他の共有者の同意は不要

管理・軽微変更：持分の価格の過半数の同意

変更（軽微以外）：共有者全員の同意

共有物の負担など

- 持分に応じて管理費用を支払い、補修費や税金などを負担する

共有物の分割

- 共有者は**いつでも分割**を**請求**できる
- 5年以内で分割しない旨の特約をすることもできる（更新可能）
- 分割協議が整わない、協議することができない
  →分割を**裁判所**に請求できる
- 裁判所は**競売**を命じることができる

共有物の管理者

- 共有物の管理者は、共有物の管理に関する行為をすることができる。
- 共有者の全員の同意を得なければ共有物に変更（軽微変更を除く）を加えることができない。

問題

共有に関する次の記述のうち、民法の規定及び判例によれば、誤っているものはどれか。 【平成23年 問3】

1　各共有者は、いつでも共有物の分割を請求することができるが、5年を超えない期間内であれば、分割をしない旨の契約をすることができる。

2　共有物である現物の分割請求が裁判所になされた場合において、分割によってその価格を著しく減少させるおそれがあるときは、裁判所は共有物の競売を命じることができる。

3　各共有者は、共有物の不法占拠者に対し、妨害排除の請求を単独で行うことができる。

4　他の共有者との協議に基づかないで、自己の持分に基づいて1人で現に共有物全部を占有する共有者に対し、他の共有者は単独で自己に対する共有物の明渡しを請求することができる。

A、B及びCが、持分を各３分の１とする甲土地を共有している場合に関する次の記述のうち、民法の規定及び判例によれば、誤っているものはどれか。 【平成19年 問4】

1　共有者の協議に基づかないでAから甲土地の占有使用を承認されたDは、Aの持分に基づくものと認められる限度で甲土地を占有使用することができる。

2　A、B及びCが甲土地について、Eと賃貸借契約を締結している場合、AとBが合意すれば、Cの合意はなくとも、賃貸借契約を解除することができる。

3　A、B及びCは、５年を超えない期間内は甲土地を分割しない旨の契約を締結することができる。

4　Aがその持分を放棄した場合には、その持分は所有者のない不動産として、国庫に帰属する。

解説▶解答

問256 選択肢1や2は基本的なお話。選択肢4が判例から。

1 ○ そのとおり。共有物の分割はいつでも請求できるけど、5年を超えない期間内であれば、分割しない旨の契約をすることができる。

2 ○ これもそのとおり。共有物の分割について共有者間で話がまとまらないときは、裁判所に分割を請求することができ、現物の分割がむずかしいときは、裁判所は共有物の競売を命じることもできる。

3 ○ 不法占拠者に対する立ち退き請求（妨害排除請求）などの保存行為は、各共有者が単独で行うことができます。

4 × 「他の共有者と協議をしないまま自己の持分に基づいて共有物を占有している共有者に対して、他の共有者は"当然"には共有物の明渡しを請求できない」という判例があります。持分の過半数の決議をもって明渡し請求をせよ、ということになる模様。

問257 選択肢1が「なんじゃこりゃ」という判例。選択肢4までたどりつけば「×」で正解できたかな。

1 ○ 判例で「共有者の協議に基づかないで、一部の共有者から占有使用を承認された第三者は、その占有を承認した共有者の持分に基づくと認められる限度で共有物の占有使用する権限を有する」っていうのがある。

2 ○ これも判例。共有物の賃貸借契約の解除は、共有者の過半数の合意をもってすることができます。

3 ○ そのとおり。各共有者は、5年を超えない期間内は分割をしない旨の契約をすることができる。

4 × 国庫に帰属しない。共有者の一人が、その持分を放棄したとき、または死亡して相続人がないときは、その持分は、他の共有者に帰属する。

正解	
問256 4	問257 4

民法 相隣関係

2025年版
合格しようぜ！
宅建士 基本テキスト

➡ Part3 権利関係
➡ 権利関係-10
➡ Section2　相隣関係。困ったときはお互い様!!
➡ P620～P622

相隣関係とは、隣あわせの土地所有者同士の関係をいい、土地の利用にあたり、相互に、いわゆる「お隣さん」ゆえの社会的制約がある。お互いにがまんしつつ、円満に暮らしていこうというスタンス。隣地を使用することができたり、公道に至るため他の土地を通行できたりする。隣地の竹木の枝や根が越境してきたときの取り扱いとして、隣地の竹木の「根」が境界線を越えるときはその根を削除することができるが、隣地の竹木の「枝」が境界線を越えるときは「竹木の所有者に枝を切除させる」ことを原則とする。

だからこう解く!! 厳選要点★ここを押さえろ

隣地の使用

- 土地の境界付近で建物の築造など→隣地を**使用**することができる
- 隣人が損害を受けた→償金を請求できる

公道に至るための他の土地の通行権

- 他の土地に囲まれている
→公道に出るため囲んでいる土地を通行できる
- 通行は、**損害**が**最も少ない**方法による
- 償金の支払い義務あり
- 分割によって公道に通じない土地になった→分割した土地のみ通行できる(上記の場合は償金の支払い義務なし)

竹木の処理

- 隣地の竹木の枝が境界線を越える→竹木の所有者に**枝**を**切除**させることができる(原則)
- 隣地の竹木の根が境界線を越える→その**根**を切ることができる

境界線付近の建築の制限

- 建物を築造
→境界線から50cm以上の距離を保たなければならない
- 境界線から1m未満の距離で窓やベランダを設ける
→**目隠し**の設置義務
- 異なる慣習があるときは、その慣習に従う

問題

問258 相隣関係に関する次の記述のうち、民法の規定によれば、誤っているものはどれか。（法改正により選択肢１を修正している）

【平成21年 問４】

1　土地の所有者は、境界において障壁を修繕するために必要であれば、必要な範囲内で隣地を使用することができる。

2　複数の筆の他の土地に囲まれて公道に通じない土地の所有者は、公道に至るため、その土地を囲んでいる他の土地を自由に選んで通行することができる。

3　Ａの隣地の竹木の枝が境界線を越えてもＡは竹木所有者の承諾なくその枝を切ることはできないが、隣地の竹木の根が境界線を越えるときは、Ａはその根を切り取ることができる。

4　異なる慣習がある場合を除き、境界線から１m未満の距離において他人の宅地を見通すことができる窓を設ける者は、目隠しを付けなければならない。

問259 相隣関係に関する次の記述のうち、民法の規定によれば、正しいものはどれか。

【令和5年 問２】

1　土地の所有者は、境界標の調査又は境界に関する測量等の一定の目的のために必要な範囲内で隣地を使用することができる場合であっても、住家については、その家の居住者の承諾がなければ、当該住家に立ち入ることはできない。

2　土地の所有者は、隣地の竹木の枝が境界線を越える場合、その竹木の所有者にその枝を切除させることができるが、その枝を切除するよう催告したにもかかわらず相当の期間内に切除しなかったときであっても、自らその枝を切り取ることはできない。

3　相隣者の一人は、相隣者間で共有する障壁の高さを増すときは、他方の相隣者の承諾を得なければならない。

4　他の土地に囲まれて公道に通じない土地の所有者は、公道に出るためにその土地を囲んでいる他の土地を自由に選んで通行することができる。

解説▶解答

問258 相隣関係。お隣どうし協力し合って生活していきましょう、という趣旨。

1 ○ ま、そういうことです。隣地を使用することができる。お互い様だもんね。

2 × 「自由に選んで通行できる」って、なんか図々しくないですか。通行の場所及び方法は、他の土地のために損害が最も少ないものを選ばなければならない。遠慮しながら通行してね、というニュアンス。

3 ○ 枝と根で取り扱いが異なります。隣地の竹木の枝が境界線を越えるときは、原則としてその竹木の所有者に、その枝を切除させることができる。また、隣地の竹木の根が境界線を越えるときは、その根を切り取ることができる。

4 ○ そうなんですよ。目隠しが必要なんです。異なる慣習がある場合を除き、目隠しを付けなければならない。

問259 選択肢3。覗かないでよ。プライバシーを保護したい方が、障壁の高さを増すことができる。覗いている方の承諾は不要。覗きたい方は承諾しないしね(笑)。で、「その障壁がその工事に耐えないときは、自己の費用で、必要な工作を加え、又はその障壁を改築しなければならない」とある。そして「障壁の高さを増したときは、その高さを増した部分は、その工事をした者の単独の所有に属する」だ。「他方の相隣者の承諾を得なければならない」とはされていない。

1 ○ 土地の所有者はたしかに隣地を使用することができるけど、住家については、その家の居住者の承諾がなければ、当該住家に立ち入ることはできない。そりゃそうだ。

2 × 「竹木の所有者にその枝を切除するよう催告したにもかかわらず相当の期間内に切除しなかったとき」や「急迫の事情があるとき」などは、土地の所有者は、その枝を切り取ることができる。

3 × 一瞬「?」となるかも。相隣者の一人は、共有の障壁の高さを増すことができる。その際、相隣者の承諾などは不要なのよ。

4 × 「その土地を囲んでいる他の土地を自由に選んで」ではないよね。「通行の場所及び方法は、通行権を有する者のために必要であり、かつ、他の土地のために損害が最も少ないものを選ばなければならない」とされる。

正解	
問258 2	問259 1

民法 相続

2025年版
合格しようぜ！
宅建士 基本テキスト

➡ Part3 権利関係
➡ 権利関係-10
➡ Section3　相続。相続人と相続分など
➡ P623〜P642

ここはこう出る!!

「相続」は毎年1問の出題。「法定相続人や法定相続分」「遺言や遺留分侵害額の請求」あたりの基本的な内容での出題だったら得点しやすい。そのため受験予備校などでも「相続は得点源にすべき」という方針を掲げている。我々も負けないようにしよう。「承認・限定承認・放棄」の段取りも押さえておこう。ただし、ときたま難問の場合もあり。未知の判例をからめてきたり、複合問題として出題することもある。そのときは潔く第一印象勝負。消去法でもよい。意外と安易にわかる選択肢があったりする。

だからこう解く!! 厳選要点★ここを押さえろ

相続人と順位

- 配偶者+子(第一順位)
  →配偶者:2分の1　子:2分の1
- 配偶者+直系尊属(第二順位)
  →配偶者:3分の2　直系尊属:3分の1
- 配偶者+兄弟姉妹(第三順位)
  →配偶者:4分の3　兄弟姉妹:4分の1

子の代襲相続の取り扱い

- 相続人である子が先に死亡→その者の子が代襲相続
- 相続人が欠格事由・廃除→その者の子が代襲相続
- 相続人が相続放棄→代襲相続はない

相続の承認・放棄

- 単純承認:無限に被相続人の権利義務を承継
- 限定承認:マイナスは承継しない。共同相続人全員でなければできない
- 放棄:はじめから相続人ではないという扱い(家庭裁判所に申述)

*承認・限定承認・放棄は相続があったことを知った時から3ヶ月以内にする

遺言

- 自筆証書遺言・公正証書遺言・秘密証書遺言がある
- 15歳に達した者は遺言をすることができる
- 遺言は二人以上の者が同一の証書ですることはできない
- 前の遺言と後の遺言が抵触するときは後の遺言で前の遺言を撤回とみなす

遺留分・遺留分侵害額の請求

- 遺留分→直系尊属のみが相続人:3分の1、それ以外:2分の1
- 兄弟姉妹には遺留分はない
- 遺留分権利者は遺留分侵害額に相当する金銭の支払を請求することができる

問題

問260 **1億2,000万円の財産を有するAが死亡した。Aには、配偶者はなく、子B、C、Dがおり、Bには子Eが、Cには子Fがいる。Bは相続を放棄した。また、Cは生前のAを強迫して遺言作成を妨害したため、相続人となることができない。この場合における法定相続分に関する次の記述のうち、民法の規定によれば、正しいものはどれか。**【平成29年 問9】

1　Dが4,000万円、Eが4,000万円、Fが4,000万円となる。
2　Dが1億2,000万円となる。
3　Dが6,000万円、Fが6,000万円となる。
4　Dが6,000万円、Eが6,000万円となる。

問261 **甲建物を所有するAが死亡し、相続人がそれぞれAの子であるB及びCの2名である場合に関する次の記述のうち、民法の規定及び判例によれば、誤っているものはどれか。**【平成28年 問10】

1　Bが甲建物を不法占拠するDに対し明渡しを求めたとしても、Bは単純承認をしたものとはみなされない。
2　Cが甲建物の賃借人Eに対し相続財産である未払賃料の支払いを求め、これを収受領得したときは、Cは単純承認をしたものとみなされる。
3　Cが単純承認をしたときは、Bは限定承認をすることができない。
4　Bが自己のために相続の開始があったことを知らない場合であっても、相続の開始から3か月が経過したときは、Bは単純承認をしたものとみなされる。

解説▶解答

問260

1億2,000万円の財産。いいなぁ〜。相続人なんだが、子Bは相続を放棄しているので、Bの子Eも代襲相続なし。Aを強迫して遺言作成を妨害した子Cは相続人となることはできない（欠格事由に該当する）が、欠格事由と廃除は一代限りなので、Cの子FはCを代襲相続する。ということで、相続人はDとF。仲良く分けあって「Dが6,000万円、Fが6,000万円」となる。選択肢3が正解。

問261

選択肢4の「相続の開始から」だと「×」。「相続の開始を知った時から」だよね。つまんない選択肢なんだけど、でもできたかな。

1 ○ 「相続人が相続財産の全部又は一部を処分したとき、相続人は、単純承認をしたものとみなされる」という規定があるんだけど「保存行為」は例外となってます。で、選択肢の「不法占有者に対する明渡し」の請求は保存行為にあたる（判例）。ということで、単純承認をしたとみなされることはない。

2 ○ 相続人が相続債権の取立（未払賃料の支払いを求める）をして、これを収受領得した場合、「相続財産の一部を処分した場合」に該当するそうです（判例）。なのでCは単純承認をしたものとみなされまーす。

3 ○ これはできたでしょ。相続人が数人あるときは、限定承認は、共同相続人の全員が共同してのみこれをすることができる。Cが単純承認しちゃったら、Bは限定承認をすることができない。

4 × 相続の承認又は放棄をすべき期間（熟慮期間）は、相続人が自己のために「相続の開始があったことを知った時」から3か月以内だよん。

正解	
問260 3	問261 4

問題

問262 **Aには、父のみを同じくする兄Bと、両親を同じくする弟C及び弟Dがいたが、C及びDは、Aより先に死亡した。Aの両親は既に死亡しており、Aには内縁の妻Eがいるが、子はいない。Cには子F及び子Gが、Dには子Hがいる。Aが、平成26年8月1日に遺言を残さずに死亡した場合の相続財産の法定相続分として、民法の規定によれば、正しいものはどれか。** 【平成26年 問10】

1　Eが2分の1、Bが6分の1、Fが9分の1、Gが9分の1、Hが9分の1である。

2　Bが3分の1、Fが9分の2、Gが9分の2、Hが9分の2である。

3　Bが5分の1、Fが5分の1、Gが5分の1、Hが5分の2である。

4　Bが5分の1、Fが15分の4、Gが15分の4、Hが15分の4である。

問263 **婚姻中の夫婦AB間には嫡出子CとDがいて、Dは既に婚姻しており嫡出子Eがいたところ、Dは平成25年10月1日に死亡した。他方、Aには離婚歴があり、前の配偶者との間の嫡出子Fがいる。Aが平成25年10月2日に死亡した場合に関する次の記述のうち、民法の規定及び判例によれば、正しいものはどれか。**

【平成25年 問10】

1　Aが死亡した場合の法定相続分は、Bが2分の1、Cが5分の1、Eが5分の1、Fが10分の1である。

2　Aが生前、A所有の全財産のうち甲土地についてCに相続させる旨の遺言をしていた場合には、特段の事情がない限り、遺産分割の方法が指定されたものとして、Cは甲土地の所有権を取得するのが原則である。

3　Aが生前、A所有の全財産についてDに相続させる旨の遺言をしていた場合には、特段の事情がない限り、Eは代襲相続により、Aの全財産について相続するのが原則である。

4　Aが生前、A所有の全財産のうち甲土地についてFに遺贈する旨の意思表示をしていたとしても、Fは相続人であるので、当該遺贈は無効である。

解説▶解答

問262 やや こしい。よく読んでみると、死んだAには配偶者もなく直系尊属もいない。となるとAの兄弟姉妹のみが相続人。で、本来であればＢＣＤが相続人になるんだけど、ＣＤはＡより先に死亡しているのでＦＧＨが代襲相続。つまり相続人はＢＦＧＨの４人。ちなみにAの内縁の妻Ｅは相続人にはならない。

さて計算。兄Bは父のみを同じくするというので、ふつうの(という表現がいいかどうかわかりませんけど)兄弟姉妹の半分。Bを１とするとCとDは２。ということでBは全体の５分の１。CとDは５分の２ずつなんだけど、Cを代襲相続したFGは５分の２の半分ずつなので５分の１ずつ。Hはそのまま５分の２。

ということで選択肢3が正解となる。

問263 そんなに連続して死ぬなよ〜。Dが前日に死んでいるから、EがDを代襲相続する。

1 × 誰が相続人かというと、配偶者Bと子ども３人(C・Dを代襲相続したE・F)。相続分はBが２分の1、子ども全体で２分の1だから、C・E・Fそれぞれ6分の1ずつ。

2 ○ えーと、判例によると「特定の遺産(甲土地)を、特定の相続人(C)に相続させる趣旨の遺言は、特段の事情のない限り、当該遺産(甲土地)を当該相続人(C)をして単独で相続させる遺産分割の方法が指定されたものと解すべき」とのこと。なのでAの死亡により「Cは甲土地の所有権を取得する」で「○」。ご参考まで。

3 × 遺贈は、遺言者(A)の死亡以前に受遺者(D)が死亡したときは、その効力を生じない。なので、Eは全財産につき代襲相続しない。

4 × 「Fは相続人であるので、当該遺贈は無効」とはならないかな。相続人に対しての特定遺贈(全財産のうち甲土地をFに遺贈する)はオッケー。

正解	
問262 3	問263 2

問題

Aは未婚で子供がなく、父親Bが所有する甲建物にBと同居している。Aの母親Cは平成23年３月末日に死亡している。AにはBとCの実子である兄Dがいて、DはEと婚姻して実子Fがいたが、Dは平成24年３月末日に死亡している。この場合における次の記述のうち、民法の規定及び判例によれば、正しいものはどれか。

【平成24年 問10】

1　Bが死亡した場合の法定相続分は、Aが２分の1、Eが４分の1、Fが４分の1である。

2　Bが死亡した場合、甲建物につき法定相続分を有するFは、甲建物を１人で占有しているAに対して、当然に甲建物の明渡しを請求することができる。

3　Aが死亡した場合の法定相続分は、Bが４分の3、Fが４分の1である。

4　Bが死亡した後、Aがすべての財産を第三者Gに遺贈する旨の遺言を残して死亡した場合、FはGに対して遺留分を主張することができない。

相続に関する次の記述のうち、民法の規定によれば、誤っているものはどれか。

【令和4年 問2】

1　被相続人の生前においては、相続人は、家庭裁判所の許可を受けることにより、遺留分を放棄することができる。

2　家庭裁判所への相続放棄の申述は、被相続人の生前には行うことができない。

3　相続人が遺留分の放棄について家庭裁判所の許可を受けると、当該相続人は、被相続人の遺産を相続する権利を失う。

4　相続人が被相続人の兄弟姉妹である場合、当該相続人には遺留分がない。

解説▶解答

問264 母が死んで、兄が死んで、そして自分も父も死んだ。ややこしい。よく読んでみよう!!

1 × Bが死亡した場合の法定相続分は、Aが2分の1、Fが2分の1。そもそもEは相続人とはならないでしょ。

2 × 当然には明渡しを請求できない。被相続人が死亡し相続が開始された後も、遺産分割により建物の所有関係が確定するまでの間、同居の相続人は建物を使用できる（判例）。

3 × Aが死亡した場合、直系尊属のBが相続人となる。Fは相続人とはならない。

4 ○ Bが死んでからAが死んだ。Aは全財産をGに遺贈する旨の遺言を残した。あ～なるほどね。ゆっくり読まないとわかんなくなるよね。で、Aが死んだときの相続人はFのみ。でも兄弟姉妹には遺留分はない。ということで兄Dを代襲したFにも遺留分は認められない。

問265 宅建試験のヒッカケ問題の王道は「似てて異なる内容を出題し受験者の混乱を狙う」だ。選択肢1の「遺留分の放棄」と選択肢2の「相続の放棄」。そして選択肢3で大混乱。出題者さん、ナイス。選択肢4がわからないということはなにもわかっていなかったということがわかる。

1 ○ 相続の開始前でも遺留分を放棄できる。「相続の開始前における遺留分の放棄は、家庭裁判所の許可を受けたときに限り、その効力を生ずる」だよね。

2 ○ 相続の放棄は、相続の開始前にはできぬ。相続の放棄は「相続の開始があったことを知った時から3ヶ月以内」だよね。

3 × 遺留分を放棄していたとしても、相続の放棄をしたわけじゃないもんね。遺留分侵害額の請求はしないけど、相続分があれば相続するぜ～。

4 ○ これがわからなかった諸兄姉へ。宅建に受からなくてもだいじょうぶ。猪木氏の言葉を贈ろう。元気があればなんでもできる。兄弟姉妹には遺留分は認められていない。

正　解	
問264 4	問265 3

第1章 宅建業法　第2章 法令上の制限　第3章 権利関係　第4章 その他

問題

1億2,000万円の財産を有するAが死亡した場合の法定相続分についての次の記述のうち、民法の規定によれば、正しいものの組み合わせはどれか。 【令和２年12月 問8】

ア　Aの長男の子B及びC、Aの次男の子Dのみが相続人になる場合の法定相続分は、それぞれ4,000万円である。

イ　Aの長男の子B及びC、Aの次男の子Dのみが相続人になる場合の法定相続分は、B及びCがそれぞれ3,000万円、Dが6,000万円である。

ウ　Aの父方の祖父母E及びF、Aの母方の祖母Gのみが相続人になる場合の法定相続分は、それぞれ4,000万円である。

エ　Aの父方の祖父母E及びF、Aの母方の祖母Gのみが相続人になる場合の法定相続分は、E及びFがそれぞれ3,000万円、Gが6,000万円である。

1　ア、ウ　　2　ア、エ　　3　イ、ウ　　4　イ、エ

Aには死亡した夫Bとの間に子Cがおり、Dには離婚した前妻Eとの間に子F及び子Gがいる。Fの親権はEが有し、Gの親権はDが有している。AとDが婚姻した後にDが令和３年７月１日に死亡した場合における法定相続分として、民法の規定によれば、正しいものはどれか。 【令和3年10月 問9】

1　Aが２分の1、Fが４分の1、Gが４分の1
2　Aが２分の1、Cが６分の1、Fが６分の1、Gが６分の1
3　Aが２分の1、Gが２分の1
4　Aが２分の1、Cが４分の1、Gが４分の1

解説▶解答

問266 **さぁみなさん、算数のお時間ですよ。「ア」と「イ」は長男・次男の子が代襲して相続するパターン。「ウ」と「エ」は直系尊属が相続するパターン。**

ア × Aの長男の法定相続分は6,000万円。これを代襲して相続人となるB及びCで分けるから、各3,000万円。次男の法定相続分は6,000万円。これを相続人となるDが代襲して6,000万円。

イ ○ 上記「ア」の解説のとおり。

ウ ○ 父母が死亡している場合は、その祖父母が相続人となる。で、直系尊属（EFG）が相続人となる場合、法定相続分は頭割りとなる。なので、4,000万円ずつ。

エ × 上記「ウ」の解説のとおり。

正しいものの組合せは「イ、ウ」。選択肢３が正解となる。

問267 **夫を亡くしたAは、バツイチのDと再婚した。そしてまもなく（かどうかは書いてないけど）Dも死んだ。もしや「夫連続怪死事件」発生か（笑）。そして相続人は、果たして誰だ。まず、AとDは婚姻しているのでAの法定相続分は２分の１。残りの２分の１は子の相続分となる。死んだDには子F及びGがいるので、FとGが４分の１ずつ相続する。Aの連れ子Cはカンケーなし（養子縁組していれば話は別だ）。なお、親権と相続分もカンケーなし。ということで、選択肢１が正解。**

正解	
問266 3	問267 1

不動産登記法 不動産登記法

2025年版
合格しようぜ！
宅建士 基本テキスト

➡ Part3 権利関係
➡ 権利関係-11
➡ Section1　不動産登記法
➡ P644～P665

ここはこう出る!!

「不動産登記法」からは毎年1問の出題。基本的な知識で得点できる場合と、未知の内容が出題され難解となる場合もある。基本的な知識で得点できる年に運良く遭遇したらぜひ得点を狙っていこう。「表示の登記（表題部）」と「権利の登記（甲区・乙区）」のしくみをまず最初に理解すること。「登記事項証明書」の交付を実際に申請してみるのがいいと思う。たとえば東京ディズニーランドのアトラクションの建物も「建物」に変わりないので、その建物の「登記事項証明書」を取り寄せることもできる。

だからこう解く!! 厳選要点★ここを押さえろ

登記

- 表題部：表示に関する登記（**1ヶ月**以内に申請義務あり）
- 甲区：**所有権**
- 乙区：抵当権、賃借権などの所有権以外

登記の申請

- 登記申請の代理人
  →本人が**死亡**しても代理権は**消滅しない**
- 共同申請：登記権利者と登記義務者が**共同**して行う

共同申請の例外

- 登記手続きをすべきことを命ずる確定判決での登記申請
- **相続**・法人の**合併**による権利の移転登記の申請
- **所有権の保存登記**（はじめてする所有権の登記）
- 登記名義人の氏名や住所の「変更の登記」「更正の登記」

仮登記

- 手続き上の不備がある場合や、売買予約など将来の請求権を保全する場合
- 原則として、登記義務者と登記権利者の共同申請
- 仮登記義務者の**承諾**があるときは、仮登記権利者の単独申請OK
- 裁判所の「仮登記を命ずる処分」があるときも単独申請OK

仮登記に基づく本登記

- 登記上の利害関係を有する第三者がいるときは、第三者の**承諾**がある場合に限り申請することができる
- 第三者が承諾に応じない
  →承諾すべき旨を請求する訴訟を提起できる
- 仮登記が本登記となった時点で、後順位の所有権は消滅

問題

問268 不動産の登記に関する次の記述のうち、不動産登記法の規定によれば、誤っているものはどれか。

【平成28年 問14】

1　新築した建物又は区分建物以外の表題登記がない建物の所有権を取得した者は、その所有権の取得の日から1月以内に、所有権の保存の登記を申請しなければならない。

2　登記することができる権利には、抵当権及び賃借権が含まれる。

3　建物が滅失したときは、表題部所有者又は所有権の登記名義人は、その滅失の日から1月以内に、当該建物の滅失の登記を申請しなければならない。

4　区分建物の所有権の保存の登記は、表題部所有者から所有権を取得した者も、申請することができる。

問269 不動産の登記に関する次の記述のうち、誤っているものはどれか。

【平成26年 問14】

1　表示に関する登記を申請する場合には、申請人は、その申請情報と併せて登記原因を証する情報を提供しなければならない。

2　新たに生じた土地又は表題登記がない土地の所有権を取得した者は、その所有権の取得の日から1月以内に、表題登記を申請しなければならない。

3　信託の登記の申請は、当該信託に係る権利の保存、設定、移転又は変更の登記の申請と同時にしなければならない。

4　仮登記は、仮登記の登記義務者の承諾があるときは、当該仮登記の登記権利者が単独で申請することができる。

解説▶解答

問268 選択肢１がヒッカケ。「所有権の保存登記」は権利に関する登記だから、任意だよねー。

1 × 新築した建物又は区分建物以外の表題登記がない建物の所有権を取得した者は、その所有権の取得の日から１月以内に、表題登記を申請しなければならないけど、「所有権の保存の登記」の申請は任意。「しなければならない」だと「×」。

2 ○ 抵当権も賃借権も登記することができる権利の一種でーす。

3 ○ 建物が滅失したときは、表題部所有者又は所有権の登記名義人は、その滅失の日から１月以内に、当該建物の滅失の登記を申請しなければならぬ。

4 ○ 区分建物にあっては、表題部所有者から所有権を取得した者も、所有権の保存の登記を申請することができるよー。

問269 選択肢１。表示の登記の申請については「登記原因を証する情報」などは提供(提出)する必要はありません。が、ちょっとマニアックかな。選択肢４の「○」はわかってほしいなぁー。

1 × 権利に関する登記をする場合だと、申請人は、その申請情報と併せて登記原因を証する情報を提供しなければならないんだけど、表示に関する登記の申請にあってはこのような規定はありません。

2 ○ そのとおり。新たに生じた土地又は表題登記がない土地の所有権を取得。そんな場合はですね、１月以内に表示の登記(表題登記)の申請が義務づけられています。

3 ○ そのとおり。信託の登記の申請は、当該信託に係る権利の保存、設定、移転又は変更の登記の申請と同時にしなければならない。ご参考まで。

4 ○ 仮登記は、仮登記の登記義務者の承諾があるときは、当該仮登記の登記権利者が単独で申請することができる。

正解	
問268　1	問269　1

問題

問270 不動産の登記に関する次の記述のうち、誤っているものはどれか。

【平成30年 問14】

1　登記は、法令に別段の定めがある場合を除き、当事者の申請又は官庁若しくは公署の嘱託がなければ、することができない。

2　表示に関する登記は、登記官が、職権ですることができる。

3　所有権の登記名義人は、建物の床面積に変更があったときは、当該変更のあった日から1月以内に、変更の登記を申請しなければならない。

4　所有権の登記名義人は、その住所について変更があったときは、当該変更のあった日から1月以内に、変更の登記を申請しなければならない。

問271 不動産の登記事項証明書の交付の請求に関する次の記述のうち、誤っているものはどれか。

【平成22年 問14】

1　登記事項証明書の交付を請求する場合は、書面をもって作成された登記事項証明書の交付のほか、電磁的記録をもって作成された登記事項証明書の交付を請求することもできる。

2　登記事項証明書の交付を請求するに当たり、請求人は、利害関係を有することを明らかにする必要はない。

3　登記事項証明書の交付を請求する場合は、登記記録に記録されている事項の全部が記載されたもののほか、登記記録に記録されている事項のうち、現に効力を有するもののみが記載されたものを請求することもできる。

4　送付の方法による登記事項証明書の交付を請求する場合は、電子情報処理組織を使用して請求することができる。

解説▶解答

問270 選択肢４が「あ、これって甲区（権利の登記）じゃん」と気がつけば一発一撃。難問が多い不動産登記法なんだけど、たまにこうして得点できそうなのを出題してくれたりします。出題者さんありがとう。

1 ○ そのとおり。登記は、法令に別段の定めがある場合を除き、当事者の申請又は官庁若しくは公署の嘱託がなければ、することができない。

2 ○ これもそのとおり。表示に関する登記は、登記官が、職権ですることができる。

3 ○ 建物登記の表題部（表示に関する登記）としての「建物の床面積」。変更があった場合は、変更のあった日から１月以内に、変更の登記を申請しなければならない。

4 × うっかりするとこれも「○」にしてしまいそう。だがしかし、「所有権の登記名義人」の「住所」は権利部（権利に関する登記）のほうだよね。なので「１月以内にうんぬん」はないです。

問271 「不動産の登記事項証明書の交付の請求」だけに的を絞った問題。

1 × 「電磁的記録をもって作成された登記事項証明書」というと、いわゆる電子データということになりましょうか。そのデータの状態での交付は請求できない。

2 ○ そのとおり。利害関係を有することを明らかにする必要はない。

3 ○ 全部事項証明書のほか、現在事項証明書（登記記録に記録されている事項のうち現に効力を有するもの）の交付請求もできます。

4 ○ そのとおり。登記事項証明書は、郵送（送付）してもらうこともできる。で、郵送による交付請求を電子情報処理組織（インターネット）を使用して行うこともできる。

正解			
問270	4	問271	1

問題

問272 不動産の表示に関する登記についての次の記述のうち、誤っているものはどれか。

【平成21年 問14】

1　土地の地目について変更があったときは、表題部所有者又は所有権の登記名義人は、その変更があった日から1月以内に、当該地目に関する変更の登記を申請しなければならない。

2　表題部所有者について住所の変更があったときは、当該表題部所有者は、その変更があった日から1月以内に、当該住所についての変更の登記を申請しなければならない。

3　表題登記がない建物（区分建物を除く。）の所有権を取得した者は、その所有権の取得の日から1月以内に、表題登記を申請しなければならない。

4　建物が滅失したときは、表題部所有者又は所有権の登記名義人は、その滅失の日から1月以内に、当該建物の滅失の登記を申請しなければならない。

問273 不動産の登記に関する次の記述のうち、不動産登記法の規定によれば、正しいものはどれか。

【令和２年10月 問14】

1　敷地権付き区分建物の表題部所有者から所有権を取得した者は、当該敷地権の登記名義人の承諾を得なければ、当該区分建物に係る所有権の保存の登記を申請することができない。

2　所有権に関する仮登記に基づく本登記は、登記上の利害関係を有する第三者がある場合であっても、その承諾を得ることなく、申請することができる。

3　債権者Ａが債務者Ｂに代位して所有権の登記名義人ＣからＢへの所有権の移転の登記を申請した場合において、当該登記を完了したときは、登記官は、Ａに対し、当該登記に係る登記識別情報を通知しなければならない。

4　配偶者居住権は、登記することができる権利に含まれない。

解説▶解答

問272 選択肢２の表題部所有者で、あれ、これがヒッカケか!?

1 ○ そのとおり。地目の変更があった日から１月以内に、変更の登記を申請しなければならない。

2 × こんな規定はないんだってさ。「表題部所有者について住所の変更があったとき」っていうんで、なんか住所についての変更の登記を申請しなければならないような気がしちゃいますよね。

3 ○ 新築した建物で表題登記がない建物の所有権を取得した者は、その所有権の取得の日から１月以内に、表題登記を申請しなければならない。

4 ○ 建物が滅失したときは、表題部所有者又は所有権の登記名義人は、その滅失の日から１月以内に、当該建物の滅失の登記を申請しなければならない。

問273 区分建物とは、区分所有法での「専有部分」のこと。選択肢１はちょっとマイナーな話。選択肢２の「×」がわかればよしとしましょう。選択肢３の登記識別情報の出題は初かも。

1 ○ 「敷地権付き」とは、敷地権の登記がされていて、区分建物と敷地利用権の分離処分が禁止となっている状態。で、区分建物にあっては、表題部所有者（例：分譲業者など）から所有権を取得した者も、所有権の保存の登記を申請することができるんだけど、この場合、当該敷地権の登記名義人の承諾を得なければならない。

2 × 第三者の承諾を得ないとね。所有権に関する仮登記に基づく本登記は、登記上の利害関係を有する第三者がある場合には、当該第三者の承諾があるときに限り、申請することができる。

3 × 登記官の「登記識別情報」の通知は、登記の申請人自らが登記名義人となるときに行われる。「債権者Ａが債務者Ｂを代位してＢ名義とする登記の申請」ということだと、登記の申請人（Ａ）と登記名義人（Ｂ）が異なるので、通知されない。

4 × 配偶者居住権は、登記することができる権利に含まれる。

正解	
問272　2	問273　1

第1章 宅建業法
第2章 法令上の制限
第3章 権利関係
第4章 その他

問題

問274 不動産の登記に関する次の記述のうち、不動産登記法の規定によれば、正しいものはどれか。

【令和3年10月 問14】

1　所有権の登記の抹消は、所有権の移転の登記がある場合においても、所有権の登記名義人が単独で申請することができる。

2　登記の申請をする者の委任による代理人の権限は、本人の死亡によって消滅する。

3　法人の合併による権利の移転の登記は、登記権利者が単独で申請することができる。

4　信託の登記は、受託者が単独で申請することができない。

問275 不動産の仮登記に関する次の記述のうち、誤っているものはどれか。

【平成16年 問15】

1　仮登記の申請は、仮登記義務者の承諾があれば、仮登記権利者が単独ですることができる。

2　仮登記の申請は、仮登記を命じる処分があれば、仮登記権利者が単独ですることができる。

3　仮登記の抹消の申請は、その仮登記の登記識別情報を提供して、登記上の利害関係人が単独ですることができる。

4　仮登記の抹消の申請は、仮登記名義人の承諾があれば、登記上の利害関係人が単独ですることができる。

解説▶解答

問274

選択肢1。AからBに所有権が移転している場合で、なんらかの事情でAの所有権保存登記とBへの所有権移転登記を抹消するとしたら、まず「Bを登記義務者・Aを登記権利者」として、Bへの所有権移転登記の抹消を申請し、その後に、所有権保存の登記の抹消を申請することになる。所有権保存登記の抹消はA単独でOK。

1 × 所有権の登記の抹消は、所有権の移転の登記がない場合に限り、つまり所有権の保存登記しかないときだったら、所有権の登記名義人が単独で申請することができる。

2 × これはまいどおなじみの選択肢だね。登記の申請をする者の委任による代理人の権限は、本人の死亡によっては、消滅しない。

3 ○ これも定番の選択肢。相続又は法人の合併による権利の移転の登記は、登記権利者が単独で申請することができる。

4 × 信託の登記は、受託者が単独で申請することができる。

問275

仮登記シリーズ。選択肢3がやや言葉足らずかな。ご参考までに。他の選択肢で、仮登記の申請や抹消の段取りをご確認ください。

1 ○ 仮登記も原則として共同申請なんだけど、「仮登記の義務者の承諾があるとき」及び「仮登記を命ずる処分」があるときは、当該仮登記の登記権利者が単独で申請することができる。

2 ○ ということで、「仮登記を命ずる処分」があるときは、単独で申請できる。

3 × 仮登記の抹消は登記名義人が、登記識別情報を提供して単独で申請することができる。がしかし登記上の利害関係人は、「登記識別情報」を提供したとしても、それだけで単独で仮登記を抹消することはできない。仮登記名義人の承諾が必要です。

4 ○ ということで、仮登記名義人の承諾があれば、登記上の利害関係人も単独で仮登記の抹消を申請することができる。

正解	
問274 3	問275 3

区分所有法　区分所有法

2025年版
合格しようぜ！
宅建士 基本テキスト

➡ Part3 権利関係
➡ 権利関係-12
➡ Section1　建物の区分所有等に関する法律
➡ P668〜P694

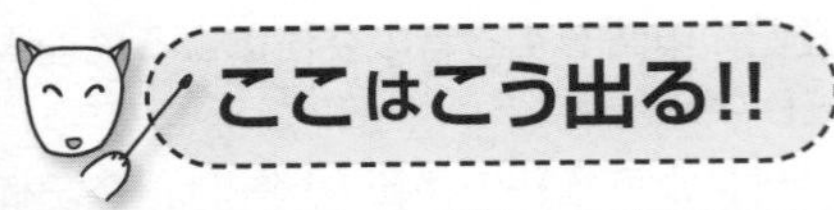

「区分所有法」は毎年1問の出題。基本テキストを読み、過去問を解き回しておけば得点できる項目ではあるものの、ボリュームが多く、また専門用語も登場するため後回しにしがち。結局時間がなくて手をつけずに得点できなかったという不合格者が多い。「あと1点足りず」の「泣きの区分所有法」となることは是が非でも避けたい。権利関係14問のうち7〜8問の得点を狙うのであれば、借地権・借家権そしてこの「区分所有法」をまずは確実に得点しておきたい。ふんばりどころ。健闘を祈る。

だからこう解く!! 厳選要点★ここを押さえろ

専有部分・共用部分・敷地

- 専有部分：区分所有権の目的
- 共用部分：区分所有者の共有
- 共用部分の持分：専有部分の**床面積**（内側線で計測）の割合による

共用部分の保存・変更

- 保存行為：**単独**で行える（集会の決議は不要）
- 軽微変更：区分所有者及び議決権の各過半数の集会の決議
- 重大変更：区分所有者及び議決権の**各4分の3以上**の集会の決議
- 重大変更の決議要件：区分所有者の定数を過半数に減ずることができる

＊**議決権**（専有部分の床面積の割合（共用部分の持分割合））については減ずることができない

管理者

- 集会の決議（各過半数）によって、管理者を**選任**・**解任**する
- 職務に関して区分所有者を代理する
- **区分所有者以外**も選任できる
- **任期**などについては区分所有法上の**規定なし**

規約の設定・変更・廃止

- 区分所有者及び議決権の**各4分の3以上**の多数による集会の決議
- **最初**に全部所有するもの
→公正証書で4つの内容を規約化できる

集会

- 管理者が招集。少なくとも**毎年1回**
- 区分所有者及び議決権の**各5分の1以上**を有するものは管理者に集会招集を請求できる
- 集会招集の通知は、会日より少なくとも**1週間前**までに
- 専有部分を数人で共有している場合→**議決権**を行使すべき者に通知
- 規約があれば、集会の**通知**は「掲示」してすることができる

問題

問276 建物の区分所有等に関する法律に関する次の記述のうち、誤っているものはどれか。

【平成29年 問13】

1　管理者は、少なくとも毎年１回集会を招集しなければならない。

2　区分所有者の５分の１以上で議決権の５分の１以上を有するものは、管理者に対し、会議の目的たる事項を示して、集会の招集を請求することができるが、この定数は規約で減ずることはできない。

3　集会の招集の通知は、区分所有者が管理者に対して通知を受け取る場所をあらかじめ通知した場合には、管理者はその場所にあてすれば足りる。

4　集会は、区分所有者全員の同意があれば、招集の手続を経ないで開くことができる。

問277 建物の区分所有等に関する法律に関する次の記述のうち、誤っているものはどれか。

【令和3年10月 問13】

1　区分所有者以外の者であって区分所有者の承諾を得て専有部分を占有する者は、会議の目的たる事項につき利害関係を有する場合には、集会に出席して議決権を行使することはできないが、意見を述べることはできる。

2　最初に建物の専有部分の全部を所有する者は、公正証書により、共用部分（数個の専有部分に通ずる廊下又は階段室その他構造上区分所有者の全員又はその一部の共用に供されるべき建物の部分）の規約を設定することができる。

3　共用部分は、区分所有者全員の共有に属するが、規約に特別の定めがあるときは、管理者を共用部分の所有者と定めることもできる。

4　管理組合法人を設立する場合は、理事を置かなければならず、理事が数人ある場合において、規約に別段の定めがないときは、管理組合法人の事務は、理事の過半数で決する。

解説▶解答

問276

この区分所有法は得点してほしいな〜。選択肢2。集会招集をしやすくする方向だったらオッケーだよー。

1 ○ 管理者は、少なくとも毎年1回集会を招集しなければならない。まったくそのとおりなので、解説が書けない。

2 × 集会招集の「区分所有者の5分の1以上で議決権の5分の1以上」は、規約で減ずることができる。より集会召集をしやすくする方向ならオッケー。

3 ○ 「通知を受け取る場所をあらかじめ通知」してくれているんだから、その場所にあてて通知すればいいじゃん。

4 ○ 集会は、区分所有者全員の同意があれば、招集の手続を経ないで開くことができる。まったくそのとおりなので、解説が書けない。

問277

選択肢2はどういう感性の持ち主が出題したんでしょうか。アンタの顔が見たいです。単なる言葉の入れ替えという感じだ。それも「×」で正解肢にしてるし。選択肢1はド定番で飽きちゃってるでしょ。選択肢4は参考まで。

1 ○ 過去に何回も出ている選択肢。会議の目的たる事項につき利害関係を有する場合には、区分所有者の承諾を得て専有部分を占有する者は、集会に出席して意見を述べることができる。

2 × 「数個の専有部分に通ずる廊下又は階段室その他構造上区分所有者の全員又はその一部の共用に供されるべき建物の部分」とは法定共用部分のこと。最初に建物の専有部分の全部を所有する者は、規約共用部分などの規約を設定することができるけど、規約で共用部分とする類ではないそもそも共用部分である「法定共用部分」をどうのこうのというのは変。変っていうかナンセンス。成り立たない。なんでこんなのを出したんだろ。

3 ○ これもよく見る選択肢かな。管理者は、規約に特別の定めがあるときは、共用部分を所有することができる。

4 ○ まぁそうだろうね。理事が数人ある場合において、規約に別段の定めがないときは、管理組合法人の事務は、理事の過半数で決する。テキスト未掲載。参考まで。

正解	
問276 2	問277 2

問題

問278

建物の区分所有等に関する法律に関する次の記述のうち、誤っているものはどれか。

【平成25年 問13】

1　区分所有者の承諾を得て専有部分を占有する者は、会議の目的たる事項につき利害関係を有する場合には、集会に出席して議決権を行使することができる。

2　区分所有者の請求によって管理者が集会を招集した際、規約に別段の定めがある場合及び別段の決議をした場合を除いて、管理者が集会の議長となる。

3　管理者は、集会において、毎年一回一定の時期に、その事務に関する報告をしなければならない。

4　一部共用部分は、区分所有者全員の共有に属するのではなく、これを共用すべき区分所有者の共有に属する。

問279

建物の区分所有等に関する法律（以下この問において「法」という。）に関する次の記述のうち、誤っているものはどれか。

【平成23年 問13】

1　管理者は、利害関係人の請求があったときは、正当な理由がある場合を除いて、規約の閲覧を拒んではならない。

2　規約に別段の定めがある場合を除いて、各共有者の共用部分の持分は、その有する専有部分の壁その他の区画の内側線で囲まれた部分の水平投影面積の割合による。

3　一部共用部分に関する事項で区分所有者全員の利害に関係しないものは、区分所有者全員の規約に定めることができない。

4　法又は規約により集会において決議すべきとされた事項であっても、区分所有者全員の書面による合意があったときは、書面による決議があったものとみなされる。

解説▶解答

問278 選択肢１が楽勝で「×」。この年に受験した方はラッキーでしたね〜。

1 × 出たぁ〜占有者。まいどおなじみ。愛してます。集会に出席して意見を述べることができるけど、議決権を行使することはできませぇ〜ん。

2 ○ 「規約に別段の定めがある場合」か「別段の決議をした場合」を除いて、管理者又は集会を招集した区分所有者の１人が議長となりまぁーす。

3 ○ そのとおり。

4 ○ 「共用部分」は原則として区分所有者の共有っていうことになるけど、「一部共用部分」はこれを共用すべき区分所有者の共有に属する。

問279 基本的な項目でまとめられていて、なかなかいい問題です。

1 ○ はいそうです。管理者は利害関係人の請求があったときは、正当な理由がある場合を除いて、規約の閲覧を拒んではなりません。

2 ○ そうなんだよね。共用部分の持分は「専有部分の壁その他の区画の内側線で囲まれた部分の水平投影面積の割合」による。規約で別段の定めもできます。

3 × おっと、「一部共用部分に関する事項で区分所有者全員の利害に関係しないもの」でも、区分所有者全員の規約に定めることができる。

4 ○ そうなんだよね。区分所有者全員の書面による合意があったときは、書面（又は電磁的方法）による決議があったものとみなされます。

第1章 宅建業法
第2章 法令上の制限
第3章 権利関係
第4章 その他

正解	
問278 1	問279 3

問題

問280 建物の区分所有等に関する法律に関する次の記述のうち、誤っているものはどれか。

【令和2年10月 問13】

1　共用部分の変更（その形状又は効用の著しい変更を伴わないものを除く。）は、区分所有者及び議決権の各４分の３以上の多数による集会の決議で決するが、この区分所有者の定数は、規約で２分の１以上の多数まで減ずることができる。

2　共用部分の管理に係る費用については、規約に別段の定めがない限り、共有者で等分する。

3　共用部分の保存行為をするには、規約に別段の定めがない限り、集会の決議で決する必要があり、各共有者ですることはできない。

4　一部共用部分は、これを共用すべき区分所有者の共有に属するが、規約で別段の定めをすることにより、区分所有者全員の共有に属するとすることもできる。

問281 建物の区分所有等に関する法律に関する次の記述のうち、誤っているものはどれか。

【令和3年12月 問13】

1　区分所有者以外の者であって区分所有者の承諾を得て専有部分を占有する者は、会議の目的たる事項につき利害関係を有する場合には、集会に出席して議決権を行使することはできないが、意見を述べることはできる。

2　最初に建物の専有部分の全部を所有する者は、公正証書により、共用部分（数個の専有部分に通ずる廊下又は階段室その他構造上区分所有者の全員又はその一部の共用に供されるべき建物の部分）の規約を設定することができる。

3　共用部分は、区分所有者全員の共有に属するが、規約に特別の定めがあるときは、管理者を共用部分の所有者と定めることもできる。

4　管理組合法人を設立する場合は、理事を置かなければならず、理事が数人ある場合において、規約に別段の定めがないときは、管理組合法人の事務は、理事の過半数で決する。

解説▶解答

問280

選択肢1が「2分の1以上」という、ズッコケながらも笑えるヒッカケ。過半数だよね。選択肢4の一部共用部分とは、一部の区分所有者のみの共用に供されることが明らかな共用部分。たとえば一部の区分所有者のみが使用するエレベーターとか。

1 × 文末の「この区分所有者の定数は、規約で2分の1以上の多数まで減ずることができる」の「2分の1以上」が誤り。規約で「過半数」まで減ずることができる。

2 × 「等分」じゃないでしょ。各共有者は、規約に別段の定めがない限り、その持分に応じて、共用部分の管理に係る費用を負担する。

3 × 共用部分の管理に関する事項は、集会の決議で決するということなんだけど、保存行為は、各共有者がすることができる。

4 ○ 一部共用部分は、これを共用すべき区分所有者の共有に属するものなんだけど、規約で「区分所有者全員の共有に属する」とすることもできる。

問281

選択肢2はどういう感性の持ち主が出題したんでしょうか。アンタの顔が見たいです。単なる言葉の入れ替えという感じだ。それも「×」で正解肢にしてるし。選択肢1はド定番で飽きちゃってるでしょ。選択肢4は参考まで。

1 ○ 過去に何回も出ている選択肢。会議の目的たる事項につき利害関係を有する場合には、区分所有者の承諾を得て専有部分を占有する者は、集会に出席して意見を述べることができる。

2 × 「数個の専有部分に通ずる廊下又は階段室その他構造上区分所有者の全員又はその一部の共用に供されるべき建物の部分」とは法定共用部分のこと。最初に建物の専有部分の全部を所有する者は、規約共用部分などの規約を設定することができるけど、規約で共用部分とする類ではない「法定共用部分」をどうのこうのというのは変。変っていうかナンセンス。成り立たない。なんでこんなのを出したんだろ。

3 ○ これもよく見る選択肢かな。管理者は、規約に特別の定めがあるときは、共用部分を所有することができる。

4 ○ まぁそうだろうね。理事が数人ある場合において、規約に別段の定めがないときは、管理組合法人の事務は、理事の過半数で決する。

正解	
問280 4	問281 2

第1章 宅建業法
第2章 法令上の制限
第3章 権利関係
第4章 その他

問題

問282

建物の区分所有等に関する法律（以下この問において「法」という。）に関する次の記述のうち、誤っているものはどれか。

【令和5年 問13】

1　集会においては、法で集会の決議につき特別の定数が定められている事項を除き、規約で別段の定めをすれば、あらかじめ通知した事項以外についても決議することができる。

2　集会は、区分所有者の4分の3以上の同意があるときは、招集の手続を経ないで開くことができる。

3　共用部分の保存行為は、規約に別段の定めがある場合を除いて、各共有者がすることができるため集会の決議を必要としない。

4　一部共用部分に関する事項で区分所有者全員の利害に関係しないものについての区分所有者全員の規約は、当該一部共用部分を共用すべき区分所有者が8人である場合、3人が反対したときは変更することができない。

問283

建物の区分所有等に関する法律（以下この問において「法」という。）に関する次の記述のうち、正しいものはどれか。

【令和元年 問13】

1　専有部分が数人の共有に属するときは、共有者は、集会においてそれぞれ議決権を行使することができる。

2　区分所有者の承諾を得て専有部分を占有する者は、会議の目的たる事項につき利害関係を有する場合には、集会に出席して議決権を行使することができる。

3　集会においては、規約に別段の定めがある場合及び別段の決議をした場合を除いて、管理者又は集会を招集した区分所有者の1人が議長となる。

4　集会の議事は、法又は規約に別段の定めがない限り、区分所有者及び議決権の各4分の3以上の多数で決する。

解説▶解答

問282 選択肢２の「×」が楽勝。選択肢１。「特別の定数」とは「４分の３」「５分の４」のこと。選択肢４は計算がめんどくせー(笑)。「４分の１を超える者」が反対したときはNGだから、８人中３人が反対したときは変更できない。

1 ○ そうなんですよ。規約で別段の定めをしておけば「あらかじめ通知した事項」以外についても決議できる。集会の前に根回しが必要だけど、騙し討ち決議(例：管理者解任・過半数で決議)とかもできる。

2 × 「区分所有者全員の同意があるとき」だよね。

3 ○ 共用部分の保存行為は、規約に別段の定めがある場合を除いて、各共有者がすることができる。

4 ○ 一部共用部分を共用すべき区分所有者の４分の1を超える者又はその議決権の４分の１を超える議決権を有する者が反対したときは、変更することができない。

問283 「共有者の議決権」「専有部分の占有者」「集会の議長」「集会の議事」と、復習するのにぴったり、ちょうどいい問題ですね。

1 × 専有部分が数人の共有に属するときは、共有者は、議決権を行使することができる者を１人定めなければならない。

2 × 「区分所有者の承諾を得て専有部分を占有する者」は、区分所有者じゃないんだから議決権なんてもってないでしょ。会議の目的たる事項につき利害関係を有する場合には、集会に出席して意見を述べることはできるけどね(意見陳述権)。

3 ○ 集会の議長。規約に別段の定めがある場合及び別段の決議をした場合を除いて、管理者又は集会を招集した区分所有者の１人が議長となる。

4 × 「区分所有者及び議決権の各４分の３以上の多数」じゃないよね。法又は規約に別段の定めがない限り、区分所有者及び議決権の各過半数で決する。

正解	
問282 2	問283 3

地価公示法

2025年版
合格しようぜ！
宅建士 基本テキスト

➡ Part4 地価公示・不動産鑑定評価・税
➡ 地価公示法
➡ Section1　地価公示法と不動産鑑定評価
➡ P696～P700

ここはこう出る!!

「地価公示法」は「不動産鑑定評価」と交互に出題されることが多い。土地の価格は相場があってないようなものであり、一般の人が適正な価格を判別することは困難である。そこで地価公示法に基づく地価公示制度がある。毎年1回、3月下旬に、売り手にも買い手にもかたよらない客観的な市場価値を正常価格として公示している。地価公示の手続きとして「標準の選定」、「鑑定評価の基準」や「正常な価格の公示」あたりの基本的な内容を押さえておけば得点できる。油断せずに過去問を解き直そう。

だからこう解く!! 厳選要点★ここを押さえろ

地価公示・公示価格

- 土地取引を行う者→公示された価格を**指標**として取引を行うよう**努めなければならない**
- 不動産鑑定士が鑑定評価を行う場合→公示価格を規準としなければならない
- 公共事業のために取得する場合→公示価格を規準としなければならない

地価公示の手続き

- 標準地の選定：**土地鑑定委員会**
- 鑑定評価：**2**以上の**不動産鑑定士**
- 正常価格の判定：土地鑑定委員会
- 正常価格の公示：土地鑑定委員会

不動産鑑定士の鑑定評価の基準(3つの価格)

- 取引事例比較法：取引価格から算定
- 収益還元法：地代等から算定
- 原価法：土地の造成費（推定）から算定

正常な価格

- 自由な取引が行われるとした場合におけるその取引において**通常**成立すると認められる価格
- 建物等があっても**更地**価格として判定

正常な価格の公示(主なもの)

- 標準地の所在
- **1㎡**当たりの価格、判定基準日（1月1日）
- 標準地の地積、**形状**
- 「**標準地**」と「**その周辺の土地**」の利用の現況

図書の送付

- 土地鑑定委員会が市町村の長に送付
- 市町村の長は図書を一般の閲覧に供しなければならない

問題

問284 地価公示法に関する次の記述のうち、正しいものはどれか。

【平成29年 問25】

1　土地鑑定委員会は、標準地の単位面積当たりの価格及び当該標準地の前回の公示価格からの変化率等一定の事項を官報により公示しなければならないとされている。

2　土地鑑定委員会は、公示区域内の標準地について、毎年2回、2人以上の不動産鑑定士の鑑定評価を求め、その結果を審査し、必要な調整を行って、一定の基準日における当該標準地の単位面積当たりの正常な価格を判定し、これを公示するものとされている。

3　標準地は、土地鑑定委員会が、自然的及び社会的条件からみて類似の利用価値を有すると認められる地域において、土地の利用状況、環境等が通常であると認められる一団の土地について選定するものとされている。

4　土地の取引を行う者は、取引の対象となる土地が標準地である場合には、当該標準地について公示された価格により取引を行う義務を有する。

問285 地価公示法に関する次の記述のうち、誤っているものはどれか。

【平成27年 問25】

1　都市計画区域外の区域を公示区域とすることはできない。

2　正常な価格とは、土地について、自由な取引が行われるとした場合におけるその取引において通常成立すると認められる価格をいい、この「取引」には住宅地とするための森林の取引も含まれる。

3　土地鑑定委員会が標準地の単位面積当たりの正常な価格を判定する際は、二人以上の不動産鑑定士の鑑定評価を求めなければならない。

4　土地鑑定委員会が標準地の単位面積当たりの正常な価格を判定したときは、標準地の形状についても公示しなければならない。

解説▶解答

問284 選択肢3がドンピシャなのでかえって悩むかも。変化率は公示事項じゃないよね。

1 × 「標準地の単位面積当たりの価格」はともかく、「当該標準地の前回の公示価格からの変化率」は、公示事項とはされていない。でも情報としてけっこう出てたりするけどね。

2 × 「毎年2回」じゃないでしょ。そんなにやんないでしょ。毎年1回でしょ。

3 ○ 標準地は、土地鑑定委員会が選定しまぁーす。選択肢に書いてあるとおりなので解説がむずかしいでーす。

4 × 出ましたヒッカケ。取引の対象となる土地が標準地であったとしてもだよ、当該標準地について公示された価格を指標として取引を行うよう努めなければならないのであって、「公示された価格により取引を行う義務を有する」じゃないよね。

問285 選択肢1と2がちょっとややこしいか。選択肢3と4の「○」がわかればオッケー。

1 × 標準地の選定は「公示区域内」から行われる。で、公示区域は「都市計画区域内」に限らない。都市計画区域のほか、都市計画区域外であっても「土地取引が相当程度見込まれるもの」は公示区域とすることができる。

2 ○ 「正常な価格」については選択肢の記載どおり。「自由な取引」の「取引」からは農地・採草放牧地・森林の取引が除かれるけど、農地・採草放牧地・森林以外のもの(例：住宅地)とするための「取引」は含まれる。

3 ○ 土地鑑定委員会は、2人以上の不動産鑑定士の鑑定評価を求め、その結果を審査・調整を行って、標準地の単位面積当たりの正常な価格を判定する。

4 ○ 標準地の「形状」についても公示しなければならない。

正解	
問284 3	問285 1

問題

問286 地価公示法に関する次の記述のうち、誤っているものはどれか。

【令和4年 問25】

1　土地鑑定委員会は、標準地の正常な価格を判定したときは、標準地の単位面積当たりの価格のほか、当該標準地の地積及び形状についても官報で公示しなければならない。

2　正常な価格とは、土地について、自由な取引が行われるとした場合におけるその取引（一定の場合を除く。）において通常成立すると認められる価格をいい、当該土地に建物がある場合には、当該建物が存するものとして通常成立すると認められる価格をいう。

3　公示区域内の土地について鑑定評価を行う場合において、当該土地の正常な価格を求めるときは、公示価格を規準とする必要があり、その際には、当該土地とこれに類似する利用価値を有すると認められる１又は２以上の標準地との位置、地積、環境等の土地の客観的価値に作用する諸要因についての比較を行い、その結果に基づき、当該標準地の公示価格と当該土地の価格との間に均衡を保たせる必要がある。

4　公示区域とは、都市計画法第４条第２項に規定する都市計画区域その他の土地取引が相当程度見込まれるものとして国土交通省令で定める区域のうち、国土利用計画法第12条第１項の規定により指定された規制区域を除いた区域をいう。

問287 地価公示法に関する次の記述のうち、正しいものはどれか。

【令和元年 問25】

1　都市及びその周辺の地域等において、土地の取引を行う者は、取引の対象土地から最も近傍の標準地について公示された価格を指標として取引を行うよう努めなければならない。

2　標準地は、都市計画区域外や国土利用計画法の規定により指定された規制区域内からは選定されない。

3　標準地の正常な価格とは、土地について、自由な取引が行われるとした場合におけるその取引（一定の場合を除く。）において通常成立すると認められる価格をいい、当該土地に関して地上権が存する場合は、この権利が存しないものとして通常成立すると認められる価格となる。

4　土地鑑定委員会は、自然的及び社会的条件からみて類似の利用価値を有すると認められる地域において、土地の利用状況、環境等が特に良好と認められる一団の土地について標準地を選定する。

解説▶解答

問286 **誰でもわかる選択肢２。「誤」でこれが正解肢。やばい正解率100%かっ（笑）。選択肢４。国土利用計画法の「規制区域」とは、土地売買等の契約が許可制度となっている区域。通常の取引が行われないので価格を公示する意味がない。なお規制区域はいままで一度も指定されたことはない。規制区域制度自体もおなじく意味がない。**

1 ○ 「当該標準地の地積及び形状」についても官報で公示される。

2 × まいどおなじみの選択肢。「建物が存するもの」じゃないよね。建物が存しないものとして、だよね。

3 ○ 長々と書いてあるけど、要は「公示区域内の土地について鑑定評価を行う場合」なんだから「公示価格を規準とする必要」があるよと。「その際には・・・」は読んでみればそりゃそうだろうね。

4 ○ 公示区域は都市計画区域に限らないよね。

問287 **選択肢１の「最も近傍の標準地」とか、選択肢４の「特に良好」とか。地味にヒッカケようとしている出題者さんの並々ならぬ意欲は買いますが（笑）。**

1 × 「取引の対象土地から最も近傍の標準地」じゃないんだよね。「取引の対象土地に類似する利用価値を有すると認められる標準地」について公示された価格を指標として取引を行うよう努めなければならぬ。

2 × 標準地は都市計画区域外からも選定されるよね。なお、国土利用計画法の規定により指定された規制区域内からは選定されません。規制区域は土地売買等の契約が許可制度（一般的には取引禁止）となっている区域なのでね。

3 ○ そうそう。地上権などの土地の使用収益を制限する権利が存する場合は、これらの権利が存しないものとして通常成立すると認められる価格だよね。

4 × 「特に良好と認められる一団の土地」じゃないよね。地価公示の標準地は「土地の利用状況、環境等が通常と認められる一団の土地」について選定するものとされてます。

正解	
問286 2	問287 3

不動産鑑定評価

2025年版
合格しようぜ！
宅建士 基本テキスト

➡ Part4 地価公示・不動産鑑定評価・税
➡ 不動産鑑定評価
➡ Section1　地価公示法と不動産鑑定評価
➡ P700～P703

例年の出題をみると、「不動産鑑定評価」と「地価公示法」のどちらかで1問の出題となる。「不動産鑑定評価」は、不動産を鑑定評価するための不動産鑑定評価基準からの出題となる。不動産鑑定評価基準自体は膨大なボリュームがあり、難解な専門用語が多い。結果、難問となることが多い。宅地建物取引士試験の受験ということを考えれば、「正常価格」「限定価格」などや、「原価法・取引事例比較法・収益還元法」の基本的な内容を押さえるという程度に留めておくほうがよい。深追いはしない。

だからこう解く!! 厳選要点★ここを押さえろ

正常価格

- 市場性を有する不動産
- 現実の社会経済情勢の下で合理的と考えられる条件を満たす市場で形成されるであろう市場価値を表示する適正な価格

限定価格

- 市場性を有する不動産
- 隣接する土地の併合や借地権者が底地を購入するなど、市場が相対的に限定される場合の価格

特定価格

- 市場性を有する不動産
- 民事再生法に基づく評価目的の下で早期売却を前提とするなど、正常な価格の前提となる諸条件を満たさない場合の価格

特殊価格

- 市場性を**有しない**不動産
- 文化財・宗教用建築物などについて、その利用状況を前提とした価格

不動産の鑑定評価方式

- 原価法

  →**再調達原価**を求め、再調達原価に減価修正を行う

- 取引事例比較法

  →多数の取引事例を収集して適切な事例の選択を行い、必要に応じて事情補正・時点修正を行って求められた価格を**比較**考量する

- 収益還元法

  →対象不動産が将来生み出すであろうと期待される純収益の現在価値の総和を求めることにより対象不動産の価格を求める

3方式の併用

- 複数の鑑定評価の手法の適用が困難な場合でも、その考え方をできるだけ参酌(他と比べ合わせて参考にすること)するよう努める
- 不動産鑑定士が標準地の鑑定を行う場合は複数の鑑定評価の手法を適用すべき

問題

問288 不動産の鑑定評価に関する次の記述のうち、不動産鑑定評価基準によれば、正しいものはどれか。【平成28年 問25】

1　不動産の鑑定評価によって求める価格は、基本的には正常価格であるが、市場性を有しない不動産については、鑑定評価の依頼目的及び条件に応じて限定価格、特定価格又は特殊価格を求める場合がある。

2　同一需給圏とは、一般に対象不動産と代替関係が成立して、その価格の形成について相互に影響を及ぼすような関係にある他の不動産の存する圏域をいうが、不動産の種類、性格及び規模に応じた需要者の選好性によって、その地域的範囲は狭められる場合もあれば、広域的に形成される場合もある。

3　鑑定評価の各手法の適用に当たって必要とされる取引事例等については、取引等の事情が正常なものと認められるものから選択すべきであり、売り急ぎ、買い進み等の特殊な事情が存在する事例を用いてはならない。

4　収益還元法は、対象不動産が将来生み出すであろうと期待される純収益の現在価値の総和を求めることにより対象不動産の試算価格を求める手法であるが、市場における土地の取引価格の上昇が著しいときは、その価格と収益価格との乖離が増大するものであるため、この手法の適用は避けるべきである。

問289 不動産の鑑定評価に関する次の記述のうち、不動産鑑定評価基準によれば、誤っているものはどれか。【平成22年 問25】

1　原価法は、求めた再調達原価について減価修正を行って対象物件の価格を求める手法であるが、建設費の把握が可能な建物のみに適用でき、土地には適用できない。

2　不動産の効用及び相対的稀少性並びに不動産に対する有効需要の三者に影響を与える要因を価格形成要因といい、一般的要因、地域要因及び個別的要因に分けられる。

3　正常価格とは、市場性を有する不動産について、現実の社会経済情勢の下で合理的と考えられる条件を満たす市場で形成されるであろう市場価値を表示する適正な価格をいう。

4　取引事例に係る取引が特殊な事情を含み、これが当該取引事例に係る価格等に影響を及ぼしているときは、適切に補正しなければならない。

解説▶解答

問288 ちょっとむずかしいかな。選択肢4の「×」がわかればオッケー。

1 × 「市場性を有しない不動産」となれば、特殊価格（文化財とか宗教建築物など）だよね。「市場性を有しない不動産については・・・限定価格、特定価格又は特殊価格」じゃないです。

2 ○ 同一需給圏とは、一般に対象不動産と代替関係が成立して、その価格の形成について相互に影響を及ぼすような関係にある他の不動産の存する圏域をいいます。コムズカシイので参考まで。

3 × 売り急ぎ、買い進み等の特殊な事情が存在する場合には、正常なものに補正できるものであれば採用しよう。「用いてはならない」だと「×」。

4 × いやいやいや、「市場における土地の取引価格の上昇が著しいとき」こそ、先走りがちな取引価格に対する有力な験証手段として、収益還元法が活用されるべきであります。

問289 地価公示法か鑑定評価か。この年は不動産鑑定評価。選択肢3の「○」がわかればよし。

1 × 土地に関しても、造成地・埋立地などで再調達原価を適切に求めることができる場合には、原価法の適用が可能である。「土地には適用できない」だと「×」だよね。

2 ○ そのとおり。でもムズカシイからパス。

3 ○ そのとおり。わ、うれしいじゃない。正常価格。サービス問題。

4 ○ これもそうだよね。適切に補正しなければなりません。

正解	
問288 2	問289 1

問題

問290

不動産の鑑定評価に関する次の記述のうち、不動産鑑定評価基準によれば、正しいものはどれか。 【平成20年 問29】

1　不動産の価格を求める鑑定評価の手法は、原価法、取引事例比較法及び収益還元法に大別され、鑑定評価に当たっては、原則として案件に応じてこれらの手法のうち少なくとも二つを選択して適用すべきこととされている。

2　土地についての原価法の適用において、宅地造成直後と価格時点とを比べ、公共施設等の整備等による環境の変化が価格水準に影響を与えていると認められる場合には、地域要因の変化の程度に応じた増加額を熟成度として加算できる。

3　特殊価格とは、市場性を有する不動産について、法令等による社会的要請を背景とする評価目的の下で、正常価格の前提となる諸条件を満たさない場合における不動産の経済価値を適正に表示する価格をいう。

4　収益還元法は、対象不動産が将来生み出すであろうと期待される純収益の現在価値の総和を求めることにより対象不動産の試算価格を求める手法であることから、賃貸用不動産の価格を求める場合に有効であり、自用の住宅地には適用すべきでない。

問291

不動産の鑑定評価に関する次の記述のうち、不動産鑑定評価基準によれば、誤っているものはどれか。 【平成19年 問29】

1　不動産の価格を求める鑑定評価の基本的な手法は、原価法、取引事例比較法及び収益還元法に大別され、原価法による試算価格を積算価格、取引事例比較法による試算価格を比準価格、収益還元法による試算価格を収益価格という。

2　取引事例比較法の適用に当たって必要な取引事例は、取引事例比較法に即応し、適切にして合理的な計画に基づき、豊富に秩序正しく収集し、選択すべきであり、投機的取引であると認められる事例等適正さを欠くものであってはならない。

3　再調達原価とは、対象不動産を価格時点において再調達することを想定した場合において必要とされる適正な原価の総額をいう。

4　収益還元法は、対象不動産が将来生み出すであろうと期待される純収益の現在価値の総和を求めることにより対象不動産の試算価格を求める手法であり、このうち、一期間の純収益を還元利回りによって還元する方法をＤＣＦ（Discounted Cash Flow）法という。

解説▶解答

問290 選択肢２は初登場かな。選択肢３が「特定価格」と「特殊価格」のヒッカケ。選択肢４はまいどおなじみのパターン。

1 × 不動産の価格を求める鑑定評価の手法は、原価法、取引事例比較法及び収益還元法だよね。で、鑑定評価にあたっては、「原則として複数の鑑定評価の手法を適用すべき」とされてます。「少なくとも二つを選択して適用」とはされてません。

2 ○ なんじゃこりゃの「熟成度」。ま、読んでみれば「そりゃそうでしょ」で「○」としていただきたい。でもメンドくさいのでパスでもいいです。

3 × 出たぁ〜、「特定価格」と「特殊価格」の入れ替えヒッカケ。選択肢の内容は「特定価格」についてです。

4 × お、まいどおなじみの「自用の住宅地には適用すべきでない」で「×」。出題者さん、ありがとう。「自用の住宅地といえども賃貸を想定することにより適用されるものである」です。

問291 不動産の鑑定評価だあ〜、とちょっと焦ったかもしれませんけど、あれ？　なんだ、よく読んだら選択肢１〜３はカンタンじゃん。なので、ＤＣＦ法ってなんだったっけか、と、よくわかんないけど選択肢４の「×」で行ってみよう。

1 ○ 漢字がいっぱい出てきて、あーめんどくさい、めんどくさい、めんどくさい!! いやいや、落ち着いてよーく読んでみれば、あれ？　そのまんまどっかで見かけたような気がするでしょ。

2 ○ これもむずかしい言い方をしているけど、実はあたりまえ。そのまま「○」っす。

3 ○ これもそのまま「○」。苦手意識はもたないようにしよーぜ。

4 × ということでこれが「×」。ちなみにこの選択肢の記述はＤＣＦ法についてではなく、直接還元法についてのもの。

正解	
問290	2
問291	4

不動産取得税

2025年版
合格しようぜ！
宅建士 基本テキスト

➡ Part4 地価公示・不動産鑑定評価・税
➡ 不動産取得税
➡ Section2　不動産取引の際に登場する税金
➡ 704～P708

「不動産に関する税」としては毎年2問の出題。うち1問は地方税から。地方税として「不動産取得税」と「固定資産税」があり、例年どちらかの出題となる。「不動産取得税」は、土地や家屋を購入したり、家屋を増改築するなどして不動産を「取得」した場合に課税するもので、有償・無償、登記の有無にかかわらない。都道府県税となる。「固定資産税」と比べれば難解な出題も少なく、出題されたのであればぜひ得点を狙っていきたい。非課税になるものや課税標準の特例からの出題がやや目立つ。

だからこう解く!! 厳選要点☆ここを押さえろ

不動産取得税

- **都道府県税**（地方税）
- 不動産の取得者が納税義務者
- 売買、**交換**、**贈与**、建築（新築、増築、**改築**）による取得で課税
- 有償・無償、登記の有無は問わない
- 家屋新築後6ヶ月で使用・譲渡がなくても取得とみなして課税
- **相続**、法人の**合併**による取得は非課税

課税標準・税率・納付方法

- 課税標準：固定資産課税台帳の登録価格（実際の取引価格ではない）
- 税率：**4%**。住宅・土地を取得した場合は3%
- 納付方法：**普通徴収**

免税点

- 土地：**10万円**未満
- 新築・増築：23万円未満
- 購入など：12万円未満

新築住宅の課税標準の特例

- 課税標準額から1,200万円控除
- 要件：自己居住用・貸家用、床面積**50㎡**（貸家40㎡）以上**240㎡**以下
- 法人の取得：適用あり

中古（既存）住宅の課税標準の特例

- 課税標準額から新築された当時の控除額が控除
- 要件：自己居住用のみ、床面積50㎡以上240㎡以下
- 法人の取得：適用なし。**個人のみ**

宅地を取得した場合

- 課税標準額が2分の1に引き下げられる

問題

問292 不動産取得税に関する次の記述のうち、正しいものはどれか。

【平成28年 問24】

1　家屋が新築された日から３年を経過して、なお、当該家屋について最初の使用又は譲渡が行われない場合においては、当該家屋が新築された日から３年を経過した日において家屋の取得がなされたものとみなし、当該家屋の所有者を取得者とみなして、これに対して不動産取得税を課する。

2　不動産取得税は、不動産の取得に対して課される税であるので、法人の合併により不動産を取得した場合にも、不動産取得税は課される。

3　平成28年４月に取得した床面積240㎡である新築住宅に係る不動産取得税の課税標準の算定については、当該新築住宅の価格から1,200万円が控除される。

4　平成28年４月に個人が取得した住宅及び住宅用地に係る不動産取得税の税率は３％であるが、住宅用以外の家屋及びその土地に係る不動産取得税の税率は４％である。

問293 不動産取得税に関する次の記述のうち、正しいものはどれか。

【平成26年 問24】

1　不動産取得税は、不動産の取得に対して、当該不動産の所在する市町村において課する税であり、その徴収は普通徴収の方法によらなければならない。

2　共有物の分割による不動産の取得については、当該不動産の取得者の分割前の当該共有物に係る持分の割合を超えなければ不動産取得税が課されない。

3　不動産取得税は、独立行政法人及び地方独立行政法人に対しては、課することができない。

4　相続による不動産の取得については、不動産取得税が課される。

解説▶解答

問292 選択肢２はうれしい「×」。選択肢３もうれしい「○」。みんなできたかな。

1 ×「３年」じゃなくて「６月」。６月を経過しても、最初の使用又は譲渡が行われないときは、その時点での所有者を取得者とみなして、不動産取得税が課されまーす。

2 × 法人の合併による不動産の取得は、不動産取得税は課税されませーん。

3 ○ そのとおり。床面積が50㎡以上240㎡以下の新築住宅を取得した場合、不動産取得税の課税標準から1,200万円が控除されまーす。

4 × 不動産取得税の標準税率は、本来は４％なんだけど、「土地３％」「住宅３％」に軽減されています。住宅以外は４％のままだけど。で、「住宅用以外の土地」についても、土地は土地なので、税率は３％。４％じゃないです。

問293 選択肢１と４の「×」は速攻でわかってほしいなぁー。選択肢２と３で迷ったかも。

1 × 市町村じゃないでしょ。不動産取得税は当該不動産の所在する都道府県において課する税であり、その徴収は普通徴収の方法によらなければならない。

2 ○ 共有物の分割による不動産の取得（当該不動産の取得者の分割前の当該共有物に係る持分の割合を超える部分の取得を除く。）については、不動産取得税は非課税となる。ご参考まで。

3 × めちゃマニアック。それにマイナーなところ。独立行政法人に対しては原則非課税なんだけど、なかには課税される法人もある。ご参考まで。

4 × おっと、相続による不動産の取得については、不動産取得税は課税されない。すぐにわかってほしい選択肢。

正解	
問292 3	問293 2

問題

問294 不動産取得税に関する次の記述のうち、正しいものはどれか。

【平成22年 問24】

1　生計を一にする親族から不動産を取得した場合、不動産取得税は課されない。

2　交換により不動産を取得した場合、不動産取得税は課されない。

3　法人が合併により不動産を取得した場合、不動産取得税は課されない。

4　販売用に中古住宅を取得した場合、不動産取得税は課されない。

問295 不動産取得税に関する次の記述のうち、正しいものはどれか。

【平成30年 問24】

1　不動産取得税は、不動産の取得があった日の翌日から起算して３月以内に当該不動産が所在する都道府県に申告納付しなければならない。

2　不動産取得税は不動産の取得に対して課される税であるので、家屋を改築したことにより当該家屋の価格が増加したとしても、新たな不動産の取得とはみなされないため、不動産取得税は課されない。

3　相続による不動産の取得については、不動産取得税は課されない。

4　一定の面積に満たない土地の取得については、不動産取得税は課されない。

問294 それにしてもカンタンな問題でよかったです。

1 × そんな規定はないでしょ!(^^)!　土地や家屋を売買や贈与などにより取得した者に、不動産取得税は課されます。

2 × だから交換による取得の場合でも不動産取得税は課されるんだってばっ。

3 ○ そのとおり。相続による取得や法人の合併による取得については、不動産取得税は課されません。

4 × 販売用だとしても、中古だとしても、不動産取得税は課されます。

問295 選択肢１と４で、「あれ？」という感じで、ちょっと動揺したかもしれないけど、でもね、選択肢３がね、まいどおなじみだもんね。

1 × 不動産取得税の納期は各都道府県により異なります。あと、不動産取得税の納税方法については、申告納付じゃなくて普通徴収だよ。取得後６ヶ月〜１年半くらいの間に各都道府県から届く「納税通知書」を使用して金融機関での納付だよん。

2 × 「家屋の改築」の場合でも不動産取得税は課されるよね。「改築による価値増加分」が不動産取得税の課税対象。

3 ○ まいどおなじみ。出題者さんありがとう。相続による不動産の取得については不動産取得税は課されませーん!!

4 × おっと「一定の面積に満たない土地」かぁ。不動産取得税の免税で「面積でどうのこうの」はないです。土地だと課税標準が「10万円未満」だったら不動産取得税は課されないけどね。

正解	
問294　3	問295　3

固定資産税

2025年版
合格しようぜ！
宅建士 基本テキスト

➡ Part4 地価公示・不動産鑑定評価・税
➡ 固定資産税
➡ Section2　不動産取引の際に登場する税金
➡ P708〜P712

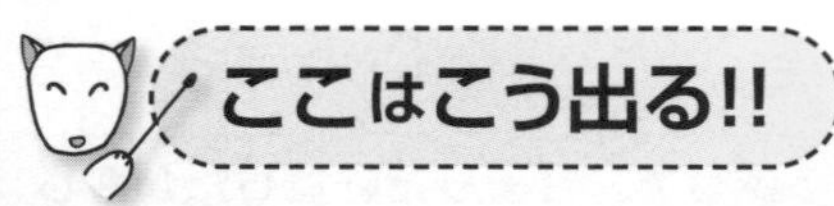

例年、地方税として「固定資産税」か「不動産取得税」のどちらかが出題される。マンションなどの不動産を所有したら、所有している限り、固定資産税が課税される。1月1日時点での所有者が納税義務者となる。税率は1.4%で、課税主体は不動産が所在する市町村。「不動産取得税」との出題と比べると、未知な内容や細かいところを聞いてくる年もあり難問となることもある。「固定資産税」での出題だった場合、拾える問題だったら拾っていくというスタンスでよいのではないかと思う。深追い禁物。

だからこう解く!! 厳選要点★ここを押さえろ

固定資産税

- **市町村税**（地方税）
- 納税義務者は**1月1日**現在の固定資産の**所有者**
- 質権が設定されていれば**質権者**が納税義務者
- 100年より永い地上権が設定されている土地→**地上権者**が納税義務者

課税標準・税率・納付方法

- 課税標準：固定資産課税台帳の登録価格
- 税率：**1.4%。条例**で異なる税率を定めることができる
- 納付方法：**普通**徴収（納期は年4回）
- 納税通知書：遅くとも納期限の10日前に納税者に交付

免税点

- 土地：**30万円**未満
- 建物：20万円未満

＊財政上の事情などで、免税点に満たないものにも課税する場合あり

小規模住宅用地の課税標準の特例

- 固定資産税評価額の**6分の1**が課税標準額となる
- 200㎡以下の住宅用地が対象
- 更地の場合、この特例は受けられない

税額減額の特例

- 新築住宅については、税額の軽減（減額）がある
- 床面積120㎡までの部分の税額が2分の1に軽減される
- 要件：床面積50㎡（賃貸だと40㎡）以上280㎡以下
- 期間：新築後3年度間・耐火構造などだと5年度間

問題

問296 固定資産税に関する次の記述のうち、正しいものはどれか。

【平成27年 問24】

1　平成27年1月15日に新築された家屋に対する平成27年度分の固定資産税は、新築住宅に係る特例措置により税額の2分の1が減額される。

2　固定資産税の税率は、1.7%を超えることができない。

3　区分所有家屋の土地に対して課される固定資産税は、各区分所有者が連帯して納税義務を負う。

4　市町村は、財政上その他特別の必要がある場合を除き、当該市町村の区域内において同一の者が所有する土地に係る固定資産税の課税標準額が30万円未満の場合には課税できない。

問297 固定資産税に関する次の記述のうち、正しいものはどれか。

【平成17年 問28】

1　質権者は、その土地についての使用収益の実質を有していることから、登記簿にその質権が登記されている場合には、固定資産税が課される。

2　納税義務者又はその同意を受けた者以外の者は、固定資産課税台帳の記載事項の証明書の交付を受けることはできない。

3　固定資産税を既に全納した者が、年度の途中において土地の譲渡を行った場合には、その所有の月数に応じて税額の還付を受けることができる。

4　新築された住宅に対して課される固定資産税については、新たに課されることとなった年度から4年度分に限り、2分の1相当額を固定資産税額から減額される。

解説▶解答

問296 選択肢１がイヤですねー。後半の「２分の１に減額」がそれらしいので、そっちに引きずられて『○』としちゃいそうです。

1 × 平成27年１月15日に新築された家屋については平成28年度から課税。平成27年度分の固定資産税の課税対象にはならない。賦課期日の１月１日を基準に考えましょー。

2 × 固定資産税の標準税率は1.4%だけど、財政上その他の必要があると認める場合においては、市町村は標準税率を超える税率を定めることができる。上限なし。

3 × 区分所有家屋（マンション）の土地ということだから、各区分所有者は、持分の割合によって按分した額を納税すればよい。連帯して納税義務を負うわけないでしょ。

4 ○ 土地に係る固定資産税の課税標準額が30万円未満の場合には課税できない。財政上その他特別の必要がある場合は課税できるそうです。

問297 選択肢４の減額についての条件を覚えていたかなぁ〜。選択肢３の『×』はわかったかなぁ〜。

1 ○ まぁ実際問題として「不動産質権」自体がポピュラーなのかどうかはさておき、質権の目的となっている土地については、質権者が納税義務者となる。

2 × 固定資産課税台帳の記載事項の証明書の交付を受けることができるのは、納税義務者のほか、借地人や借家人など。「納税義務者の同意を受けた者以外の者」とはされていない。

3 × 固定資産税は、その年の１月１日に固定資産の所有者が納税義務を負う。年度の途中で譲渡したとしても、「それがどうした」と関係ない。「その所有の月数に応じて税額の還付を受ける」なんてことはできない。

4 × 「４年度分」ではなく「５年度間又は３年度間」だよー。ちなみに床面積120㎡までの部分の税額が２分の１に減額される。

正解	
問296 ４	問297 １

問題

問298 固定資産税に関する次の記述のうち、正しいものはどれか。

【平成15年 問28】

1　年度の途中において土地の売買があった場合の当該年度の固定資産税は、売主と買主がそれぞれその所有していた日数に応じて納付しなければならない。

2　固定資産税における土地の価格は、地目の変換がない限り、必ず基準年度の価格を３年間据え置くこととされている。

3　固定資産税の納税義務者は、常に固定資産課税台帳に記載されている当該納税義務者の固定資産に係る事項の証明を求めることができる。

4　固定資産税の徴収方法は、申告納付によるので、納税義務者は、固定資産を登記した際に、その事実を市町村長に申告又は報告しなければならない。

問299 固定資産税に関する次の記述のうち、正しいものはどれか。

【平成11年 問27】

1　家屋に係る固定資産税は、建物登記簿に登記されている所有者に対して課税されるので、家屋を建築したとしても、登記をするまでの間は課税されない。

2　固定資産税の納税通知書は、遅くとも、納期限前10日までに納税者に交付しなければならない。

3　新築住宅に対しては、その課税標準を、中高層耐火住宅にあっては５年間、その他の住宅にあっては３年間その価格の３分の１の額とする特例が講じられている。

4　年の途中において、土地の売買があった場合には、当該土地に対して課税される固定資産税は、売主と買主でその所有の月数に応じて月割りで納付しなければならない。

解説▶解答

問298 選択肢3が「常に」とあるけど、『○』。「常に」が入っていたら「×」という試験の常識を逆手にとってきたニクイ問題。

1 × 固定資産税の納税義務者は、賦課期日（1月1日）現在の課税台帳登録者である。なので、年度の途中で土地売買があって所有者が変わったとしても、納税義務自体は1月1日現在の所有者が負う。

2 × 固定資産税における土地の価格は3年間据え置かれ、3年ごとに見直しが行われることになっているけど、地目の変更のほか、市町村の廃置分合などがあった場合、途中でも見直される。

3 ○ 市町村長は、納税義務者から請求があったときは、これらの者の固定資産として固定資産課税台帳に記載されている事項についての証明書を交付しなければならない。ということで「常に」この証明書の交付を求めることができる。「常に」ヒッカケ。

4 × 固定資産税は普通徴収の方法によって納付する。申告納付によるものではない。

問299 実際には、選択肢4みたいに固定資産税を月割りにしたりするんだろうけど、納税義務自体は1月1日時点の所有者が負うことになっている。

1 × 登記がなくても固定資産税は課税される。登記をしていない家屋については、固定資産課税台帳の一種である「家屋補充課税台帳」っていうのがあって、それに一定事項が登録されちゃう。それをもとに課税。逃れられない。

2 ○ そのとおり。

3 × まず、軽減されるのは「課税標準」ではなくて「税額」であり、オマケに「その価格の3分の1の額」ではなく、「税額の2分の1の額」である。どう転んでも誤り。

4 × えーと、固定資産税はその年の1月1日において固定資産課税台帳に所有者として登録されている者に、その年の4月1日からスタートする“年度”の税額全部を課税するものである。なので、年の途中で所有者が変わったとしても、「月割りで納付しなければならない」ということではない。

正解	
問298 3	問299 2

登録免許税

2025年版
合格しようぜ！
宅建士 基本テキスト

➡ Part4 地価公示・不動産鑑定評価・税
➡ 登録免許税
➡ Section2　不動産取引の際に登場する税金
➡ P712〜P715

不動産に関する税からの出題は2問。内訳は地方税1問、国税1問となる。国税には「登録免許税」「印紙税」「贈与税」「所得税」があり、いずれか1問の出題となる。このうち「登録免許税」と「印紙税」が出題された場合、比較的得点しやすい。地方税が不動産取得税の出題だったら「不動産に関する税」を2連勝とすることができるかもしれない。油断せず過去問を解き回しておこう。「登録免許税」からの出題は「住宅用家屋の税率の軽減措置」の一本勝負。ズバっと出たらサクっと正解すべし。

だからこう解く!! 厳選要点☆ここを押さえろ

登録免許税

- **国税**
- 納税義務者は登記を受ける者
- 表示登記は非課税

課税標準・納付方法

- 課税標準：固定資産課税台帳の**登録価格**、債権額（抵当権設定の場合）
- 納付方法：現金納付（領収書の添付）。納期限は登記を受ける時
- 納税地：不動産の所在を管轄する登記所
- 税額が3万円未満：収入印紙を申請書に貼り付けて納付することもできる
- [税額が1,000円未満：税額は1,000円となる]

税率・住宅用家屋の軽減税率

- 所有権保存：1,000分の4
  →軽減税率は1,000分の1.5
- 所有権移転：1,000分の20
  →軽減税率は**1,000分の3**
- 相続・合併：1,000分の4
  →軽減税率はなし
- 贈与で移転：1,000分の20
  →軽減税率はなし
- 抵当権設定：1,000分の4
  →軽減税率は1,000分の1

住宅用家屋（軽減税率の適用対象）

- 自己の居住用
- 新築または取得後**1年以内**に登記
- 床面積が**50㎡以上**

抵当権設定での軽減税率

- 新築住宅または既存住宅の取得
- 自己居住用
- 新築・取得後1年以内に登記

問題

住宅用家屋の所有権の移転登記に係る登録免許税の税率の軽減措置に関する次の記述のうち、正しいものはどれか。

【平成26年 問23】

1　この税率の軽減措置は、一定の要件を満たせばその住宅用家屋の敷地の用に供されている土地に係る所有権の移転の登記にも適用される。

2　この税率の軽減措置は、個人が自己の経営する会社の従業員の社宅として取得した住宅用家屋に係る所有権の移転の登記にも適用される。

3　この税率の軽減措置は、以前にこの措置の適用を受けたことがある者が新たに取得した住宅用家屋に係る所有権の移転の登記には適用されない。

4　この税率の軽減措置は、所有権の移転の登記に係る住宅用家屋が、築年数が25年以内の耐火建築物に該当していても、床面積が50㎡未満の場合には適用されない。

住宅用家屋の所有権の移転登記に係る登録免許税の税率の軽減措置に関する次の記述のうち、正しいものはどれか。

【令和3年12月 問23】

1　この税率の軽減措置の適用対象となる住宅用家屋は、床面積が100㎡以上で、その住宅用家屋を取得した個人の居住の用に供されるものに限られる。

2　この税率の軽減措置の適用対象となる住宅用家屋は、売買又は競落により取得したものに限られる。

3　この税率の軽減措置は、一定の要件を満たせばその住宅用家屋の敷地の用に供されている土地の所有権の移転登記についても適用される。

4　この税率の軽減措置の適用を受けるためには、登記の申請書に、一定の要件を満たす住宅用家屋であることの都道府県知事の証明書を添付しなければならない。

解説▶解答

問300　登録免許税。選択肢４の面積要件、覚えていたかなぁー。選択肢２あたりで、ちょっと迷うかもしれません。選択肢１の土地に係る所有権移転登記。これも迷ったかも。

1 × 「住宅用家屋の所有権の移転登記の税率の軽減措置（1,000分の20→1,000分の３）」は、あくまでも「住宅用家屋の所有権移転登記」が対象で、土地に係る所有権移転登記には適用されない。で、土地の所有権の移転登記だと1,000分の20→1,000分の15となる税率の軽減措置の適用となる。

2 × 社宅だとね……。住宅用家屋の所有権の移転登記に係る登録免許税の税率の軽減措置は、個人が取得し、個人の居住の用に供することが要件となってます。

3 × 以前に住宅用家屋の所有権の移転登記に係る登録免許税の税率の軽減措置を受けていたとしても、だいじょうぶ。要件を満たせば、また受けられます。

4 ○ そのとおり。住宅用家屋の所有権の移転登記に係る登録免許税の税率の軽減措置は、床面積が50㎡以上じゃないと適用されません。

問301　ちょっと細かいかな。選択肢４は初出題かな。解説を参照されたし。

1 × 登録免許税の軽減措置の適用対象となる住宅用家屋の床面積なんだけど、100㎡以上じゃなくて50㎡以上だよね。

2 ○ 所有権移転登記に係る税率だもんね。税率の軽減措置の適用対象となる住宅用家屋は、売買又は競落により取得したものに限られる。

3 × 1000分の20→1000分の３にする「住宅用家屋の所有権の移転登記に係る登録免許税の税率の軽減措置」は、「土地の所有権の移転登記」には適用されないよね。土地の所有権移転登記に係る登録免許税の税率の軽減措置は1000分の20→1000分の15。

4 × 「都道府県知事の証明書」じゃないのよ。登記の申請書に、一定の要件を満たす住宅用家屋であることの市町村長又は特別区の区長の証明書を添付しなければならない。

正解	
問300 4	問301 2

印紙税

2025年版
合格しようぜ！
宅建士 基本テキスト

➡ Part4 地価公示・不動産鑑定評価・税
➡ 印紙税
➡ Section2　不動産取引の際に登場する税金
➡ P715〜P719

「印紙税」は、不動産の売買契約書などの課税文書を作成したときに課税される。契約書に印紙を貼付し消印をするという納税方法。国税2問の出題ローテーションで「印紙税」の出題年となったらラッキー。「登録免許税」の出現パターンを比べると「印紙税」のほうが現れやすいか。とはいえ2年連続での出題はなかったりする。出たら得点しよう。ともかくにも過去問を解き回しておけばよい。出題内容は、ほぼおなじだ。基本的な内容を押さえておこう。印紙税額自体（金額自体）は出題されない。

だからこう解く!! 厳選要点★ここを押さえろ

印紙税

- **国税**
- 売買契約書などの課税文書の作成者が納税義務者
- 売買契約書→売主・買主は連帯納付義務

納付方法

- 印紙を添付して消印をする
- 消印は課税文書の作成者のほか、**従業員**などの**印章**・**署名**でOK

非課税

- **国、地方公共団体**等が作成する文書
- 民間と国等の取引→国等が保管する文書は課税（民間作成との扱い）
- 記載金額が1万円未満の契約書
- **5万円未満**の受取書（領収書）
- 営業に関しない受取書
  →例：個人が自宅売却した際の領収書

課税文書と課税標準

- 売買契約書：**売買代金**
- 交換契約書：**高い**ほうの金額
- 土地賃貸借契約書：**権利金**
  →権利金がない場合は非課税
- 贈与契約書：**記載金額のない**契約書として課税（一律200円）
- 変更契約書：増額→増額部分、減額→記載金額なしで課税（200円）

印紙税に関するその他

- 売買契約書を3通（正本・副本・媒介業者保管）作成した場合、それぞれに印紙添付（すべて課税）
- 印紙を貼らなかった場合
  →過怠税：印紙税額+2倍（**合計3倍**）
- 自ら申告→過怠税：1割増（1.1倍）
- 消印をしなかった→過怠税：印紙の額面金額分

＊過怠税が課される場合でも、契約は無効とはならない

問題

問302 印紙税に関する次の記述のうち、正しいものはどれか。

【平成28年 問23】

1　印紙税の課税文書である不動産譲渡契約書を作成したが、印紙税を納付せず、その事実が税務調査により判明した場合は、納付しなかった印紙税額と納付しなかった印紙税額の10%に相当する金額の合計額が過怠税として徴収される。

2　「Aの所有する甲土地（価額3,000万円）とBの所有する乙土地（価額3,500万円）を交換する」旨の土地交換契約書を作成した場合、印紙税の課税標準となる当該契約書の記載金額は3,500万円である。

3　「Aの所有する甲土地（価額3,000万円）をBに贈与する」旨の贈与契約書を作成した場合、印紙税の課税標準となる当該契約書の記載金額は、3,000万円である。

4　売上代金に係る金銭の受取書（領収書）は記載された受取金額が３万円未満の場合、印紙税が課されないことから、不動産売買の仲介手数料として、現金49,500円（消費税及び地方消費税を含む。）を受け取り、それを受領した旨の領収書を作成した場合、受取金額に応じた印紙税が課される。

問303 印紙税に関する次の記述のうち、正しいものはどれか。

【平成25年 問23】

1　土地譲渡契約書に課税される印紙税を納付するため当該契約書に印紙をはり付けた場合には、課税文書と印紙の彩紋とにかけて判明に消印しなければならないが、契約当事者の従業者の印章又は署名で消印しても、消印したことにはならない。

2　土地の売買契約書（記載金額2,000万円）を３通作成し、売主A、買主B及び媒介した宅地建物取引業者Cがそれぞれ１通ずつ保存する場合、Cが保存する契約書には、印紙税は課されない。

3　一の契約書に土地の譲渡契約（譲渡金額4,000万円）と建物の建築請負契約（請負金額5,000万円）をそれぞれ区分して記載した場合、印紙税の課税標準となる当該契約書の記載金額は、5,000万円である。

4　「建物の電気工事に係る請負金額は2,200万円（うち消費税額及び地方消費税額が200万円）とする」旨を記載した工事請負契約書について、印紙税の課税標準となる当該契約書の記載金額は、2,200万円である。

解説▶解答

問302 税務調査かぁー。ばれたら3倍。そして、5万円未満の受取書（領収書）は非課税だよー。

1 × 脱税がばれた（笑）。その場合は「納付しなかった印紙税額」と「その2倍に相当する金額」との合計額が過怠税として徴収される。本来の税額の3倍。ちなみに自主申告の場合だと1.1倍（印紙税額＋10％）です。

2 ○ 交換契約書に双方の価額が記載されているときは、高いほうの金額で印紙税額が決まるよー。なお、交換差金のみが記載されているときは「交換差金」にて。

3 × 贈与契約書の場合は、価額の記載があったとしても、記載金額のない不動産の譲渡に関する契約書として印紙税が課税される。「記載金額3,000万円」との扱いではありません。

4 × 記載された受取金額が5万円未満の受取書（領収書）は非課税でーす。記載金額が49,500円の領収書には、印紙税は課税されませーん。

問303 選択肢1と2の「×」がすぐにわかるといいなぁ～。

1 × 従業者の印章・署名で消印することもできまぁーす。誰でもいいでーす。

2 × えーとですね、土地の売買契約書には印紙税が課されます。で、売買契約を媒介した宅建業者Cは契約当事者でないとしても、Cが保存する契約書にも課税。印紙を貼っておいてくださいよぉ～。

3 ○ 一つの文書が土地の譲渡契約書と建物の建築請負契約書の双方に該当しているような場合、どちらか記載金額のうち大きい額のほうを基準に印紙税が課税される。ということで、5,000万円。

4 × 契約書に消費税・地方消費税の金額が区分記載されている場合、消費税額等は記載金額に含めません。ということで2,000万円。

正解	
問302 2	問303 3

問題

問304 印紙税に関する次の記述のうち、正しいものはどれか。

【平成21年 問24】

1　「平成21年10月1日付建設工事請負契約書の契約金額3,000万円を5,000万円に増額する」旨を記載した変更契約書は、記載金額2,000万円の建設工事の請負に関する契約書として印紙税が課される。

2　「時価3,000万円の土地を無償で譲渡する」旨を記載した贈与契約書は、記載金額3,000万円の不動産の譲渡に関する契約書として印紙税が課される。

3　土地の売却の代理を行ったＡ社が「Ａ社は、売主Ｂの代理人として、土地代金5,000万円を受領した」旨を記載した領収書を作成した場合、当該領収書は、売主Ｂを納税義務者として印紙税が課される。

4　印紙をはり付けることにより印紙税を納付すべき契約書について、印紙税を納付せず、その事実が税務調査により判明した場合には、納付しなかった印紙税額と同額に相当する過怠税が徴収される。

問305 印紙税に関する次の記述のうち、正しいものはどれか。なお、以下の契約書はいずれも書面により作成されたものとする。

【令和5年 問23】

1　売主Ａと買主Ｂが土地の譲渡契約書を３通作成し、Ａ、Ｂ及び仲介人Ｃがそれぞれ１通ずつ保存する場合、当該契約書３通には印紙税が課される。

2　一の契約書に土地の譲渡契約（譲渡金額5,000万円）と建物の建築請負契約（請負金額6,000万円）をそれぞれ区分して記載した場合、印紙税の課税標準となる当該契約書の記載金額は１億1,000万円である。

3　「Ｄの所有する甲土地（時価2,000万円）をＥに贈与する」旨を記載した贈与契約書を作成した場合、印紙税の課税標準となる当該契約書の記載金額は、2,000万円である。

4　当初作成の「土地を１億円で譲渡する」旨を記載した土地譲渡契約書の契約金額を変更するために作成する契約書で、「当初の契約書の契約金額を1,000万円減額し、9,000万円とする」旨を記載した変更契約書について、印紙税の課税標準となる当該変更契約書の記載金額は、1,000万円である。

解説▶解答

問304 印紙税としてはまいどおなじみの出題。変更契約書、贈与契約書、過怠税。選択肢４を読んだあなた、ちゃんと印紙を貼っときましょう。

1 ○ 建設工事請負契約書も課税文書になるよ。で、契約金額を増加させる場合の変更契約書には、「変更金額（増加分の金額）」を記載金額として、印紙税が課税される。

2 × あのですね、不動産の贈与契約書は、記載金額のない不動産の譲渡に関する契約書として200円の印紙税が課税されるのでした。

3 × えーとですね、課税文書の作成者がですね、納税義務を負います、はい。ということでＡ社が納税義務を負う。

4 × おっとヒッカケか。印紙税を納付しなかった場合には、その納付しなかった印紙税の額とその２倍の額の合計（＝３倍）を納付します。印紙税額と同額に相当する過怠税（＝２倍）では足りませ～ん。

問305 どの選択肢も過去に出題された内容での繰り返し出題。できたかな。ちなみに選択肢３と４の場合はいずれも「契約金額の記載のない契約書」となるよ。

1 ○ 「土地の譲渡契約書」は印紙税の課税文書。で、仲介業者（仲介人）が保存する契約書にも課税されるよ。なので契約書３通すべてに印紙税が課される。

2 × 記載金額は１億1,000万円じゃなくて6,000万円。１つの契約書に土地の譲渡契約と建物の建築請負契約をそれぞれ区分して記載した場合、その契約書の記載金額はどちらか高いほうとなる。なので6,000万円。

3 × 贈与契約書は「契約金額の記載のない契約書」として扱われる。印紙税額は200円だね。

4 × 契約金額を減額する変更契約書は「契約金額の記載のない契約書」として扱われる。印紙税額は200円だね。

正解	
問304 1	問305 1

贈与税

2025年版
合格しようぜ！
宅建士 基本テキスト

➡ Part4 地価公示・不動産鑑定評価・税
➡ 贈与税
➡ Section2　不動産取引の際に登場する税金
➡ P719〜P721

直系尊属からの住宅取得資金の贈与を受けた場合でも贈与税は課税されるが、「贈与税の特例」として軽減されている。「贈与税」からの出題としては、この「贈与税の特例」からの一本勝負。「贈与税の特例」を受けるための適用要件からの出題となる。複雑でやや難しい。贈与税の課税方式には「暦年課税」と「相続時精算課税」の2つがある。「相続時精算課税（2,500万円控除）」については、贈与者が60歳以上という要件があるが、住宅取得資金の贈与については、この年齢制限は撤廃されている。

だからこう解く!! 厳選要点☆ここを押さえろ

贈与税

- 国税
- 個人から個人に贈与があった場合に課税

暦年課税

- 1月1日～12月31日の贈与に課税
- 基礎控除額は110万円
- 基礎控除後の課税標準×（10%～55%）ー控除額（10万円～400万円）

配偶者からの贈与の特例

- 婚姻期間が20年以上の夫婦
- 居住用不動産の贈与・居住用不動産の取得資金の**贈与**
- 控除額：基礎控除+2,000万円

住宅資金の贈与を受けた場合の非課税

- 直系尊属（年齢制限なし）からの**住宅資金**の贈与
- 受贈者は1月1日で18歳以上
- 受贈者の合計所得金額が**2,000万円以下**
- 日本**国内**の住宅で床面積50㎡（40㎡の場合もある）以上240㎡以下
- 床面積の**2分の1以上**が**居住用**であること

相続時精算課税と併用する場合

- 贈与者が60歳未満でもOK
- 相続時精算課税（特別控除2,500万円）を選択することができる
- 受贈者は1月1日で18歳以上
- 受贈者の合計所得金額要件はない
- 日本国内の住宅で床面積が50㎡（40㎡の場合もある）以上（上限はない）
- 床面積の2分の1以上が居住用であること

問題

問306 「直系尊属から住宅取得等資金の贈与を受けた場合の贈与税の非課税」に関する次の記述のうち、正しいものはどれか。

【平成27年 問23】

1　直系尊属から住宅用の家屋の贈与を受けた場合でも、この特例の適用を受けることができる。

2　日本国外に住宅用の家屋を新築した場合でも、この特例の適用を受けることができる。

3　贈与者が住宅取得等資金の贈与をした年の１月１日において60歳未満の場合でも、この特例の適用を受けることができる。

4　受贈者について、住宅取得等資金の贈与を受けた年の所得税法に定める合計所得金額が2,000万円を超える場合でも、この特例の適用を受けることができる。

問307 住宅取得等資金の贈与を受けた場合の相続時精算課税の特例（「60歳未満の親からの贈与についても相続時精算課税の選択を可能とする措置」及び「住宅取得等資金の贈与に限り相続時精算課税の特別控除（2,500万円）が認められる措置」）に関する次の記述のうち、正しいものはどれか。（法改正により問題文を修正している）

【平成19年 問27】

1　自己の配偶者から住宅用の家屋を取得した場合には、この特例の適用を受けることはできない。

2　住宅用の家屋の新築又は取得に要した費用の額が2,500万円以上でなければ、この特例の適用を受けることはできない。

3　床面積の３分の１を店舗として使用し、残りの部分は資金の贈与を受けた者の住宅として使用する家屋を新築した場合には、この特例の適用を受けることはできない。

4　住宅取得のための資金の贈与を受けた年の12月31日までに住宅用の家屋を新築若しくは取得又は増改築等をしなければ、この特例の適用を受けることはできない。

解説▶解答

問306 住宅取得等資金の贈与税の非課税からの出題。ちょっとむずかしかったかな。選択肢２はふつうに考えて「×」を。

1 × 直系尊属から住宅取得等資金の贈与を受けた場合は特例の適用があるけど「住宅用の家屋」そのものを贈与された場合は対象外。

2 × やっぱり「日本国内の住宅用家屋」が対象でしょう。国外の住宅は対象外。

3 ○ この特例については、贈与者の年齢は特に制限なし。何歳でもオッケー。直系尊属からの贈与であればこの特例を利用することができます。

4 × この特例の適用を受けるには「合計所得金額が2,000万円以下」であること。2,000万円を超える場合は特例の適用を受けられません。

問307 『住宅取得等資金の贈与を受けた場合の相続時精算課税の特例』は「住宅資金」が適用の対象。家屋そのものの贈与については対象外。

1 ○ あくまでも特例の対象となるのは住宅取得等資金で、つまりは「新築住宅・中古住宅または増改築に充てるための金銭」であって、家屋そのものの贈与を受けた場合は対象外。

2 × えーと、新築または取得に要した費用の額については、特段の要件はありません。

3 × この特例の適用を受けることができる家屋の要件は、「その家屋の床面積が50㎡以上で、床面積の２分の１以上に相当する部分が専ら住宅の用に供されるもの」です。となると、「床面積の３分の１は店舗＝３分の２は住宅」であれば、適用可。

4 × 「贈与を受けた年の12月31日まで」ではなく、「翌年の３月15日まで」となります。

正解	
問306 ３	問307 １

所得税

2025年版
合格しようぜ！
宅建士 基本テキスト

➡ Part4 地価公示・不動産鑑定評価・税
➡ 所得税
➡ Section2　不動産取引の際に登場する税金
➡ P722〜P727

「税金は苦手・むずかしい」という面々のほとんどは、税金＝所得税と思っている節がある。「不動産に関する税」の最初に「所得税」の学習というカリキュラムも見受けられるが、どうかしていると思う。国税は1問の出題。難解な所得税の出題だったらパスでもよいのではないか。受験対策でも「所得税の難解さ」にひきずられて登録免許税や印紙税がおろそかになる愚は避けたい。ただし基本的な内容のいわゆる「サービス問題」の場合もある。

だからこう解く!! 厳選要点★ここを押さえろ

譲渡所得

- 土地や建物を譲渡して儲け（譲渡所得）が出たら課税する
- 長期譲渡所得：1月1日時点で所有期間が5年超
  →税率15%
- 短期譲渡所得：1月1日時点で所有期間が5年未満
  →税率30%

譲渡所得金額（課税標準）の計算方法

- 譲渡所得金額＝収入金額－（取得費＋譲渡費用）－特別控除
- 取得費：不動産の購入代金や登記費用など
- 譲渡費用：宅建業者への媒介報酬や印紙代など
- 特別控除：居住用財産を譲渡した場合の3,000万円特別控除など

居住用財産を譲渡した場合の3,000万円特別控除

- 居住財産の譲渡であること
- 配偶者や直系血族、同族会社への譲渡ではないこと
- 前年、前々年に3,000万円特別控除の適用を受けていないこと
- 居住用財産の買換えの特例を受けていないこと
- 所有期間の長短は問わない

居住用財産の買換えの特例

- 譲渡資産：居住期間が10年以上、所有期間は**10年超**、譲渡対価は**1億円以下**
- 買換資産の取得時期：譲渡した年の前年、譲渡した年、その翌年の年末
- 買換資産の居住時期：取得した日から譲渡した日の翌年の12月31日まで
- 買換資産の床面積：建物→**50㎡以上**、土地→500㎡以下

問題

問308 平成24年中に、個人が居住用財産を譲渡した場合における譲渡所得の課税に関する次の記述のうち、正しいものはどれか。

【平成24年 問23】

1　平成24年1月1日において所有期間が10年以下の居住用財産については、居住用財産の譲渡所得の3,000万円特別控除（租税特別措置法第35条第1項）を適用することができない。

2　平成24年1月1日において所有期間が10年を超える居住用財産について、収用交換等の場合の譲渡所得等の5,000万円特別控除（租税特別措置法第33条の４第１項）の適用を受ける場合であっても、特別控除後の譲渡益について、居住用財産を譲渡した場合の軽減税率の特例（同法第31条の３第１項）を適用することができる。

3　平成24年1月1日において所有期間が10年を超える居住用財産について、その譲渡した時にその居住用財産を自己の居住の用に供していなければ、居住用財産を譲渡した場合の軽減税率の特例を適用することができない。

4　平成24年1月1日において所有期間が10年を超える居住用財産について、その者と生計を一にしていない孫に譲渡した場合には、居住用財産の譲渡所得の3,000万円特別控除を適用することができる。

問309 租税特別措置法第36条の２の特定の居住用財産の買換えの場合の長期譲渡所得の課税の特例に関する次の記述のうち、正しいものはどれか。

【平成19年 問26】

1　譲渡資産とされる家屋については、その譲渡に係る対価の額が5,000万円以下であることが、適用要件とされている。

2　買換資産とされる家屋については、譲渡資産の譲渡をした日からその譲渡をした日の属する年の12月31日までに取得をしたものであることが、適用要件とされている。

3　譲渡資産とされる家屋については、その譲渡をした日の属する年の１月１日における所有期間が５年を超えるものであることが、適用要件とされている。

4　買換資産とされる家屋については、その床面積のうち自己の居住の用に供する部分の床面積が50㎡以上のものであることが、適用要件とされている。

解説▶解答

問308 居住用財産を譲渡した場合のエトセトラ。まぁちょっとややこしいんだけど。

1 × えーとですね、居住用財産の譲渡所得の3,000万円特別控除の適用については、所有期間の要件はありません。

2 ○ 収用交換等の場合の譲渡所得等の5,000万円特別控除の適用を受ける場合であっても、特別控除後の譲渡益について、居住用財産を譲渡した場合の軽減税率の特例(10%・15%)を受けることができます。

3 × 「居住用財産の譲渡」には「居住の用に供しなくなった日から３年を経過する年の12月31日までに譲渡されるもの」も含まれるのだ。なので、譲渡した時に居住していなくても、居住用財産を譲渡した場合の軽減税率の特例を受けられる。

4 × 「孫」は直系血族なので、生計を一にするかどうかにかかわらず、居住用財産の譲渡所得の3,000万円特別控除を受けることはできない。直系血族以外の親族への譲渡した場合だったら、「生計を一にしているかどうか」という判断基準があります。

問309 「特定の居住用財産の買換え」からの出題。適用要件にマトを絞っての出題。

1 × 譲渡資産について、「譲渡対価が5,000万円以下」じゃなくて「1億円以下」が適用要件となっているよ。

2 × もうちょっと期間的に余裕あり。買換資産とされる家屋については、「譲渡した日から譲渡した日の属する年の12月31日までに取得」ではなくて、「譲渡した日の“前年”１月１日から譲渡した翌年の12月31日までに取得」が適用要件。

3 × 「５年を超える」ではなくて「10年を超える」が正解。

4 ○ そのとおり。

正解	
問308 2	問309 4

景品表示法

2025年版
合格しようぜ！
宿建士 基本テキスト

➡ Part5 免除科目
➡ 景品表示法
➡ Section1　景品表示法
➡ P730～P739

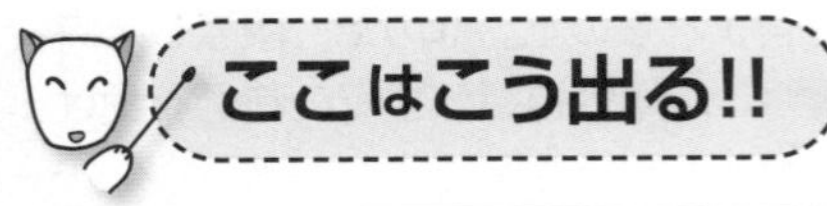

いわゆる「免除科目」は問46～問50の5問。50問での受験生は、この免除科目を3勝2敗（3得点）で走り抜けてもらいたい。免除科目である「景品表示法」毎年1問【問47】での出題が定番。宅建試験での出題項目のうち、唯一の「勉強していて楽しい内容」であり、また、例年の出題も「そんなバカな。これって不当表示に決まってんじゃん、あはは」の爆笑系の選択肢が入っている。たぶん出題者も楽しんでいるのであろう。息抜き問題としてとても貴重である。得点源とすべきことはいうまでもない。

だからこう解く!! 厳選要点★ここを押さえろ

特定事項の表示義務(デメリット表示)の例

- 市街化調整区域→「宅地の造成及び建物の建築は**できません**」と明示
- 接道義務を満たしていない→「**再建築不可**」「**建築不可**」と明示
- セットバック→セットバック部分の面積明示 (10%以上の場合)
- 古家、廃屋がある→その旨を明示
- 高圧電線路下→その旨及びおおむねの面積
- 傾斜地→その旨及びおおむねの面積(マンション・別荘地を**除く**)
- 著しい不整形地→その旨を明示
- 都市計画法の道路(都市計画道路)→その旨を明示
- 工事中断していた新築住宅・マンション→中断した**時期**及び**中断期間**

広告の表示基準の例

- 取引態様→「**売主**」「貸主」「**代理**」「**媒介**(仲介)」の用語を用いる
- 電車等の所要期間→**乗換えあり**、通勤時は長時間、急行利用などは明示
- 徒歩→道路距離80mにつき**1分**。1分未満は1分とする
- 窓の面積が基準以下で居室にならない→**納戸**と表示
- 未完成物件の外観写真→外観などが同一物件の写真(その旨を表示)
- 完成予想図→その旨を明示。現況に反する表示をしない
- スーパーマーケットなど→**現に利用**できるもの。**道路距離又は徒歩所要時間**を明示して表示
- 工事中のスーパーなど→利用が**確実**であれば、整備予定時期を明示して表示
- 価格や賃料→すべて表示が困難であれば、**最低額**・**最高額**などでOK
- 管理費や修繕積立金→すべて表示が困難であれば、**最低額**・**最高額**でOK
- 住宅ローン→金融機関名、融資限度額、利率(固定・変動)など

特定用語の使用基準の例

- 新築→建築後**1年未満**で、かつ、**未使用**
- 新発売→新築物件で初めての購入の申込みの勧誘を行う場合

問題

問310 **宅地建物取引業者が行う広告に関する次の記述のうち、不当景品類及び不当表示防止法（不動産の表示に関する公正競争規約を含む。）の規定によれば、正しいものはどれか。** 【平成28年 問47】

☑☑☑☑☑

1　インターネット上に掲載した賃貸物件の広告について、掲載直前に契約済みとなったとしても、消費者からの問合せに対し既に契約済みであり取引できない旨を説明すれば、その時点で消費者の誤認は払拭されるため、不当表示に問われることはない。

2　宅地の造成及び建物の建築が禁止されており、宅地の造成及び建物の建築が可能となる予定がない市街化調整区域内の土地を販売する際の新聞折込広告においては、当該土地が市街化調整区域内に所在する旨を16ポイント以上の大きさの文字で表示すれば、宅地の造成や建物の建築ができない旨まで表示する必要はない。

3　半径300m以内に小学校及び市役所が所在している中古住宅の販売広告においては、当該住宅からの道路距離の表示を省略して、「小学校、市役所近し」と表示すればよい。

4　近くに新駅の設置が予定されている分譲住宅の販売広告を行うに当たり、当該鉄道事業者が新駅設置及びその予定時期を公表している場合、広告の中に新駅設置の予定時期を明示して表示してもよい。

解説▶解答

問310

選択肢１の「消費者からの問合せに対し既に契約済みであり取引できない旨を説明すれば、その時点で消費者の誤認は払拭されるため」という苦し紛れの展開がおもしろい。

1 × 不当表示でしょ。インターネットでの広告でも、広告は広告。契約済みとなった(変更があった)ときは速やかに修正するか、取りやめなければならない。

2 × 市街化調整区域内の土地については、「市街化調整区域。宅地の造成及び建物の建築はできません。」と16ポイント以上の文字で明示しなければなりませーん。「市街化調整区域内に所在する土地」だけの表示では足りない。

3 × 「近し」だけじゃダメでしょ。おもしろいけど。物件までの道路距離又は徒歩所要時間を明示しなければならない。

4 ◯ 「鉄道事業者が新駅設置及びその予定時期を公表している」っていうことだから、広告の中に新駅設置の予定時期を明示して表示してもよいです。

正解	
問310	4

問題

問311 宅地建物取引業者が行う広告に関する次の記述のうち、不当景品類及び不当表示防止法（不動産の表示に関する公正競争規約を含む。）の規定によれば、正しいものはどれか。（法改正により選択肢3を修正している）【平成27年 問47】

☑☑☑☑☑

1　新築分譲マンションを数期に分けて販売する場合に、第1期の販売分に売れ残りがあるにもかかわらず、第2期販売の広告に「第1期完売御礼！いよいよ第2期販売開始！」と表示しても、結果として第2期販売期間中に第1期の売れ残り分を売り切っていれば、不当表示にはならない。

2　新築分譲マンションの広告に住宅ローンについても記載する場合、返済例を表示すれば、当該ローンを扱っている金融機関や融資限度額等について表示する必要はない。

3　販売しようとしている土地が、都市計画法に基づく告示が行われた都市計画施設の区域に含まれている場合は、都市計画道路の工事が未着手であっても、広告においてその旨を明示しなければならない。

4　築15年の企業の社宅を買い取って大規模にリフォームし、分譲マンションとして販売する場合、一般消費者に販売することは初めてであるため、「新発売」と表示して広告を出すことができる。

問312 宅地建物取引業者が行う広告に関する次の記述のうち、不当景品類及び不当表示防止法（不動産の表示に関する公正競争規約を含む。）の規定によれば、正しいものはどれか。【平成26年 問47】

☑☑☑☑☑

1　建築基準法第28条（居室の採光及び換気）の規定に適合した採光及び換気のための窓等がなくても、居室として利用できる程度の広さがあれば、広告において居室として表示できる。

2　新築分譲マンションの販売広告において、住戸により修繕積立金の額が異なる場合であって、全ての住戸の修繕積立金を示すことが困難であるときは、全住戸の平均額のみ表示すればよい。

3　私道負担部分が含まれている新築住宅を販売する際、私道負担の面積が全体の5％以下であれば、私道負担部分がある旨を表示すれば足り、その面積までは表示する必要はない。

4　建築工事に着手した後に、その工事を相当の期間にわたり中断していた新築分譲マンションについては、建築工事に着手した時期及び中断していた期間を明瞭に表示しなければならない。

解説▶解答

問311 毎年毎年、笑える景品表示法。この年は選択肢１がいちばんおもしろいかな。みなさんはどの選択肢がいちばん笑えましたか？

1 × 第１期の販売分に売れ残りがあるんだから、「第１期完売御礼！」は不当表示でしょ（笑）。結果的に売り切ったとしてもね、ダメです。

2 × なぞの金融機関が融資ですか（笑）。「当該ローンを扱っている金融機関や融資限度額等について」も表示せねばならぬ。

3 ○ 「都市計画法に基づく告示が行われた都市計画施設の区域に含まれている」というデメリット。だから激安。ちゃんと表示をしたアンタはえらい。

4 × 「新発売」という表示は、マンションだったら新築の場合のみオッケー。「築15年のリフォームマンション」で「新発売」はダメです。

問312 選択肢１は、やっぱり納戸は納戸でしょ。選択肢４まで読めば、「建築工事に着手した時期及び中断していた期間を明瞭に表示」で「○」。

1 × ダメでしょ。採光及び換気のための窓等がないと「居室」にはならないでしょ。納戸です。たとえ居室として利用できる程度の広さがあったとしても居室とは表示できない。

2 × 住戸により修繕積立金の額が異なる場合であって、全ての住戸の修繕積立金を示すことが困難であるときは、「平均額のみ表示」じゃなくて「最低額及び最高額のみ」で表示することができる。

3 × 私道負担部分については、その旨のほか私道負担部分の面積も表示しなければならない。

4 ○ そのとおり。建築工事に着手した後に、その工事を相当の期間にわたり中断していた新築分譲マンションについては、建築工事に着手した時期及び中断していた期間を明瞭に表示しなければならない。

正解	
問311 3	問312 4

問題

問313　宅地建物取引業者が行う広告に関する次の記述のうち、不当景品類及び不当表示防止法（不動産の表示に関する公正競争規約を含む。）の規定によれば、正しいものはどれか。　【平成25年 問47】

1　新築分譲マンションの販売広告で完成予想図により周囲の状況を表示する場合、完成予想図である旨及び周囲の状況はイメージであり実際とは異なる旨を表示すれば、実際に所在しない箇所に商業施設を表示するなど現況と異なる表示をしてもよい。

2　宅地の販売広告における地目の表示は、登記簿に記載されている地目と現況の地目が異なる場合には、登記簿上の地目のみを表示すればよい。

3　住戸により管理費が異なる分譲マンションの販売広告を行う場合、全ての住戸の管理費を示すことが広告スペースの関係で困難なときには、1住戸当たりの月額の最低額及び最高額を表示すればよい。

4　完成後8か月しか経過していない分譲住宅については、入居の有無にかかわらず新築分譲住宅と表示してもよい。

問314　宅地建物取引業者が行う広告に関する次の記述のうち、不当景品類及び不当表示防止法（不動産の表示に関する公正競争規約を含む。）の規定によれば、正しいものはどれか。（法改正により選択肢2を修正している）　【平成24年 問47】

1　宅地建物取引業者が自ら所有する不動産を販売する場合の広告には、取引態様の別として「直販」と表示すればよい。

2　リフォーム済みの中古住宅について、リフォーム済みである旨を表示して販売する場合、広告中にはリフォームした時期及びリフォームの内容を明示しなければならない。

3　取引しようとする物件の周辺に存在するデパート、スーパーマーケット等の商業施設については、現に利用できるものでなければ広告に表示することはできない。

4　販売する土地が有効な利用が阻害される著しい不整形画地であっても、実際の土地を見れば不整形画地であることは認識できるため、当該土地の広告にはその旨を表示する必要はない。

解説▶解答

問313 この年の問題もおもしろかったですね。

1 × あっはっは。いくらなんでも「実際に所在しない箇所に商業施設を表示するなど現況と異なる表示」なんて、そりゃやっぱりダメでしょ。

2 × 「登記簿上の地目のみを表示すればよい」だと「×」でしょ。現況の地目も併記すること。

3 ○ すべての住戸の管理費を示すことが困難であるときは、最低額及び最高額のみの表示でもオッケーです。

4 × 出たぁ〜「新築」。「新築」と表示できるのは、建築後1年未満であって、居住の用に供されたことがないものに限られまーす。なので、「入居の有無にかかわらず」は「×」。

問314 選択肢４の「×」はすぐにわかるかな。選択肢３で意外に迷ったりして。

1 × あのですね、「直販」ではなく「売主」と表示しなければならない。

2 ○ そうそう。建物をリフォームしたことを表示する場合は、そのリフォームの内容及び時期を明示しなければならない。

3 × えーとですね、将来確実に利用できると認められる場合には、その整備予定時期を明示して表示することができます。

4 × そりゃやっぱりあなた、広告に「不整形画地である」旨を表示しなければならないでしょ。

正解	
問313 3	問314 2

問題

問315 宅地建物取引業者が行う広告等に関する次の記述のうち、不当景品類及び不当表示防止法（不動産の表示に関する公正競争規約を含む。）の規定によれば、正しいものはどれか。 【平成23年 問47】

1　分譲宅地（50区画）の販売広告を新聞折込チラシに掲載する場合、広告スペースの関係ですべての区画の価格を表示することが困難なときは、1区画当たりの最低価格、最高価格及び最多価格帯並びにその価格帯に属する販売区画数を表示すれば足りる。

2　新築分譲マンションの販売において、モデル・ルームは、不当景品類及び不当表示防止法の規制対象となる「表示」には当たらないため、実際の居室には付属しない豪華な設備や家具等を設置した場合であっても、当該家具等は実際の居室には付属しない旨を明示する必要はない。

3　建売住宅の販売広告において、実際に当該物件から最寄駅まで歩いたときの所要時間が15分であれば、物件から最寄駅までの道路距離にかかわらず、広告中に「最寄駅まで徒歩15分」と表示することができる。

4　分譲住宅の販売広告において、当該物件周辺の地元住民が鉄道会社に駅の新設を要請している事実が報道されていれば、広告中に地元住民が要請している新設予定時期を明示して、新駅として表示することができる。

解説▶解答

問315 **まいどおなじみの景品表示法。選択肢１、３、４はすぐにわかったかな。選択肢２のモデル・ルーム。こんど見に行ったとき、まわりをよく観察してみましょう。**

1 ○ 広告スペースの関係ですべての区画の価格を表示することが困難なときは、1区画当たりの最低価格、最高価格及び最多価格帯、その価格帯に属する販売区画数を表示すれば足りる。

2 × 実際の居室には付属しない豪華な設備や家具等をモデル・ルームに設置した場合には、「実際にはついていませんよ、これはオプションです」という旨を明示しなければならない。

3 × 「物件から最寄駅までの道路距離にかかわらず」っていうのがダメでしょ。徒歩による所要時間は、道路距離80mにつき１分間で算出した数値を表示しなければならない。

4 × あ、これもダメでしょ。新設予定の駅は、その路線の運行主体が公表したものに限り、新設予定時期を明示して、新駅として表示することができる。まだ地域住民の要請中っていう段階だと早過ぎです。

正　解	
問315	1

住宅金融支援機構

2025年版
合格しようぜ！
宅建士 基本テキスト

➡ Part5 免除科目
➡ 住宅金融支援機構
➡ Section2　住宅金融支援機構
➡ P740〜P744

免除科目である「住宅金融支援機構」は毎年1問【問46】での出題が定番。いまのところ「誤っているものはどれか」での出題しかない。当然のことながら、機構の「証券化支援業務」からの出題が多い。過去問の「証券化支援業務（買取型）」に触れている選択肢をまとめて解き直しておけばいい。機構が例外的に行っている「直接融資業務」からも出題してくるが、これも選択肢を拾いながら解き直しておけばよい。時間がなければ解説を読んでから問題を解くでもOK。

だからこう解く!! 厳選要点 ★ ここを押さえろ

証券化支援業務(買取型)

- 一般の**金融機関**が融資した住宅ローン債権を買い取る
- 証券化して**一般投資家**に売る(MBSを発行)
- 買取の対象は**長期固定金利型**の住宅ローン
- 住宅ローンであればOK。新築、**既存**の別を問わない
- 変動金利や短期の住宅ローンは買い取らない
- 単なる住宅の改良資金の貸付債権は買い取らない
- 「**住宅購入**に**付随**する改良資金」だったら買取の対象
- 融資金利や融資手数料は、**金融機関**により**異なる**

直接融資業務の例

- **災害復興**建築物の建設などの資金の貸付け
- **災害予防**(耐震性の向上)などの住宅の改良資金の貸付け
- **マンションの修繕**(共用部分の改良)資金の貸付け
- **子育て世帯**・**高齢者向け**の賃貸住宅の建設・改良資金の貸付け
- **高齢者世帯**の住宅改良資金の貸付け
- 住宅確保配慮者向け賃貸住宅の改良資金の貸付け

*元利金の支払いが困難→貸付条件や支払い方法を変更できる

団体信用生命保険業務

- 融資を受けた者と**あらかじめ**契約
- その者が**死亡**したときに生命保険を債務の弁済に充てる
- **重度障害**となったときもおなじ

問題

問316 独立行政法人住宅金融支援機構（以下この問において「機構」という。）に関する次の記述のうち、誤っているものはどれか。

【平成27年 問46】

1　機構は、高齢者が自ら居住する住宅に対して行うバリアフリー工事又は耐震改修工事に係る貸付けについて、貸付金の償還を高齢者の死亡時に一括して行うという制度を設けている。

2　証券化支援事業（買取型）において、機構による譲受けの対象となる貸付債権は、償還方法が毎月払いの元利均等の方法であるものに加え、毎月払いの元金均等の方法であるものもある。

3　証券化支援事業（買取型）において、機構は、いずれの金融機関に対しても、譲り受けた貸付債権に係る元金及び利息の回収その他回収に関する業務を委託することができない。

4　機構は、災害により住宅が滅失した場合におけるその住宅に代わるべき住宅の建設又は購入に係る貸付金について、一定の元金返済の据置期間を設けることができる。

問317 独立行政法人住宅金融支援機構（以下この問において「機構」という。）に関する次の記述のうち、誤っているものはどれか。（法改正により選択肢2を修正している）

【平成26年 問46】

1　機構は、地震に対する安全性の向上を主たる目的とする住宅の改良に必要な資金の貸付けを業務として行っている。

2　機構は、証券化支援事業（買取型）において、住宅の購入に付随するものであるか否かを問わず、住宅の改良に必要な資金の貸付けに係る貸付債権についても譲受けの対象としている。

3　機構は、高齢者の家庭に適した良好な居住性能及び居住環境を有する住宅とすることを主たる目的とする住宅の改良（高齢者が自ら居住する住宅について行うものに限る。）に必要な資金の貸付けを業務として行っている。

4　機構は、市街地の土地の合理的な利用に寄与する一定の建築物の建設に必要な資金の貸付けを業務として行っている。

解説▶解答

問316 高齢者向け融資（自宅のバリアフリー工事・耐震改修工事）では、死亡時一括返済という制度あり。

1 ○ 高齢者の自宅に対して行うバリアフリー工事又は耐震改修工事に係る貸付け。お亡くなりになったときに機構に一括返済という制度（死亡時一括償還制度）あり。

2 ○ 機構が買い取る住宅ローン（譲受けの対象となる貸付債権）は、「元利均等の方法」「元金均等の方法」のどっちでもよい。「元利均等の方法」は月々の返済額がずっと同じだけど最初のうちは元金がなかなか減らないから「元金均等の方法」より総返済額が多くなる。「元金均等の方法」は返済当初が最も返済額が多く、返済していくうちに返済額も少なくなっていく。

3 × いずれの金融機関にも、元金及び利息の回収を委託できる。

4 ○ 災害により住宅が滅失し、その住宅に代わるべき住宅の建設又は購入に係る貸付金。機構は一定の元金返済の据置期間を設けることができます。

問317 証券化支援事業の対象となるのは、あくまでも住宅ローンだよね。

1 ○ そのとおり。「地震に対する安全性の向上を主たる目的とする住宅の改良に必要な資金」は、機構の直接融資の対象です。

2 × 単なる「住宅の改良に必要な資金の貸付けに係る貸付債権」は、証券化支援事業（買取型）の対象とはならない。住宅の購入に付随する改良資金だったら証券化支援事業の対象となるけどね。

3 ○ そのとおり。「高齢者の家庭に適した良好な居住性能及び居住環境を有する住宅とすることを主たる目的とする住宅の改良資金」も、機構の直接融資の対象です。

4 ○ そのとおり。合理的土地利用建築物の建設（例：密集地解消のための建替え）に必要な資金も、機構の直接融資の対象です。

正解	
問316 3	問317 2

問題

問318 独立行政法人住宅金融支援機構（以下この問において「機構」という。）に関する次の記述のうち、誤っているものはどれか。

【平成25年 問46】

1　機構は、住宅の建設又は購入に必要な資金の貸付けに係る金融機関の貸付債権の譲受けを業務として行っているが、当該住宅の建設又は購入に付随する土地又は借地権の取得に必要な資金の貸付けに係る貸付債権については、譲受けの対象としていない。

2　機構は、災害により、住宅が滅失した場合において、それに代わるべき建築物の建設又は購入に必要な資金の貸付けを業務として行っている。

3　機構は、貸付けを受けた者とあらかじめ契約を締結して、その者が死亡した場合に支払われる生命保険の保険金を当該貸付けに係る債務の弁済に充当する団体信用生命保険に関する業務を行っている。

4　機構が証券化支援事業（買取型）により譲り受ける貸付債権は、自ら居住する住宅又は自ら居住する住宅以外の親族の居住の用に供する住宅を建設し、又は購入する者に対する貸付けに係るものでなければならない。

問319 独立行政法人住宅金融支援機構（以下この問において「機構」という。）に関する次の記述のうち、誤っているものはどれか。

【令和4年 問46】

1　機構は、住宅の建設又は購入に必要な資金の貸付けに係る金融機関の貸付債権の譲受けを業務として行っているが、当該住宅の建設又は購入に付随する土地又は借地権の取得に必要な資金については、譲受けの対象としていない。

2　機構は、団体信用生命保険業務において、貸付けを受けた者が死亡した場合のみならず、重度障害となった場合においても、支払われる生命保険の保険金を当該貸付けに係る債務の弁済に充当することができる。

3　証券化支援事業（買取型）において、機構による譲受けの対象となる貸付債権の償還方法には、元利均等の方法であるものに加え、元金均等の方法であるものもある。

4　機構は、証券化支援事業（買取型）において、ＭＢＳ（資産担保証券）を発行することにより、債券市場（投資家）から資金を調達している。

解説▶解答

問318 住宅金融支援機構の業務のあれこれ。例年おんなじようなところが出題されております。

1 × 住宅についての債権のみならず、土地又は借地権の取得に必要な資金の貸付けに係る貸付債権も譲受けの対象。

2 ○ そのとおり。機構は、選択肢にある災害復興融資のほか、財形住宅融資、子育て世帯向け・高齢者世帯向け賃貸住宅融資などの融資を引き受けている。

3 ○ そのとおり。いわゆる団信（団体信用生命保険）を業務として行っている。

4 ○ そのとおり。そりゃそうでしょ。

問319 「住宅金融支援機構」は定番の【問46】で出題。「誤っているものはどれか」での出題も定番。

1 × 「住宅の建設又は購入に付随する土地又は借地権の取得に必要な資金」の貸付債権も、譲受けの対象だ。

2 ○ 重度障害となった場合においても、支払われる生命保険の保険金を当該貸付けに係る債務の弁済に充当することができる。

3 ○ 元利均等の方法・元金均等の方法のいずれの貸付債権であっても、機構による譲受けの対象となる。

4 ○ 機構は、証券化支援事業（買取型）において、金融機関から買い取った住宅ローン債権を担保としてMBS（資産担保証券）を発行して、債券市場（投資家）から資金を調達している。

正解	
問318 1	問319 1

問題

問320

独立行政法人住宅金融支援機構（以下この問において「機構」という。）に関する次の記述のうち、誤っているものはどれか。

【令和3年12月 問46】

1　機構は、子どもを育成する家庭又は高齢者の家庭に適した良好な居住性能及び居住環境を有する賃貸住宅の建設に必要な資金の貸付けを業務として行っていない。

2　機構は、災害により住宅が滅失した場合において、それに代わるべき建築物の建設又は購入に必要な資金の貸付けを業務として行っている。

3　機構が証券化支援事業（買取型）により譲り受ける貸付債権は、自ら居住する住宅又は自ら居住する住宅以外の親族の居住の用に供する住宅を建設し、又は購入する者に対する貸付けに係るものでなければならない。

4　機構は、マンション管理組合や区分所有者に対するマンション共用部分の改良に必要な資金の貸付けを業務として行っている。

問321

独立行政法人住宅金融支援機構（以下この問において「機構」という。）に関する次の記述のうち、誤っているものはどれか。

【令和２年10月 問46】

1　機構は、証券化支援事業（買取型）において、金融機関から買い取った住宅ローン債権を担保としてMBS（資産担保証券）を発行している。

2　機構は、災害により住宅が滅失した場合におけるその住宅に代わるべき住宅の建設又は購入に係る貸付金については、元金据置期間を設けることができない。

3　機構は、証券化支援事業（買取型）において、賃貸住宅の建設又は購入に必要な資金の貸付けに係る金融機関の貸付債権については譲受けの対象としていない。

4　機構は、貸付けを受けた者とあらかじめ契約を締結して、その者が死亡した場合に支払われる生命保険の保険金を当該貸付けに係る債務の弁済に充当する団体信用生命保険を業務として行っている。

解説▶解答

問320

「住宅金融支援機構」は定番の【問46】で出題。「誤っているものはどれか」での出題も定番。そして出題内容も、いつもの定番。復習するのにちょうどいい。

1 × え、行っているでしょ（笑）。機構は、子どもを育成する家庭又は高齢者の家庭に適した良好な居住性能及び居住環境を有する賃貸住宅の建設に必要な資金の貸付けを業務として行っている。

2 ○ 「災害により住宅が滅失した場合」なんだからこそ、住宅金融支援機構の出番だ。災害により住宅が滅失した場合において、それに代わるべき建築物の建設又は購入に必要な資金の貸付けを業務として行っている。

3 ○ そりゃそうだよね。譲り受ける貸付債権は、自ら居住する住宅又は自ら居住する住宅以外の親族の居住の用に供する住宅を建設し、又は購入する者に対する貸付けに係るものでなければならない。

4 ○ この資金の貸付もね。マンション管理組合や区分所有者に対するマンション共用部分の改良に必要な資金の貸付けを業務として行っている。

問321

「住宅金融支援機構」は定番の【問46】で出題。「誤っているものはどれか」での出題も定番。

1 ○ 機構は、証券化支援事業（買取型）において、金融機関から買い取った住宅ローン債権を担保としてMBS（資産担保証券）を発行している。

2 × 災害により住宅が滅失したなどの一定の場合、機構は「据置期間」を設けることができる。

3 ○ 「賃貸住宅の建設又は購入に必要な資金の貸付けに係る金融機関の貸付債権」は、証券化支援事業（買取型）での買取りの対象とはなりません。

4 ○ 機構は、貸付けを受けた者とあらかじめ契約を締結して、その者が死亡した場合に支払われる生命保険の保険金を当該貸付けに係る債務の弁済に充当する団体信用生命保険を業務として行っている。

正解			
問320	1	問321	2

土地の形質等

2025年版
合格しようぜ！
宅建士 基本テキスト

➡ Part5 免除科目
➡ 土地の形質等
➡ Section3　宅地建物の統計等　土地・建物の形質等
➡ P745～P746

免除科目の【問48】は宅地建物の統計等の問題。最新情報を入手のうえ対策を講じられたし。【問49】は「土地の形質等」。【問50】の「建物の構造等」と比べれば得点しやすい。この「土地の形質等」の対策としてはネット検索を大いに活用したい。「扇状地」「三角州」などは画像でみれば一発でわかる。出題パターンは「最も不適当なものはどれか」でしか聞いてこない。不適当=誤っているものを探すということだが、「低地は安全である」など、いわゆる「笑える選択肢」となっていることが多い。

だからこう解く!! 厳選要点★ここを押さえろ

「最も不適当」な選択肢の出題例

- 令和2年度（12月）【問49】選択肢3
  埋立地は干拓地より災害に対して危険
  →干拓地のほうが埋立地より災害に対して危険
- 令和元年度【問49】選択肢3
  台地や丘陵地は安全度が低い
  →安全度は高い
- 平成28年度【問49】選択肢3
  土石流や土砂崩壊の堆積でできた地形は危険性が低い
  →安全なワケがない。危険性が高い
- 平成27年度【問49】選択肢3
  池沼を埋め立てた地盤は液状化に対して安全
  →安全なワケがない。液状化するに決まっている
- 平成26年度【問49】選択肢3
  台地や丘陵地の縁辺部は、崖崩れに対して安全
  →縁辺部なんだから崖崩れの危険性が高い
- 平成25年度【問49】選択肢3
  低地は洪水や地震による液状化などの危険性は低い
  →低いワケがない。高いに決まっている
- 平成24年度【問49】選択肢3
  地下水位の深い地盤では液状化の可能性が高い
  →浅いところだったら液状化の可能性が高い

問49「土地の形質等」の傾向と対策

- 「最も不適当なものはどれか」での出題
- イメージがつきにくかったらネット検索

問題

土地に関する次の記述のうち、最も不適当なものはどれか。

【平成29年 問49】

1　扇状地は、山地から河川により運ばれてきた砂礫等が堆積して形成された地盤である。

2　三角州は、河川の河口付近に見られる軟弱な地盤である。

3　台地は、一般に地盤が安定しており、低地に比べ、自然災害に対して安全度は高い。

4　埋立地は、一般に海面に対して比高を持ち、干拓地に比べ、水害に対して危険である。

土地に関する次の記述のうち、最も不適当なものはどれか。

【平成28年 問49】

1　豪雨による深層崩壊は、山体岩盤の深い所に亀裂が生じ、巨大な岩塊が滑落し、山間の集落などに甚大な被害を及ぼす。

2　花崗岩が風化してできた、まさ土地帯においては、近年発生した土石流災害によりその危険性が再認識された。

3　山麓や火山麓の地形の中で、土石流や土砂崩壊による堆積でできた地形は危険性が低く、住宅地として好適である。

4　丘陵地や台地の縁辺部の崖崩れについては、山腹で傾斜角が25度を超えると急激に崩壊地が増加する。

解説▶解答

問322 **扇状地は、狭い山間を抜けた川が広い平地に出たところに土砂が堆積してできた土地。 三角州は、川が海や湖に抜けて出るところに土砂が堆積してできた土地。あとで画像検索してみてね。**

1 適当　扇状地は、山地から平野や盆地に移る所などに見られ、川の出口付近で扇状に広がっている。地盤は、山地から河川により運ばれてきた砂礫等が堆積して形成されている。

2 適当　三角州は河川によって運ばれた土砂が河口付近に堆積することにより形成されている。そりゃ軟弱ですよ。

3 適当　台地は、一般に地盤が安定しており、低地に比べ、自然災害に対して安全度は高い。そのとおりなので、解説のしようがない。

4 不適当　埋立地は、一般に海面に対して比高を持っているんだから、水害に対しては、干拓地と比べれば安全。安全っていっても、あくまでも干拓地と比べればね。

問323 **「土石流や土砂崩壊による堆積でできた地形」は、また崩壊するでしょ。**

1 適当　そりゃそうでしょ。豪雨による深層崩壊(字を見るだけでも恐ろしい)なんだから、巨大な岩塊が滑落し、山間の集落などに甚大な被害を及ぼすでしょ。

2 適当　まさ土(真砂土)とは、花崗岩が風化してできた砂。まさ土地帯では大規模な土石流災害がしばしば発生する。

3 不適当　土石流や土砂崩壊による堆積でできた地形は、再度崩壊する危険性が高く、住宅地としては不適です。

4 適当　斜面の傾斜角が25度を超えると急激に崩壊地が増加します。

正解			
問322	4	問323	3

第1章 宅建業法
第2章 法令上の制限
第3章 権利関係
第4章 その他

問題

問324 土地に関する次の記述のうち、最も不適当なものはどれか。

【平成27年 問49】

1　我が国の低地は、ここ数千年の間に形成され、湿地や旧河道であった若い軟弱な地盤の地域がほとんどである。

2　臨海部の低地は、洪水、高潮、地震による津波などの災害が多く、住宅地として利用するには、十分な防災対策と注意が必要である。

3　台地上の池沼を埋め立てた地盤は、液状化に対して安全である。

4　都市周辺の丘陵や山麓に広がった住宅地は、土砂災害が起こる場合があり、注意する必要がある。

問325 土地に関する次の記述のうち、最も不適当なものはどれか。

【平成26年 問49】

1　旧河道は、地震や洪水などによる災害を受ける危険度が高い所である。

2　地盤の液状化は、地盤の条件と地震の揺れ方により、発生することがある。

3　沿岸地域は、津波や高潮などの被害を受けやすく、宅地の標高や避難経路を把握しておくことが必要である。

4　台地や丘陵の縁辺部は、豪雨などによる崖崩れに対しては、安全である。

解説▶解答

問324 台地上だとはいえ、「池沼を埋め立てた地盤」が安全であるワケがない。

1 適当　そうでしょ。地球規模・歴史で考えれば「数千年」は若い。軟弱な地盤で危ない。

2 適当　そりゃ臨海部の低地なんだから、洪水、高潮、地震による津波などの災害が多いでしょう。住宅地として利用するには、十分な防災対策と注意が必要でしょう。

3 不適当　台地上は安全とはいえ「池沼を埋め立てた地盤」は話が別。安全であるワケがない(笑)。液状化して砂が吹き上がるでしょう。

4 適当　そりゃ都市周辺の丘陵や山麓に広がった住宅地なんだから、土砂災害が起こる場合があるでしょう。注意する必要があるでしょう。

問325 台地の「縁辺部」は、災害の危険性が高いので注意が必要である。

1 適当　旧河道とは、そのむかし河川流路だったところ。跡地です。低地のなかでも、さらに周囲の土地よりも低くなった帯状のくぼ地。非常に浸水しやすく、排水も悪い。地震や洪水などによる災害を受ける危険度が高い。

2 適当　地盤の液状化は、地盤の条件と地震の揺れ方により、つまり、大きな地震で揺れる時間が長いと発生しやすい。

3 適当　なんてったって沿岸地域なんだから、そりゃやっぱり津波や高潮などの被害を受けやすい。

4 不適当　台地や丘陵自体は、地盤も安定しており自然災害にも比較的強いが、その縁辺部は、豪雨などによる崖崩れの危険性が高い。

正解	
問324 3	問325 4

問題

問326 日本の土地に関する次の記述のうち、最も不適当なものはどれか。

【平成25年 問49】

1　国土を山地と平地に大別すると、山地の占める比率は、国土面積の約75％である。

2　火山地は、国土面積の約７％を占め、山林や原野のままの所も多く、水利に乏しい。

3　台地・段丘は、国土面積の約12％で、地盤も安定し、土地利用に適した土地である。

4　低地は、国土面積の約25％であり、洪水や地震による液状化などの災害危険度は低い。

問327 土地に関する次の記述のうち、最も不適当なものはどれか。

【令和4年 問49】

1　台地の上の浅い谷は、豪雨時には一時的に浸水することがあり、注意を要する。

2　低地は、一般に洪水や地震などに対して強く、防災的見地から住宅地として好ましい。

3　埋立地は、平均海面に対し４～５ｍの比高があり護岸が強固であれば、住宅地としても利用が可能である。

4　国土交通省が運営するハザードマップポータルサイトでは、洪水、土砂災害、高潮、津波のリスク情報などを地図や写真に重ねて表示できる。

解説▶解答

問326

「あれ、何%だろ」って、ちょっと焦っちゃうかもしれませんけど、選択肢４まで読めばね。低地はやっぱり、洪水や地震による液状化などの災害危険度は高いでしょ。

1 適当　そうなんです。国土を山地と平地に大別すると、山地(火山地・山地・丘陵地)が約75%を占めています。ということだから、平地(台地・低地)は約25%。

2 適当　火山地は、国土面積の約７%。選択肢にもあるとおり、山林や原野のままの所も多い。そりゃそうだろうね。で、土壌も火山灰がベースになっているから、水利も乏しい。

3 適当　いいね台地や丘陵地。で、台地・段丘は、国土面積の約12%。地盤が安定しており、もちろん土地利用に適している。最適です。

4 不適当　低地は、国土面積の約13%。で、洪水や地震による液状化などの災害危険度はやっぱり高いんじゃないかな。

問327

誰しもが、選択肢２を読めば笑うはず。そんなことないでしょ。選択肢４。ハザードマップポータルサイト。試しに見てみてね。ついつい「えーここやばそう」みたいな感じで盛り上がりがちだ。

1 適当　そりゃそうでしょ。台地の上とはいえ浅い谷になっているんだから豪雨時に浸水することがあるでしょ。

2 不適当　低地なんだから一般に洪水や地震などに対して弱いでしょ(笑)。

3 適当　護岸が強固であればね。

4 適当　みんなで見てみようハザードマップポータルサイト。個人的な話で恐縮ですが、まぁまぁちょこちょこ、このリスク情報をブログ記事「街宅建」でのネタにさせていただいております。ありがとうございます。

正解	
問326　4	問327　2

建物の構造等

2025年版
合格しようぜ！
宅建士 基本テキスト

➡ Part5 免除科目
➡ 建物の構造等
➡ Section3　宅地建物の統計等　土地・建物の形質等
➡ P745～P746

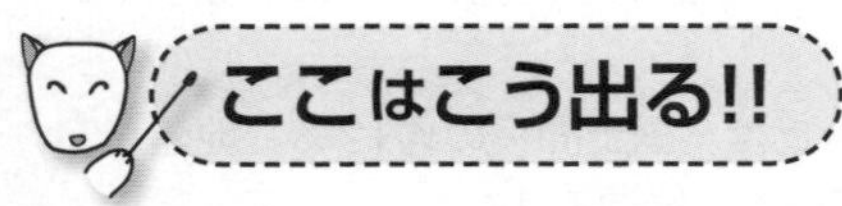

ここはこう出る!!

免除科目の【問50】は「建物の構造等」での出題となる。【問49】の「土地の形質等」と比べればややマジメな感じとなり、「低地は安全だ」などの受験生をおちょくった選択肢はやや少なめ。がしかし「木材は乾いている方が強度が弱い」とか「耐震補強として免震構造は適していない」などの「おふざけ出題」もあるので油断は禁物だ。向こうがふざけてきたら、我々も苦笑しながらクールに得点しよう。【問49】とは異なり選択肢1を正解肢にもってくることが多い。【問49】との兼ね合いであろう。

だからこう解く!! 厳選要点★ここを押さえろ

「最も不適当」な選択肢の出題例

- 令和2年度(10月)【問50】選択肢3
  壁体の下に設ける基礎は「べた基礎」
  →「べた基礎」じゃなくて「布基礎(連続基礎)」
- 令和元年度【問50】選択肢4
  耐震は地震に対する補強に利用されない
  →補強に利用されている
- 平成29年度【問50】選択肢1
  木材の強度は含水率が小さいと低い
  →含水率が小さい(乾いている)と高い
- 平成28年度【問50】選択肢1
  鉄骨造は自重が重い。靭性が小さい。高層建築には使用されない
  →自重が軽い。靭性が大きい。高層建築向き
- 平成27年度【問50】選択肢1
  木造は湿気に強い
  →強くない。弱い
- 平成25年度【問50】選択肢4
  耐震補強として制振構造・免震構造は適していない
  →大いに適している
- 平成24年度【問50】選択肢1
  鉄筋コンクリートの中性化は耐久性・寿命に影響しない
  →大いに影響する

問50「建物の構造等」の傾向と対策

- 「最も不適当なものはどれか」での出題
- イメージがつきにくかったらネット検索

問題

問328

建築物の構造に関する次の記述のうち、最も不適当なものはどれか。

【平成28年 問50】

1　鉄骨造は、自重が大きく、靱性が小さいことから、大空間の建築や高層建築にはあまり使用されない。

2　鉄筋コンクリート造においては、骨組の形式はラーメン式の構造が一般に用いられる。

3　鉄骨鉄筋コンクリート造は、鉄筋コンクリート造にさらに強度と靱性を高めた構造である。

4　ブロック造を耐震的な構造にするためには、鉄筋コンクリートの布基礎及び臥梁により壁体の底部と頂部を固めることが必要である。

問329

建物の構造に関する次の記述のうち、最も不適当なものはどれか。

【平成27年 問50】

1　木造は湿気に強い構造であり、地盤面からの基礎の立上がりをとる必要はない。

2　基礎の種類には、直接基礎、杭基礎等がある。

3　杭基礎には、木杭、既製コンクリート杭、鋼杭等がある。

4　建物は、上部構造と基礎構造からなり、基礎構造は上部構造を支持する役目を負うものである。

解説▶解答

問328 **選択肢1に書いてあることがぜんぶちがうのがおもしろい。最後は笑わせてあげようということなんですよね。ありがとー出題者。**

1 不適当　ぜんぶちがう(笑)。鉄骨造は、自重が軽く、靭性が大きい。なので大空間の建築や高層建築でメチャ使用されている。

2 適当　そのとおり。鉄筋コンクリート構造の骨組の形式として、一般的にラーメン構造が用いられる。ちなみにラーメン構造とは、柱とはりを強剛に組み合わせた直方体で構成する構造だよー。

3 適当　鉄骨鉄筋コンクリート構造は、鉄筋コンクリート構造より強度・靭性が高い。

4 適当　ブロック造とは、コンクリートブロックを積上げて建築物の壁面を構築する構造。ブロック造は耐震性が低いので、底部(基礎)を鉄筋コンクリートの布基礎で固め、頂部には臥梁(がりょう)を設けて耐震的な構造にする。臥梁とは壁体頂部を固める鉄筋コンクリート製の梁のこと。

問329 **選択肢1が笑えます。木造は湿気に強くないでしょう。これが不適当で正解肢。この年の【問50】は受験生全員できちゃったでしょうね。**

1 不適当　木造は湿気に強くないでしょう。地盤面からの基礎の立上がりをとる必要もあるでしょう。

2 適当　直接基礎とは、基礎の底面自体で構造物を支える方式。戸建てなど建築物の自重が小さい場合や、支持地盤が浅く良好である場合に利用される。一方、支持地盤が深い場合などだと杭基礎となり、深く打ち込んだ杭によって構造物を支える。支持地盤まで杭が達していないとマンションが傾いたりする。

3 適当　杭基礎には、木杭(木製の杭)、既製コンクリート杭(工場で作られた杭)、鋼杭等がある。

4 適当　建物の基礎構造は、上部構造(建築物自体)を支持する役目を負っている。

正解	
問328　1	問329　1

問題

問330 建物の構造に関する次の記述のうち、最も不適当なものはどれか。

【平成24年 問50】

1　鉄筋コンクリート構造の中性化は、構造体の耐久性や寿命に影響しない。

2　木造建物の寿命は、木材の乾燥状態や防虫対策などの影響を受ける。

3　鉄筋コンクリート構造のかぶり厚さとは、鉄筋の表面からこれを覆うコンクリート表面までの最短寸法をいう。

4　鉄骨構造は、不燃構造であるが、火熱に遭うと耐力が減少するので、耐火構造とするためには、耐火材料で被覆する必要がある。

問331 建築物の構造に関する次の記述のうち、最も不適当なものはどれか。

【平成23年 問50】

1　ラーメン構造は、柱とはりを組み合わせた直方体で構成する骨組である。

2　トラス式構造は、細長い部材を三角形に組み合わせた構成の構造である。

3　アーチ式構造は、スポーツ施設のような大空間を構成するには適していない構造である。

4　壁式構造は、柱とはりではなく、壁板により構成する構造である。

解説▶解答

問330 コンクリートは、最初はアルカリ性。中性化してくると内部の鉄筋がさびやすくなる。

1 不適当　コンクリートの中性化が進むと鉄筋が腐食しやすくなる。となると、そりゃやっぱり構造体の耐久性や寿命に影響ありますでしょ。

2 適当　そのとおり。木造建物の寿命は、木材の乾燥状態や防虫対策などの影響を受ける。

3 適当　鉄筋コンクリート構造のかぶり厚さとは、コンクリート表面から鉄筋や鉄骨までのコンクリートの厚みのこと。鉄筋の表面からこれを覆うコンクリート表面までの最短寸法をいう。

4 適当　鉄骨構造は不燃構造なんだけど、火熱に弱い。なので耐火構造とするためには、耐火材料で被覆する必要があります。

問331 建物の構造からの出題。選択肢４は、まさに読んでのとおりなので、ありがたい選択肢ですね。

1 適当　そのとおり。

2 適当　これもそう。たとえば、壁を作るときには筋かいを組入れる。三角形がいちばん強い。

3 不適当　アーチ式は、アーチ式っていうくらいだから円弧状に形成したトラス骨組等で、体育館などのスポーツ施設のような大空間を構成するのに適している。

4 適当　読んで字のとおり。

正解	
問330　1	問331　3

問題

問332 建築物の構造と材料に関する次の記述のうち、不適当なものはどれか。

【平成22年 問50】

1　常温において鉄筋と普通コンクリートの熱膨張率は、ほぼ等しい。

2　コンクリートの引張強度は、圧縮強度より大きい。

3　木材の強度は、含水率が大きい状態のほうが小さくなる。

4　集成材は、単板などを積層したもので、大規模な木造建築物に使用される。

問333 建築物の構造に関する次の記述のうち、最も不適当なものはどれか。

【令和元年 問50】

1　地震に対する建物の安全確保においては、耐震、制震、免震という考え方がある。

2　制震は制振ダンパーなどの制振装置を設置し、地震等の周期に建物が共振することで起きる大きな揺れを制御する技術である。

3　免震はゴムなどの免震装置を設置し、上部構造の揺れを減らす技術である。

4　耐震は、建物の強度や粘り強さで地震に耐える技術であるが、既存不適格建築物の地震に対する補強には利用されていない。

解説▶解答

問332 建築物の構造などからの出題。選択肢３の「木材の強度」はよく考えればわかるかも。

1 適当　そのとおり。常温常圧において、鉄筋と普通コンクリートを比較すると、温度上昇に伴う体積の膨張の程度(熱膨張率)は、ほぼ等しい。

2 不適当　逆です。コンクリートは圧縮には強いけど、引っ張りには弱い。靭性（粘り強さ）がないといわれています。コンクリートの引張強度は、一般に圧縮強度の10分の１程度だそうです。

3 適当　そのとおり。木材の強度は、乾燥しているほど強くなる。なので「含水率が大きい状態」のほうが「強度は小さくなる」。

4 適当　そのとおり。集成材は木材（板材）を接着剤で再構成して作られる木質材料で、通常の木材では得られない大きな断面のもの、湾曲した形状のものを作ることができる。大規模な木造建築物で使用されることが多い。

問333 「耐震」「制震」「免震」シリーズ。平成25年【問50】も復習しておいてね。

1 適当　地震に対する建物の安全確保においては、耐震、制震、免震という考え方がある。はい、まったくそのとおりでございます。

2 適当　制震（構造）は制振ダンパーなどを設置し、地震等の揺れを制御する技術（構造）です。

3 適当　免震（構造）は、建物の下部構造と上部構造との間に積層ゴムなどを設置し、揺れを減らす技術(構造)です。

4 不適当　そんなことないでしょ。既存不適格建築物の耐震補強として、耐震技術(構造)が用いられている。

正解	
問332 2	問333 4

STAFF
編　　集　大西強司（とりい書房有限会社）
　　　　　瀧坂　亮
制作協力　檜木　萌
制　　作　レパミ企画　西新宿デザインオフィス　むくデザイン
校　　正　板倉隆将
編 集 長　片元　諭

本書のご感想をぜひお寄せください

https://book.impress.co.jp/books/1124101067

読者登録サービス

アンケート回答者の中から、抽選で**図書カード（1,000円分）**などを毎月プレゼント。
当選者の発表は賞品の発送をもって代えさせていただきます。
※プレゼントの賞品は変更になる場合があります。

■商品に関する問い合わせ先

このたびは弊社商品をご購入いただきありがとうございます。本書の内容などに関するお問い合わせは、下記のURLまたは二次元バーコードにある問い合わせフォームからお送りください。

https://book.impress.co.jp/info/

上記フォームがご利用いただけない場合のメールでの問い合わせ先
info@impress.co.jp

※お問い合わせの際は、書名、ISBN、お名前、お電話番号、メールアドレス に加えて、「該当するページ」と「具体的なご質問内容」「お使いの動作環境」を必ずご明記ください。なお、本書の範囲を超えるご質問にはお答えできないのでご了承ください。

- ●電話やFAXでのご質問には対応しておりません。また、封書でのお問い合わせは回答までに日数をいただく場合があります。あらかじめご了承ください。
- ●インプレスブックスの本書情報ページ https://book.impress.co.jp/books/1124101067 では、本書のサポート情報や正誤表・訂正情報などを提供しています。あわせてご確認ください。
- ●本書の奥付に記載されている初版発行日から1年が経過した場合、もしくは本書で紹介している製品やサービスについて提供会社によるサポートが終了した場合はご質問にお答えできない場合があります。

■落丁・乱丁本などの問い合わせ先

FAX 03-6837-5023
service@impress.co.jp
※古書店で購入された商品はお取り替えできません。

2025年版 合格しようぜ！宅建士 攻略問題集
精選333問 音声解説付き

2024年 10月21日 初版発行

著　者　宅建ダイナマイト合格スクール
発行人　高橋隆志
編集人　藤井貴志
発行所　株式会社インプレス
〒101-0051　東京都千代田区神田神保町一丁目105番地
ホームページ　https://book.impress.co.jp/

印刷所　日経印刷株式会社

ISBN978-4-295-02037-0　C2032

Printed in Japan